ZEG MAAR DAG TEGEN MAMMIE

3408

Van Joy Fielding verschenen eerder:

De babysitter
De huurster
Eindspel
Het spoor bijster
Nu niet meer huilen
Op het tweede gezicht
Vriendinnen tot in de dood

Joy Fielding

Zeg maar dag tegen mammie

Zwarte Beertjes

Tweede druk, 2007

Oorspronkelijke titel: Kiss Mommie Goodbye
Oorspronkelijke uitgave: Doubleday
Copyright: © 1981 by Joy Fielding Inc.
Nederlandse vertaling: Erica Feberwee
Copyright Nederlandse vertaling: Van Reemst Uitgeverij, Unieboek bv
© 1982 by Unieboek BV, Postbus 97, 3990 DB Houten

www.unieboek.nl
www.joyfielding.com

Omslagontwerp: Wil Immink
Omslagillustratie: Getty Images; Gary Isaacs
Opmaak binnenwerk: ZetSpiegel, Best

ISBN 978 90 461 6192 0 / NUR 332

Deel 1

Het verleden

1

'U hebt het over "onstabiel gedrag". Zou u wat concreter kunnen zijn?'

'Concreter?'

Getraind als hij was, glimlachte de advocaat geduldig en hij liet precies de juiste dosis begrip in zijn stem doorklinken, terwijl hij verduidelijkte: 'Ja. Zou u ons wat *voorbeelden* kunnen geven van wat u aanduidt als onstabiel gedrag van uw vrouw in de laatste paar jaar?'

'O, ja. Natuurlijk,' knikte de man.

Donna Cressy zat kaarsrecht op het puntje van haar rechte, harde stoel en keek naar de man in de getuigenbank; de man met wie ze zes jaar getrouwd was geweest, Victor Cressy, achtendertig jaar, en vijf jaar ouder dan zij; Victor die doorging met wat er nog van haar zelfvertrouwen over was, te vermalen tot as (dat wat na de crematie van een mens resteert); die alles wat ze tijdens hun huwelijk gezegd had, zin voor zin, woord voor woord, tot op de nuance nauwkeurig ontleedde, totdat er niets meer van over was; niets, behalve dan zijn interpretatie van hoe het geweest was. Ze glimlachte bijna. Waarom zou hun scheiding ook anders zijn dan hun huwelijk? Ze keek naar zijn gezicht en herinnerde zich weleens gelezen te hebben dat vrouwen zich bij het zien van een oude of verloren vlam afvroegen wat ze in 's hemelsnaam ooit in hem gezien hadden. Ze wenste dat dit voor haar ook opging. Maar het was er nog allemaal: zijn regelmatige, knappe, zelfs vriendelijke gezicht; zijn peinzende blauwe ogen en zijn bijna zwarte haar; de gevoelige en toch ook autoritaire gelaatstrekken; zijn volle lippen en zijn stem, waarin aanmatiging, maar vreemd genoeg tegelijkertijd ook respect doorklonk.

'Ze wilde ineens niet meer achter het stuur,' zei Victor bijna verbaasd. Dat was blijkbaar iets dat zijn begrip te boven ging.

'Hoe bedoelt u dat? Ze wilde ineens niet meer achter het stuur?' vroeg de advocaat. 'Had ze dan een ongeluk gehad?'

Hij had een goede advocaat. Dat moest Donna toegeven. Volgens Victor de beste in heel Florida. En dat had haar niet verbaasd. Victor moest altijd het beste hebben. Aanvankelijk had ze hem daarom bewonderd, maar nu verachtte ze hem erom. Grappig, hoe iets waarvan je hield zo snel tot iets verachtelijks kon worden, dacht ze. Grappig ook hoe een door de wol geverfde advocaat met een goed getrainde cliënt er toch in slaagde om het allemaal zo spontaan te laten klinken. Haar raadsman had haar verteld dat een goede advocaat nooit een vraag stelde waarop hij het antwoord niet al wist. Haar advocaat stond ook goed bekend, echter niet zo goed als die van Victor.

'Nee. Zolang ik haar ken, heeft ze nooit een ongeluk gehad,' antwoordde Victor. 'Ze rijdt sinds haar zestiende en voorzover ik weet, heeft ze zelfs nog nooit een deuk in een spatbord gereden.'

'Reed ze veel toen u pas getrouwd was?'

'Altijd. Ter gelegenheid van de eerste jaardag van ons huwelijk heb ik haar zelfs een autootje cadeau gedaan, een kleine Toyota. Daar was ze dolblij mee.'

'En opeens reed ze niet meer?'

'Inderdaad. Plotseling weigerde ze gewoon om nog achter het stuur te gaan zitten.'

'Gaf ze daar een verklaring voor?'

'Ze zei dat ze niet meer wilde rijden.'

Victors advocaat, ene Ed Gerber, trok de wenkbrauwen op, fronste tegelijkertijd het voorhoofd en trok een zuinig mondje. Een combinatie die Donna erg moeilijk leek. 'Wanneer was dat precies?'

'Een jaar of twee geleden. Nee. Misschien iets langer. Ongeveer in de periode dat ze zwanger werd van Sharon. Sharon is nu zestien maanden, dus, ja, dan was het waarschijnlijk zo'n twee jaar geleden.' Hij sprak zacht, bedachtzaam.

'En sindsdien heeft ze nooit meer gereden?'

'Voorzover ik weet niet.'

'En voorzover u weet is er niets gebeurd dat daarvoor de aanleiding geweest kan zijn?'

'Nee. Ik...' Hij aarzelde, alsof hij in tweestrijd stond of hij wel of niet verder moest gaan. 'Ik heb eens gezien dat ze achter het stuur ging zitten. Dat was ongeveer een jaar geleden, toen ze dacht dat ik nog sliep...'

'Nog sliep? Hoe laat was dat dan?'

'Even over drieën 's nachts.'

'Wat deed ze dan buiten om drie uur 's nachts?'

'Protest.' Dat was Stamler, haar advocaat. Even lang en even zwaar als Gerber. Ongeveer even oud. In bijna alle opzichten gelijk, behalve dan dat Victor haar had verteld dat Gerber béter was.

'Pardon. Ik zal mijn vraag anders formuleren. Wat droeg uw vrouw op dat moment, mijnheer Cressy?'

'Haar nachtjapon.'

'En waar waren de kinderen?'

'Binnen. Ze sliepen.'

'Wilt u eens exact beschrijven wat u die nacht zag?'

Victor keek stomverbaasd. Donna kon zien dat zijn verwarring niet gespeeld was. Vergeef hen, Vader, dacht ze, want ze weten niet wat ze doen. Victor had gezworen de waarheid te zullen spreken. En dat deed hij dan ook. Maar dan de waarheid zoals hij die zag, zoals hij die kende. Zijn waarheid, niet de hare.

Haar kans kwam later. Haar laatste kans.

'Ik hoorde de voordeur dichtvallen en keek uit het raam naar de parkeerplaats. Ik zag Donna het portier openmaken en instappen.

Ik weet nog dat ik erg verbaasd was dat ze erover dacht misschien weer te gaan rijden en dat het me nog méér verbaasde dat ze om drie uur 's nachts blijkbaar nog ergens heen ging. Dat was natuurlijk lang voordat ik erachter kwam dat ze een verhouding had met dokter Segal.'

'Protest. Er is geen enkel bewijs dat mevrouw Cressy die ochtend voornemens was dokter Segal te ontmoeten.'

'Toegewezen.' Dat was de rechter. Even lang en zwaar als Stamler en Gerber. En misschien een jaar of twintig ouder.

'Ging mevrouw Cressy eigenlijk ergens heen?'

'Nee. Ze stak het sleuteltje in het contact en zette de motor aan. En verder zat ze daar maar, alsof ze zich niet kon bewegen. Toen begon ze te beven. Over haar hele lichaam. Ze zat daar en beefde. Ten slotte zette ze de motor af en ze liep weer naar binnen. Ik ging naar de woonkamer om te kijken of alles goed met haar was en ik kon zien dat ze gehuild had. Ik vroeg wat er aan de hand was.'

'En wat zei ze toen?'

'Ze zei dat ik weer naar bed moest gaan. En toen liep ze terug naar haar kamer.'

'Haar kamer? Sliep u apart?'

'Ja.'

Het was Victor aan te zien dat hij het vreselijk gênant vond om die vraag bevestigend te moeten beantwoorden.

'Waarom?'

'Dat wilde Donna.'

'Meteen vanaf het begin?'

'Nee. O, nee.' Hij glimlachte. 'We hebben immers twee kinderen.' Gerber glimlachte opbeurend. En het leek wel alsof zelfs de rechter glimlachte. Alleen Donna bleef onaangedaan. 'Nee, ze, eh... Vanaf het moment dat ze wist dat ze zwanger was van onze tweede, wilde ze niet meer met mij in één kamer slapen.'

'Vond u dat vreemd?'

'Een beetje wel. Ik had op dat gebied al heel lang nul op het rekest gekregen. Behalve heel af en toe.' Er lag een hondsdroeve glimlach op zijn gezicht. Donna wilde hem wel midden in dat gezicht stompen.

'Dus uw vrouw weigerde seksueel contact?'

'Inderdaad,' zei hij bijna onhoorbaar.

'Zei ze ook waarom?' Waarom maakte die man zich toch steeds zo druk over het 'waarom'? vroeg Donna zich af.

'Aanvankelijk zei ze meestal dat ze gewoon te moe was. Ach, en met die kleine handenbinder, onze Adam... Onze knul is inmiddels vier.' Donna staarde Victor ongelovig aan. Hij had haar eens gezegd dat hij in staat was de Arabieren zand te verkopen, en de afgelopen vijf jaar was hij dan ook de topvertegenwoordiger van Prudential-verzekeringen geweest. Maar waar ze nu getuige van was... De Yankee uit Connecticut, die zich nog maar acht jaar geleden in Palm Beach, Florida, had gevestigd, had een totale gedaanteverwisseling ondergaan en was ineens een geboren en getogen zuiderling geworden. Hij sprak zelfs een beetje op die lijzige, typisch zuidelijke manier en zelfs zij had werkelijk even in de nieuwe Victor geloofd. 'Aanvankelijk zei ze meestal dat ze gewoon te moe was, en met die kleine handenbinder, onze Adam...' In gedachten hoorde ze het hem weer zeggen. 'Handenbinder!' Victor Cressy had die benaming zijn leven lang nog nooit gebruikt. En dan dat sentimentele laatste zinnetje: 'Onze knul is inmiddels vier.' Hij was op en top de toegewijde, liefhebbende, gezellige vader en zuiderling. En het dééd haar nog wat ook! En zo te zien de rechter eveneens. Even raakte ze in paniek en ze keek achterom naar Mel. Hij was er. Hij glimlachte, maar aan zijn gezicht was te zien dat hij net zo in verwarring was gebracht als zij. Toen ze zich weer naar de getuigenbank omdraaide, maakte zich een gevoel van haar meester dat ze met geweld had verdrongen sinds ze besloten had bij Victor weg te gaan: de angst dat hij misschien toch zou winnen. Niet het echtscheidingsproces: het kon haar niet schelen wie in het gelijk zou worden gesteld. Het liet haar koud of ze als overspelige echtgenote zou worden gebrandmerkt. Ze had tenslotte overspel gepleegd. Maar dank zij dat honingzoete, lijzige zuidelijke praten van Victor had zich ineens de angst van haar meester gemaakt dat er een heel reële mogelijkheid bestond dat ze haar kinderen zou verliezen. Terwijl juist die er de laatste, moeilijke jaren voor hadden gezorgd dat ze niet stapelgek geworden was.

Niet stapelgek?

Volgens Victor was ze dat wel. 'Daar kwam dan natuurlijk nog bij dat ze erg vaak ziek was.'

'Ziek?'

'Ja, het leek wel alsof ze voortdurend verkouden was. En als ze niet verkouden was, dan had ze wel griep. Ze lag dagen in bed.'

'En wie zorgde er dan voor de kinderen?'

'De buurvrouw, mevrouw Adilman. Mevrouw Adilman is weduwe en die kwam dan bij ons voor de kinderen zorgen.'

'Ging uw vrouw weleens naar de dokter?'

Victor wist een perfecte mengeling van spot en spijt in zijn glimlach te leggen. 'In het begin ging ze naar onze oude huisarts, dokter Mitchelson. Die ging met pensioen en daarna bezocht ze alleen nog haar verloskundige, dokter Harris. Tot ze

dokter Segal ontmoette. Die werd toen plotseling onze huis-
arts.'
'Dokter Melvin Segal?'
'Ja.'
'Hij werd de behandelend arts van uw vrouw?'
'En van de kinderen.'
'Hadden die geen kinderarts?'
Voor het eerst die morgen verhief Victor zijn stem in woede.
En dat miste zijn uitwerking niet. 'Ze hadden een uitstekende
kinderarts. De beste die je maar kunt hebben: dokter Welling-
ton. Paul Wellington. Maar Donna stond erop dat Sharon en
Adam naar dokter Segal gingen. Op dat punt was ze niet te
vermurwen.'
'Gaf ze daar ook een verklaring voor?' Alweer wilde hij een
verklaring.
'Nee. Althans geen bevredigende.'
De advocaat zweeg. Net als de zwerver in het gedicht van Robert Frost was hij bij een tweesprong aangekomen. Hij kon
nu kiezen uit twee richtingen, maar er slechts één volgen. Hij
kon de weg inslaan die leidde naar Donna's overspel of hij
kon het 'onstabiele' pad, zoals hij het eerder genoemd had,
van Donna's gedrag volgen. Hij koos voor haar geestelijke ge-
zondheid, of liever gezegd: het ontbreken daarvan. Hetgeen
hij hoopte te bewijzen. Daarop had hij zich meteen al gecon-
centreerd en hij realiseerde zich dat hij – anders dan de dichter – later altijd nog op het andere spoor verder kon gaan.
'Ik kom straks terug op dokter Segal, mijnheer Cressy,' vervolgde Gerber, terwijl de frons van zijn voorhoofd verdween
en hij zijn lippen griezelig vertrok. 'Op dit moment zou ik me
willen concentreren op de handelwijze van uw vrouw, althans
voor zover die u vreemd voorkwam. Kunt u ons daarvan nog
wat voorbeelden geven?'
Victor keek naar Donna en sloeg toen de ogen neer. 'Tja,' begon hij langzaam. 'Vlak na de geboorte van Sharon vond ze
dat ze er afschuwelijk uitzag en daarom besloot ze de kleur
van haar haren te veranderen.'
'Dat kan ik toch niet zo ongebruikelijk vinden, afgaande op
wat ik zo weleens hoor over vrouwen,' zei Gerber gnuivend
en uit de hoogte. Victor was slim genoeg om zijn voorbeeld

niet te volgen. Geduldig onderging hij de op het juiste moment geplaatste interruptie van zijn advocaat en hij vervolgde zijn verhaal. In de loop van zijn relaas begon hij steeds sneller te praten.

'Nee,' zei Victor instemmend, 'dat had niet zo ongebruikelijk hoeven te zijn. En aanvankelijk kon ik me er ook niet druk over maken, behalve dan dat ik haar haren het liefst lang en in de eigen kleur had gezien. En dat wist ze.' Even stilte. Zijn woorden goed laten doordringen. Zij veranderde met opzet iets dat hij altijd erg mooi had gevonden. 'Aanvankelijk liet ze slechts een paar plukjes blonderen. Het bleef bruin, met hier en daar wat blonde lokjes. Dat was nog niet zo erg, maar na ongeveer een week kwam ze tot de conclusie dat ze dat nog net zo erg vond als gewoon helemaal bruin. Dus liet ze het verven, zodat het bijna helemaal blond werd, met nog slechts hier en daar een paar bruine plukjes. Toen besloot ze dat ze, als ze haar haar toch lang hield, het beter helemaal kon laten blonderen en dus liet ze het echt helemaal blond, bijna wit verven. Maar toen klaagde ze erover dat het geel werd door de zon, en dus liet ze het rossig blond maken, en een paar weken daarna veranderde ze het in rood.' Hij zweeg even om op adem te komen. Donna herinnerde zich haar rode haar nog. De kleur was heel anders geworden dan ze verwacht had. 'Het rode haar was net zo'n kort leven beschoren als alle andere kleuren, want vervolgens liet ze het kastanjebruin en daarna zwart verven. Tegen die tijd was de conditie van het haar door al dat bleken en verven zo rampzalig dat ze het moest laten knippen. Dus liet ze het tot net op haar schouders knippen en in haar eigen kleur verven, zoals ze het nu heeft. Ze zag er geweldig uit. Dat zei ik ook tegen haar. Maar toen ze de volgende morgen beneden kwam voor het ontbijt, herkende ik haar aanvankelijk niet eens. Ze zag eruit alsof ze zó uit een concentratiekamp kwam. Ze had zelf haar haren afgeknipt. Er was bijna niets van over. En ze was zo mager.' Hij schudde verbijsterd het hoofd.

'Wat vonden haar vriendinnen van al die veranderingen?' vroeg zijn advocaat.

Donna's advocaat zat klaar om tegen de geringste aanwijzing van 'informatie uit de tweede hand' te protesteren.

'Tegen die tijd,' vervolgde Victor bedachtzaam, 'had ze eigenlijk niet veel vriendinnen meer. En zeker geen vriendinnen
die bij ons thuis kwamen.' Hij zweeg en dat had ook deze
keer effect. Toen wierp hij tersluiks een blik op Mel. 'Mevrouw Adilman heeft me eens gevraagd of Donna wel helemaal in orde was.'
'Protest. Dit is informatie uit de tweede hand.'
'Toegewezen.'
Victor wachtte af hoe zijn advocaat verder zou gaan. En die
stuurde zijn cliënt voortvarend, zij het subtiel, in de richting
waar hij hem wilde hebben.
'Wat vond u van al die veranderingen, mijnheer Cressy?' vroeg
Victors advocaat.
'Ik bleef hopen dat het te maken had met de geboorte van de
baby en dat het wel over zou gaan. Ik heb weleens gehoord
dat vrouwen soms een beetje de kluts kwijtraken na...'
'Protest, edelachtbare. Dit gaat toch werkelijk te ver...'
'Toegewezen. U begeeft zich op glad ijs, mijnheer Gerber.'
Gerber gaf op gepaste wijze blijk van zijn berouw. Hij boog
het hoofd en stelde zijn volgende vraag zonder het hoofd op
te heffen.
'Ging het allemaal beter naarmate de tijd vorderde?'
'Nee. Het werd steeds erger.'
Donna voelde dat haar voet sliep. De donkerste uren zijn die
vlak voordat het licht wordt. Ze herinnerde zich dat haar
moeder haar dat eens gezegd had. Ze wiebelde met haar
voet, voelde haar zenuwen tintelen en ze glimlachte toen ze
zich realiseerde dat ze tenminste nog zenuwen had die konden tintelen, dat ze nog leefde. Ze zag dat Victor zijn ogen
half dichtkneep. Hij had haar glimlach gezien, vroeg zich
af wat daarvan de reden was; keurde het af dat zij hier zat
te grijnzen. Barst, dacht ze en ze wilde dat ze het kon uitschreeuwen. Maar ze wist dat dit niet kon. Niet als ze wilde
bewijzen dat ze een goede moeder was; dat ze in staat was
de kinderen die ze ter wereld had gebracht, te verzorgen en
groot te brengen.
Victors stem dreunde maar door over een of ander echt of ver-
meend onrecht dat ze hem had aangedaan. Over de keren dat
ze hem vernederd had. Ze wilde geen visite, ze weigerde zijn

14

collega's of potentiële cliënten te ontvangen, en wanneer ze naar een feestje gingen, deed ze vaak sarcastisch of grof en zette ze hem genadeloos in zijn hemd. Of ze zocht haar toevlucht in het andere uiterste en zei de hele avond niets. Het was een nachtmerrie. Hij wist nooit hoe ze zou reageren. Dat wist niemand. En dan was er die toestand over het schoonhouden van het huis.

Victor deed het verhaal klinken alsof hij het zelf ook voor het eerst hoorde. 'Het begon na de geboorte van Sharon. Toen moest ze midden in de nacht opstaan om de baby te verzorgen. Sharon werd meestal zo rond een uur of twee 's nachts wakker en dan voedde Donna haar en legde haar terug in bed. Maar in plaats van zelf ook weer naar bed te gaan, ging ze het huis opruimen. Ze deed de woonkamer, de eetkamer, de keuken en soms zelfs de keukenvloer. Toen Sharon niet meer om twee uur gevoed hoefde te worden – en dat was al vrij gauw – stond Donna nog steeds om een uur of twee, drie op om minstens een uur te gaan schoonmaken. Ik ben eens op een nacht naar de keuken gegaan. Toen stond ze af te wassen.' Hij zweeg en zei toen droefgeestig: 'En we hebben een vaatwasmachine.'

Wie was dat gekke mens over wie ze het hadden? vroeg Donna zich af. Want het leed geen twijfel dat mevrouw Cressy gek was geweest.

Ineens moest ze denken aan die keer dat haar voorstelling van de hel voor het eerst werkelijkheid geworden was. Ze was een jaar of zesentwintig geweest. Ze had haar eigen appartement, ging vaak met mannen uit en genoot van haar vrijheid en onafhankelijkheid. Een aantal van haar collega's van het reclamebureau had besloten om ter gelegenheid van Onafhankelijkheidsdag een weekend naar buiten te gaan, naar het tweede huis van de ouders van een van hen, aan zee. (De ouders brachten de zomer in het noorden door.) Zij was ook uitgenodigd en ze genoot, tot ze werd ingedeeld bij de keukenploeg en van middernacht tot twee uur 's ochtends stond af te wassen. De vaatwasmachine was aangestoken door de vakantiestemming en had net als iedereen besloten het weekend vrij te nemen. Terwijl ze daar stond, haar handen in het kokend hete water, voorzien van een overvloed aan sop, en zag hoe de feestvierders, net toen ze had gedacht dat ze klaar was, met een nieuwe lading vaatwerk aankwamen, had ze moeten denken aan een boek dat ze tijdens haar studie had gelezen en waaraan ze sindsdien vaak had moeten denken. De mythe van Sisyphus van Albert Camus. Volgens de oude Griekse mythe had Sisyphus zich de woede van de goden op de hals gehaald om redenen die haar toen en ook nu niet te binnen wilden schieten, en hij was veroordeeld om gedurende de rest van de eeuwigheid een groot en afschuwelijk zwaar rotsblok naar de top van een enorme berg te duwen. Maar als hij daar bijna aangekomen was, rolde het blok steeds weer naar beneden. Camus had de schijnbaar waanzinnige vraag gesteld: was Sisyphus gelukkig? En wat nog waanzinniger was: hij was tot de slotsom gekomen dat Sisyphus inderdaad gelukkig was, omdat hij van tevoren wist dat het rotsblok zijn bestemming nooit zou bereiken. Dat hij altijd gedwongen zou zijn om het tot zover en niet verder te duwen, om het dan weer naar beneden te zien rollen. Dat er geen hoop bestond dat hij ooit in zijn onderneming zou slagen. En het feit dat hij alle hoop had laten varen, was zijn redding. Doordat hij zijn lot kende en accepteerde, was hij zijn lot de baas geworden. Over deze existentialistische theorieën had Donna staan nadenken, terwijl haar handen steeds weer in het afwaswater verdwenen. En toen er weer een gootsteen vol vaatwerk vanonder het schuim te voorschijn kwam, was ze tot de conclusie gekomen dat, als er een hel bestond en ieder mens zijn eigen speciale, persoonlijke hel toegewezen kreeg, de hare een eeuwigdurend keukencorvee zou zijn. Daarover was geen twijfel mogelijk. Door de gedachte om voor eeuwig aan een aanrecht te staan, om telkens weer een nieuwe lading vaatwerk voorgezet te krijgen, zag ze de hel zo duidelijk dat ze tot het besef kwam dat die hel inderdaad weleens zou kunnen bestaan. En geen honderd preken hadden haar zó tot dat besef kunnen doen komen. Voor het eerst van haar leven was Donna Cressy bang geweest voor de dood.

En nu zat ze hier in die grimmige rechtszaal en hoorde hoe ze werd afgeschilderd – correct, moest ze toegeven, althans oppervlakkig bezien correct – als de een of andere properheidsmaniak die midden in de nacht opstond om de vaat te gaan

doen, terwijl haar afwasmachine die perfect zou weten te verwerken. Was dat het beeld van een vrouw die wist hoe ze
haar leven moest inrichten? Had een vrouw die qua haarkleur
in een paar maanden tijd overstapte van Gloria Steinem naar
Lana Turner, naar Lucille Ball, naar Dorothy Lamour en naar
Mia Farrow – naar iedereen, behalve zichzelf – ook maar enig
recht om toezicht te houden op de ontwikkeling van twee
jonge kinderen met volmaakt gezonde koppen met haar?
Afgaande op alles wat ze net gehoord had, moest ze die vraag
met 'nee' beantwoorden. En er kwam nog meer, nog veel
meer, wist ze. Ze hadden het nog niet eens over Mel gehad,
over haar immoreel gedrag. Ze hadden tot dusverre ieder
detail betreffende de kinderen vermeden. Victor was pas de
eerste getuige. Donna twijfelde er niet aan, of er zou nog een
lange reeks getuigen volgen, allemaal zouden ze haar veroordelen, de een woedend, de ander medelijdend. Zij had alleen zichzelf. En weer glimlachte ze treurig. Waarom zou hun
scheiding ook maar enigszins verschillen van hun huwelijk?
Toen merkte ze dat de rechter naar haar keek. Hij vroeg zich
natuurlijk af waarom ze glimlachte. Dat paste toch helemaal
niet bij de situatie van dit moment? Hij denkt dat ik gek ben,
zei ze tegen zichzelf, terwijl de rechter met een hamerslag de
zitting tot na de lunch verdaagde.

Nog voordat ze zelfs maar had kunnen opstaan, stond Victor
al naast haar. Zijn gezicht was een en al vriendelijkheid en
bezorgdheid.
'Kan ik even met je praten?' vroeg hij.
'Nee,' zei ze. Ze stond op en duwde haar stoel naar achteren.
Haar advocaat was al naar de uitgang van de rechtszaal ge-
lopen en stond daar met Mel te praten.
'Donna, wees toch alsjeblieft niet zo onredelijk.'
Ze keek oprecht verrast. 'Wat had je dan van me verwacht?
Had jij redelijkheid verwacht van dat mens dat ik zo-even
door jou in alle oprechtheid heb horen beschrijven? Je ver-
wacht te veel, Victor, zoals gebruikelijk.' Ze krabde aan haar
linkerduim.
'Heb je weer last van uitslag?' vroeg hij.
Ze hield op met krabben. 'Dat heb je vanmorgen vergeten te

vertellen. Nou ja, de dag is nog lang. Je komt er vast nog wel aan toe.' Ze wilde eigenlijk niets meer zeggen, maar kon toch haar mond niet houden. 'O, en je hebt vergeten te vertellen dat ik aambeien heb omdat ik, ondanks al jouw waarschuwingen, toch steeds weer op het toilet zat te lezen.' Ze sloeg op haar hand. 'Stoute meid.'

Hij pakte haar hand. 'Donna, alsjeblieft. Zie toch in hoe je hieronder lijdt.'

'Laat me los.'

Hij liet met tegenzin haar hand los. 'Ik wil je gewoon alle pijn en vernedering die je door deze hele toestand nog te verduren zult krijgen, besparen.'

'Laat jij je eis om de voogdij over de kinderen te krijgen dan vallen?'

Hij keek oprecht verbijsterd. 'Je weet best dat ik dat niet kan doen.'

'Je denkt toch niet serieus dat ik niet in staat ben om mijn kinderen op te voeden?' Ze schreeuwde het bijna uit. Mel en meneer Stamler keken in haar richting. Mel kwam naar haar toe. 'Het zijn ook mijn kinderen,' bracht Victor haar in herinnering.

'En mijn gevoel zegt me dat wat ik doe juist is.' Mel kwam naast Donna staan.

'Je wint niet, dat kan ik je wel vertellen,' zei Donna met meer overtuiging dan ze in werkelijkheid voelde. 'De rechter krijgt ook nog mijn versie te horen. Hij zal niet toestaan dat jij me mijn kinderen afneemt.'

Victor keek van Donna naar Mel en in zijn ogen stond onverholen haat te lezen. Toen hij Donna weer aankeek, was alle bezorgdheid van zo-even uit zijn gezicht verdwenen. Zijn stem had ieder spoortje zuidelijke gemoedelijkheid verloren en klonk onbeschaamd noordelijk en koud als de bijtende wind in de straten van Chicago. 'Ik verzeker je,' beet hij haar vinnig en afgemeten toe, 'ook al zou je winnen, dan nog verlies je.'

'Wat moet dat betekenen?' vroeg Donna, maar Victor had zich al omgedraaid en enkele ogenblikken later was hij de rechtszaal uit.

2

Ze had de telefoon drie keer laten rinkelen, voor het haar
duidelijk werd dat niemand anders in het kantoor hem zou
opnemen. 'Reclamebureau McFaddon,' zei ze duidelijk. 'Met
Donna Edmunds. Een ogenblikje alstublieft. Ik zal even kijken of hij er is.' Ze leunde over het bureau heen naar haar
buurman. 'Voor jou, Scott,' zei ze, na de telefoon op de wacht-
lijn te hebben gezet. 'Ben je er?'
'Is het een man of een vrouw?'
'En óf het een vrouw is,' zei ze glimlachend.
'Klinkt ze sexy?'
'En of!'
'En óf ik er dan ben!' Hij drukte de knop op zijn toestel in en
Donna legde op. Scott Braxlen blies een mager 'hallo' de
hoorn in. 'O ja, natuurlijk, mevrouw Camping. Hebt u een
ogenblikje?' Vlug drukte hij een andere knop in en boos
draaide hij zich naar Donna om. 'Je wordt bedankt! Je hebt er
niet bij gezegd, dat het een klant was.'
'Daar heb je ook niet naar gevraagd.'
'Leukerd! Je weet toch dat ik hoofdpijn heb.'
'Een kater zul je bedoelen.'
Hij glimlachte. 'Verdomd leuk feestje,' zei hij, draaide zich
weer om en hervatte zijn gesprek met mevrouw Delores Cam-
ping.
'Tot hoe laat ben jij gebleven?' vroeg Irv Warrack, die achter
Donna kwam staan. 'Waar ben je trouwens mee bezig?'
'Ik ben al vóór jou weggegaan,' bracht ze hem in herinnering
en ze liet het ontwerp zien van een interieur. 'Voor Petersen.'
'Ziet er goed uit. Dat zal McFaddon wel aardig vinden.' Hij
gebaarde met een denkbeeldige sigaar. 'Er is hier een grootse toekomst voor je weggelegd, kindje.' Ze trok een grimas.
'Heb je het niet naar je zin?' vroeg hij, duidelijk verrast.
Donna legde haar tekenpen neer. 'Ik geloof, dat ik het wel redelijk naar mijn zin heb. Ik weet het niet. Ik weet niet zeker
of ik dit nu de rest van mijn leven wil blijven doen...' Ze keek

in de vriendelijke ogen van haar collega. 'Ik denk dat ik momenteel in een soort overgangsfase zit. Of klinkt dat erg hoogdravend?'

Hij glimlachte. 'Een beetje maar. Schatje,' vervolgde Irv Warrack, samenzweerderig tegen haar bureau leunend, 'iemand die zoiets kan maken als "Het Mayflower-woonproject, een origineel ontwerp voor originele Amerikanen", heeft voor de rest van zijn leven zijn bestemming gevonden. Begrepen?' Ze lachte. 'Ik moet weg,' zei hij en hij kwam overeind.

'Waar ga je heen?'

'Naar huis. Ik ben óp. Jij niet?'

'Het is nog niet eens lunchpauze!'

'Is het al zó laat?' Hij liep naar de deur. 'Ik moet even rusten, want ik ga vanavond met je vriendin uit.'

'Met Susan?'

'Ja. Een geweldige meid. Neem jij de zaken voor me waar?' Hij deed de voordeur open. 'Heb je je vriend trouwens nog teruggezien?'

'Welke vriend?'

'Van gisteravond. Die vent naar wie je steeds keek.'

Donna stond even perplex. Had het er zo dik bovenop gelegen? 'Ik ben al vóór jou weggegaan, weet je nog?'

'O ja. Nou, prettig weekend dan maar.' Hij liep de deur uit en was verdwenen.

'Is Warrack weg?' vroeg Scott Braxlen. Hij was klaar met zijn telefoontje. Donna knikte. 'Dat is een goed idee.' Hij stond op en rekte zich uit. 'Ik denk dat ik ook maar naar huis ga. Om mijn arme hoofd te verzorgen.'

Donna keek het snel leeglopende kantoor rond. 'Wat heeft iedereen? Eén feestje om de afsluiting van een succesvolle reclamecampagne te vieren...'

'Het Mayflower-woonproject, een origineel ontwerp voor originele Amerikanen...'

'En de volgende morgen zakt de hele boel in elkaar. Rhonda heeft niet eens de moeite genomen te komen, Irv gaat vijf uur te vroeg naar huis, jij staat ook op het punt te vertrekken...'

'Wie was die vent?'

'Welke vent?'

'Die vent naar wie Warrack je vroeg?'

Donna schudde het hoofd. 'Ik snap niet hoe je het voor elkaar krijgt. Heb jij soms twee paar oren?'

'Wie is het?'

'Ik weet het niet. We zijn aan elkaar voorgesteld en toen is hij verdwenen.'

'Zo moet het ook. Neem dat maar van mij aan, Donna, het is beter zo.'

'Ga jij nu maar naar huis, Scott.'

Hij liep naar de deur. 'Hij zag er zeker erg aantrekkelijk uit, hè?'

'Schiet op. Scott.'

'Neem jij voor me waar?'

Donna gebaarde dat hij moest vertrekken. Ze richtte haar aandacht weer op haar ontwerp, maar de pen bleef onbeweeglijk in haar hand rusten. Misschien moest ze gewoon naar huis gaan, net als alle anderen. Nee, dat kon ze niet doen. 'Waarom moet ik toch altijd zo braaf doen?' vroeg ze zich hardop af. Ik moet altijd tot het bittere eind blijven. Behalve op feestjes. Dan ging ze meestal vroeg weg. Haar gedachten dwaalden af naar het feestje van de vorige avond, dat hun was aangeboden door de tevreden klant. Onmiddellijk zag ze het gezicht van de onbekende man voor zich. Wat was hij knap, dacht ze, terwijl ze de hoorn van de haak nam. Ze had plotseling behoefte om iemand in vertrouwen te nemen. 'Kan ik Susan Reid spreken? Dank u.' Ze wachtte even. 'O, goed. Ik wacht even.' Waarom ook niet? Ze zag langzamerhand wel in dat ze vandaag toch niet veel zou presteren. Ze keek om zich heen. 'Geweldig,' zei ze in de hoorn, 'daar zit ik dan in mijn eentje. Wat? O, sorry. Nee, ik had het niet tegen u. Duurt het nog erg lang? Dank u.' Bijna vijf minuten later klonk eindelijk Susan Reids stem aan de andere kant van de lijn. 'Lieve hemel, wat een probleem om jou te pakken te krijgen! Ik zit al tien minuten te wachten. Ik heb het druk, hoor.' Ze zweeg. Ze staarde recht voor zich uit door het grote raam dat uitzicht bood op de schilderachtige Royal Palm Road in het chique centrum van het chique Palm Beach. 'Wat? O, sorry. Ik moet ophangen, Susan. Ik kan nu niet met je praten. Nee. Wat? Nee. Ik moet ophangen. Hij is er. Hij! De grote hij! Die geweldige vent van gisteravond. Hij staat hier voor het gebouw met iets in zijn handen dat lijkt op een fles champagne. Lieve hemel, het is champagne, en hij heeft twee glazen bij zich. Ik kan mijn ogen niet geloven. Mijn hart bonst als een razende. Ik moet ophangen. Hij komt binnen. Ik kan het gewoon niet geloven. Ik spreek je later wel. Dag.'

Ze hing op en op hetzelfde moment kwam Victor Cressy het kantoor binnen.

'Hallo,' zei hij nonchalant, terwijl hij de glazen op haar bureau zette en meteen de fles champagne ontkurkte.

'O,' riep ze uit toen de kurk door het vertrek schoot. Daarna probeerde ze zo nonchalant mogelijk te klinken. 'Goed geschoten.' Hij glimlachte en boorde zijn kristalheldere, blauwe ogen in de hare, die ook blauw waren, maar enkele tinten donkerder. Hij schonk de champagne in en zonder dat ze er bewust op lette, viel het Donna toch op dat het Dom Perignon was. Toen reikte hij haar langzaam een glas aan en hief vervolgens zijn eigen glas. Hun glazen tikten tegen elkaar, terwijl Donna werd overvallen door de plotselinge angst dat haar maag zou gaan rommelen. Het was bijna lunchtijd en ze had niet ontbeten.

'Op ons,' zei hij en zijn ogen lachten. Haalt hij nu een grapje met me uit? vroeg ze zich af.

Donna moest verschrikkelijk nodig naar het toilet.

'Ik ben Victor Cressy,' zei hij nog altijd glimlachend, en deze keer lachte zijn hele gezicht.

'Dat weet ik nog,' zei ze.

'Ik voel me gevleid.' Hij nam een flinke slok van zijn champagne. Ze volgde zijn voorbeeld.

Hij moest eens weten hoe goed *ik* het nog weet, dacht ze en in gedachten ging ze snel terug naar hun korte ontmoeting de vorige avond.

'Donna, dit is Victor Cressy, waarschijnlijk de beste vertegenwoordiger in het verzekeringswezen van het zuidelijk halfrond!' En daarna was hij verdwenen. Als een heerlijk aas dat voor de ogen van een uitgehongerde vis had gebungeld en toen snel was weggetrokken, terug in de chaos van roze, groene en zachtblauwe japonnen, zo typerend voor de vrouwen in Florida, verloren in een maalstroom van oude lichamen, in de ene hand een drankje, in de andere hun pas getekende eigendomsbewijs (het Mayflower-woonproject, een origineel ontwerp voor originele Amerikanen).

Dat was alles, realiseerde ze zich met een schok. Ze had een hele nacht liggen fantaseren op grond van een paar woorden. Hoewel ze die avond diverse keren had gedaan wat ze kon – en zo subtiel als ze kon – om zo dicht mogelijk bij hem in de buurt te komen, hadden ze geen woord meer gewisseld. Hij was geen moment bij haar komen staan, had geen moment geprobeerd zijn positie ten opzichte van haar te versterken. En na verscheidene steelse blikken op wat zij een volmaakt profiel en een uitzonderlijk knap gezicht vond, had ze hem volkomen uit het oog verloren. Toen ze eindelijk genoeg moed had verzameld om iemand naar hem te vragen, hoorde ze dat hij al vertrokken was. En nu stond hij hier, precies zoals haar fantasieën van de vorige avond het haar hadden voorgespiegeld.

Terwijl hij praatte, keek ze naar zijn mond. Ze zag zijn tong af en toe met bijna slangachtige precisie te voorschijn komen om elk teveel aan champagne te verwijderen van zijn zonder twijfel sensueel te noemen lippen. Zijn bovenlip was iets voller dan zijn onderlip, waardoor hij wat leek te pruilen als een verwend rijkeluis-studentje. Dat maakte hem bijna pijnlijk aantrekkelijk, hoewel ze niet kon zeggen waarom. Ze was nooit gevallen op arrogante, vrijpostige mannen. Hij had een krachtige stem, die echter niets angstaanjagends had. Duidelijk een man die wist hoe hij zijn leven moest inrichten. Iemand die scheen te weten wat hij wilde. Hij praatte gemakkelijk en vlot en stuurde het gesprek moeiteloos naar het feestje. Hij vertelde dat hij meteen al een positieve indruk van haar had gekregen, toen hij haar gedistingeerde lila japon en haar niet geverfde bruine haar had ontdekt tussen alle gebloemde jurken en blauwgespoelde kapsels. Gedistingeerd, dat was zijn omschrijving.

'Ben je altijd zo druk?' vroeg hij. Ze glimlachte toen ze zich realiseerde dat ze sinds zijn komst amper twee woorden gezegd had. Ze keek liever naar hem, terwijl hij praatte. 'Kun je de rest van de dag vrij nemen?' vroeg hij plotseling. Ze keek het kantoor rond en stond onmiddellijk op. Goed zo, Donna, hoorde ze een stemmetje zeggen. Die niet waagt, die niet wint.

Meteen stond hij ook op. 'Dan moeten we voortmaken.'
Ze liep snel achter hem aan naar de deur. 'Waarom hebben we zo'n haast?' Grote genade, ze zegt iets!
'Ik weet iets leuks waar we kunnen dineren.'
'Het is nog niet eens lunchtijd,' antwoordde ze, terwijl ze met haar sleutels stond te rommelen om het kantoor voor het weekend af te sluiten. Ze had geen briefje achtergelaten, niets. Als er nu eens iemand langskwam? Er was niemand om de zaken waar te nemen.
'We lunchen wel in het vliegtuig.'
'Het vliegtuig?'
'Het restaurant waar ik met je wil dineren' – hij zweeg even, niet zonder enige zelfgenoegzaamheid, deed het portier van zijn lichtblauwe Cadillac Seville voor haar open en wachtte tot ze was ingestapt – 'is in New York.'

'Is dit nu wat ze "hoteldebotel" noemen?' vroeg ze, terwijl ze elkaar weer met champagne toedronken en in elkaars blauwe ogen staarden.
'Het spijt me alleen dat we zo vroeg moeten eten. Ik was vergeten dat de retourvluchten ruimschoots voor middernacht landen.'
'O, dit is geweldig,' verzekerde ze hem haastig. 'Het heeft iets heel beschaafds om voor zessen te eten.' Ze lachte. 'Ik kan gewoon niet geloven, dat ik hier echt ben.' Ze lachte weer. Waarom was ze zo zenuwachtig? Hij had blijkbaar geen hotel gereserveerd. Ze zouden de nacht niet samen doorbrengen. Ze hoefde zich nergens zorgen over te maken, behalve dan misschien over het feit dat hij geen hotel gereserveerd had en dat ze de nacht blijkbaar niet samen zouden doorbrengen. Waarom niet? Was hij tijdens de rit naar het vliegveld tot de conclusie gekomen dat ze toch niet zo aantrekkelijk was als hij oorspronkelijk gevonden had? Nee, dat kon niet. Als hij haar niet aantrekkelijk had gevonden, zou hij geen tweede fles Dom Perignon besteld hebben.
'Dus je maakt hiervan geen gewoonte?' waagde ze te vragen, terwijl ze een vage cirkel beschreef in de hoop dat hij zou begrijpen wat ze met 'hiervan' bedoelde.
'Dit doe ik alleen met bijzondere mensen,' zei hij, haar daar-

mee in één zin duidelijk makend dat ze bijzonder was. Maar dat waren anderen blijkbaar ook geweest. Hij bleef net genoeg aan de plagerige kant.

'Nogal een dure manier om indruk te maken, vind je niet?'

Hij lachte. 'Ach, het hangt ervan af wat voor filosofie je erop nahoudt.' Hij zweeg even en vervolgde toen: 'Weet je, sommige mensen willen miljoenen nalaten bij hun dood. Ik wil miljoenen *schuld* hebben als ik doodga.'

Ze lachte. 'Dan geef ik de voorkeur aan jouw filosofie.' Ze sloeg de ogen neer.

'Waar kijk je naar?' vroeg hij plotseling.

'Naar je handen,' zei ze, verrast door haar eigen antwoord.

'Waarom?' Er klonk heel flauw een lach in zijn stem door.

'Omdat mijn moeder altijd zei dat je moet letten op de handen van een man.'

'Waarom?' vroeg hij weer.

'Omdat een man volgens haar met zijn handen vrijt.' Verdomme, dacht ze. Waarom had ze dat nu gezegd?

Er verscheen een grijns op zijn gezicht. 'Zo te horen is je moeder een boeiende vrouw. Ik zou haar best eens willen ontmoeten.'

Donna glimlachte, terwijl ze plotseling het knappe gezicht van haar moeder voor zich zag. 'Ze is dood,' zei ze zacht. 'Ze had kanker.'

Over de tafel heen nam hij haar beide handen in de zijne. 'Vertel me eens wat over haar.'

Ze schudde het hoofd. 'Nee.'

'Waarom niet?'

Ze haalde de schouders op. 'Dat lijkt me nogal zware kost voor een eerste afspraak. Dat is alles.'

'Dat klinkt als een belediging,' zei hij, maar hij maakte geen aanstalten zijn handen terug te trekken en hij glimlachte nog altijd.

'O, nee. Nee. Dat bedoelde ik niet. Heus niet... Alleen, meestal ben ik uiteindelijk in tranen als ik over haar vertel. Ook al is het al tien jaar geleden. Ik weet dat het gek is...'

'Ik vind het niet gek. En ik vind het niet erg als je huilt.'

Donna zweeg even. Haar moeder glimlachte tegen haar.

Je zou deze man aardig vinden, mam, dacht ze.

'Ze was zo lief,' begon ze. 'Ze was echt een ongelooflijke vrouw. Ik kon met haar over alles praten. Ik kan je niet zeggen hoe ik haar mis.' Ze keek hem diep in de ogen en probeerde te voorkomen dat het oorspronkelijke beeld van de glimlachende, gezonde vrouw werd verdrongen door een nieuw: haar moeder, minder dan de helft van haar vroegere omvang, met een bijna doorzichtige huid, worstelend met heel kleine, boosaardige wezentjes. De glimlach was uit de ogen van haar moeder verdwenen. Die stonden nu alsof ze nog slechts pijn kenden. 'Ik zou er alles voor geven als ik weer met haar zou kunnen praten.'

'Wat zou je dan tegen haar zeggen?'

Ze keek naar het plafond, in een poging te voorkomen dat de tranen die ze voelde opwellen, over haar wangen zouden rollen. 'Ik weet het niet.' Ze lachte plotseling. Haar tranen verdwenen en ze zag alleen Victor nog. 'Ik zou haar waarschijnlijk vragen wat ik moet doen.'

'In welk opzicht?'

'In alle opzichten.' Ze lachten allebei. 'Ik weet het niet. Ik heb gewoon steeds het idee gehad dat ze er altijd zou zijn om me goede raad te geven als ik zelf niet tot een beslissing kon komen, als ik niet wist wat ik moest doen. Zelfs als ik me afvroeg wat ik moest aantrekken, dat soort gekke dingetjes. Soms is het gewoon heerlijk wanneer iemand anders beslissingen voor je neemt. Kun je me nog volgen?'

'Is dat de reden waarom je mij je diner laat bestellen? Ja, ik begrijp je volkomen.'

Ze keek om zich heen in het spaarzaam verlichte restaurant. Nu pas begon ze de tafeltjes te onderscheiden, die in de kleine ruimte verspreid stonden. Ze constateerde dat zelfs op dit uur de meeste bezet waren. 'Ik dacht gewoon dat jij wel zou weten, wat je hier het best kunt kiezen,' zei ze glimlachend. En ze bedacht dat iemand die bereid was uren te vliegen en honderden dollars uit te geven om diezelfde avond nog te kunnen terugvliegen, wel een favoriet gerecht zou hebben waarvoor hij speciaal hier kwam. 'Waarom zei je dat de kreeft precies zeveneenhalve minuut gekookt moest worden?'

'Dat heb ik op school van een van de docenten geleerd. Vraag me niet hoe hij erop kwam, maar ik zie hem nog staan, als de dag van gisteren. Vanachter zijn lessenaar riep hij: "Kook een kreeft nooit korter of langer dan exact zeveneneenhalve minuut."'

'Waarom niet?'

Victor glimlachte. 'Ik mag barsten als ik het weet, verdomme.' Dit was de eerste keer dat Donna hem hoorde vloeken, en ze was erdoor verrast. Ze lachte hard en lang.

'Het was tijdens een wiskundeles,' vervolgde hij. 'Hij zal het wel over precisie gehad hebben. Wie zal het zeggen? Het is al zo lang geleden. Het enige dat ik me zo ongeveer nog van zijn lessen herinner – behalve dan die zeveneneenhalve minuut – is dat ik elke keer als we een examen of een test deden haiku's van mezelf tussen die verstarde wiskundeformules strooide.'

Donna was verrast. 'Haiku's?'

'Ja, je weet wel. Die Japanse gedichten die maar zeventien lettergrepen mogen tellen. Waar het om gaat is een volledig beeld te scheppen, iets dat levendig en duidelijk tot de lezer spreekt, om met één gedachte een totaalbeeld te schilderen, en dat binnen een heel strakke structuur.'

'Waarom deed je dat?'

Hij glimlachte en dacht even na. 'Ik weet het niet zeker. Misschien om die ouwe vent te laten zien dat poëzie qua precisie in niets hoefde onder te doen voor wiskunde. Ik weet het niet. Misschien deed ik het alleen maar voor mijn eigen plezier.' Hij zweeg even. 'Waarom lach je?'

'Gewoon omdat het zo leuk is om eens echt met iemand te praten,' zei ze oprecht. 'De meeste mannen met wie ik de laatste tijd ben uit geweest, hebben het eigenlijk nergens echt over, laat staan over haiku's. Het is net of ze het gesprek altijd op seks willen brengen.' Ze zweeg en realiseerde zich dat dit precies was wat zij de afgelopen minuten had gedaan. Tot twee keer toe.

'Kom je oorspronkelijk uit New York?' vroeg ze.

'Nee, uit Connecticut.'

'Wonen je ouders daar nog?'

'Mijn vader is aan een hartaanval overleden toen ik vijf was.'

'De mijne ook... maar ik was drieëntwintig. En je moeder?'

'Dood.'

'De twee wezen,' zei ze met een verdrietige glimlach. 'Ik heb een zusje, Joan. Ze zit op Radcliffe.'

'Ik ben enig kind,' antwoordde hij.

Hun kreeft arriveerde. Hij paste nauwelijks op de schaal. Onder het eten vielen er lange stiltes, onderbroken door korte, intense gesprekken en veel gelach.

Zij: 'Woon je in Palm Beach zelf?'

Hij: 'Ik heb een huis in Lanatana. En jij?'

Zij: 'Ik een flat in West Palm.'

Er viel weer een stilte. Hun champagneglazen werden bijgevuld.

Zij: 'Dus jij woont in een echt huis?' Ze hield de adem in. Even stilte. 'Je bent toch niet getrouwd, hè?' Natuurlijk, dat was het. Hij was getrouwd! Daarom moest hij die avond terug zijn. Verdomme! Natuurlijk! Hij was getrouwd.

Hij: 'Nee, ik ben niet getrouwd.'

Zij: 'Weet je dat zeker?'

Hij: 'Heel zeker.'

Weer stilte. Het nagerecht. Koffie. De rekening alstublieft.

Hij: 'Waarom bijt je op je nagels?'

Zij: 'Zenuwen.'

Hij: 'Waarvoor?'

Zij: 'Voor het leven.'

Veel gelach. Veel geknuffel onderweg naar het vliegveld. Tijdens de vlucht naar huis sliepen of dommelden ze op elkaars schouders. Op het vliegveld van West Palm Beach kropen ze in zijn Seville. Daarna reden ze in volle vaart naar de oceaan. Ze parkeerden de auto en luisterden naar het gebulder van de golven. Was dit allemaal wel echt? Was het allemaal echt gebeurd?

Ze keek naar zijn knappe gezicht. Ik zou van deze man kunnen houden, dacht ze en tegelijk voelde ze iets als paniek. Ik zou echt van deze man kunnen houden. Ze had in geen jaren meer in een geparkeerde auto gevrijd. Ze kon zich niet eens meer herinneren hoelang dat geleden was. Donna probeerde zich te herinneren met welke man ze dat het laatst gedaan had. Haar gedachten dwaalden via allerlei verschillende bedden terug naar ten minste tien kortstondige minnaars, en ze gunde zich de tijd om even te blijven stilstaan bij een of twee voor wie ze bijna iets als liefde gevoeld had. Maar alle affaires die ze zich in herinnering riep, liepen op niets uit. Net als Sisyphus' mythische rotsblok rolden ze langzaam de steile helling af naar de grond. Rotsgrond.

Deze keer leek in niets op al die andere keren.

Victors lippen waren teder. Hij liep niet meteen hard van stapel. Zijn kussen waren die van een romanticus, niet die van een geile puber. Hij zoende niet alsof hij haar met huid en haar wilde verslinden. Hij wist precies wanneer en hoe, en hoeveel. Haar moeder had gelijk gehad. Hij had fijne handen.

'Waarom hou je op?' hoorde ze iemand vragen. Dat was ze zelf.

'Zei daar iemand iets?' vroeg ze lachend. Ze probeerde er maar een grapje om te maken, want ze was verrast door haar eigen gretigheid, haar bereidheid om alle zedigheid overboord te zetten.

'Hoeveel ik ook van de oceaan hou,' zei hij zachtjes met zijn hoofd tegen het hare, waarbij zijn adem zachtjes langs haar wang streek, 'ik heb nooit graag op de voorbank van een auto gevrijd – of zo je wilt op de achterbank.'

Die onthulling kwam niet als een verrassing. Ze moest zich beheersen om niet meteen te vragen: Gaan we naar jouw of naar mijn huis? Ze zweeg; even later begon hij weer te praten.

'Bovendien,' vervolgde hij, 'hou ik er niet van om aan iets te beginnen dat ik niet kan afmaken.'

'Waarom kun je dat niet?' vroeg ze, opnieuw verrast door haar eigen gretigheid en door de teleurstelling die ze in haar stem hoorde sluipen. Ze lachten allebei.

'Omdat ik morgenochtend erg vroeg moet opstaan,' antwoordde hij. Hij nam haar hand in de zijne en strengelde zijn vingers door de hare.

'Moet je ergens heen?' vroeg ze en een stemmetje binnen in haar riep: 'Ik wist het wel, het was te mooi om waar te zijn. Morgenochtend vroeg vertrekt hij naar donker Afrika om zich daar bij het Vredeskorps aan te sluiten!' De stem in haar klonk zo luid en nadrukkelijk dat ze zijn antwoord bijna niet hoorde.

'Waar ga je heen?' riep ze uit, en terwijl ze de stem binnen in haar, die het inmiddels uitschreeuwde, negeerde en zich concentreerde op wat hij zei, werd Afrika al vlug een benijdenswaardige verblijfplaats.

Hij zei het nog een keer en er speelde zelfs een heel flauwe glimlach om zijn mond. Zijn stem klonk bijna aangenaam, als je daar in dit geval tenminste van kon spreken. 'Ik ga naar de gevangenis,' herhaalde hij en toen zeiden ze geen van beiden meer iets.

3

Zondagavond om zeven uur pikte ze hem op voor de gevangenis van West Palm Beach. Hij glimlachte en zo te zien had hij niet geleden onder zijn tweedaagse opsluiting. Integendeel: hij zag er zelfs beter uit dan ze zich herinnerde. Hij was nonchalant gekleed in een spijkerbroek en een overhemd met open kraag. Hij stond al op haar te wachten. Hij was tien minuten te vroeg vrijgelaten.

'Ze hebben me eerder laten gaan wegens goed gedrag,' grapte hij en hij stapte naast haar in de auto. Hij nam haar onmiddellijk in zijn armen en drukte zijn lippen luchtig op de hare. Een goede borrel zou haar niet beter gesmaakt hebben.

'Ik kan het allemaal gewoon nog niet geloven,' zei ze toen ze de motor startte. Vooral niet zoals mijn hart tekeergaat, dacht ze. Ze trok op en voegde in. Om de een of andere reden lag de gevangenis van West Palm Beach aan een van de hoofdstraten, vlak naast een zaak in tweedehands auto's. Vanbuiten zag het gebouw er uit als een vervallen winkelpand. De scheidingslijn tussen West Palm Beach en zijn oostelijke tegenhanger Palm Beach was niet zozeer het kanaal dat landinwaarts liep en het gebied letterlijk halveerde, als wel een stroom dollars. In West Palm Beach werd duidelijk geleefd. In Palm Beach vertoonde niets sporen van gebruik of ouderdom – behalve dan misschien de bewoners.

'Trek je altijd zo snel op?' vroeg Victor nonchalant. 'Dat kost je het profiel van je banden.' Donna glimlachte. Ze kon zich moeilijk op iets anders concentreren dan op het plukje zwart haar dat boven zijn lichtblauwe overhemd uitkwam.

'Ik heb mijn lesje wel geleerd,' zei hij plechtig en hij zweeg even om het effect van zijn uitspraak te vergroten. 'Ik rij nooit meer door een rood licht.'

'Dat had je toch ook niet gedaan?'

'Zij zeiden van wel.'

'Maar jij zei van niet en daarom ging je liever twee dagen de gevangenis in dan dat je die onnozele bekeuring betaalde. Ik vraag me af of dat verstandig was, ook al had je niets gedaan. En nu zeg je dat je het wél gedaan hebt?'

'Ik ben schuldig aan wat me ten laste is gelegd,' knikte hij. 'Maar dat kon ik toch niet toegeven, na die scène die ik gemaakt had? Het gaat om het principe.' Hij lachte.

Zij lachte ook, maar ze wist eigenlijk niet waarom. In gedachten probeerde ze te begrijpen waarom iemand liever twee dagen de gevangenis inging dan dat hij een bekeuring betaalde. Hij had er het geld voor en hij gaf nu nota bene toe dat hij die overtreding begaan had. En dan zei hij nog dat het om het principe ging.

Ze reden een brug over, richting South Ocean Boulevard. 'En, hoe was het?' vroeg ze. 'Zwaar?'

'Nou en of. Twee dagen eenzame opsluiting.'

'Eenzame opsluiting?'

'Er was verder niemand.'

'Was jij de enige gevangene?' Hij knikte. 'Dus je bent niet verkracht.' Het was meer een constatering dan een vraag. Waarom had ze het toch steeds over seks?

'Ik hoopte dat we dat voor vanavond zouden bewaren,' zei hij en ze keken elkaar diep in de ogen. 'Pas op, het licht staat op rood!'

Ze trapte onmiddellijk op de rem. De auto kwam met een schok tot stilstand en ze sloegen allebei voorover. Ze stonden ruim vijftien meter voor het stoplicht; er waren geen andere auto's in de buurt.

'Sorry,' zei hij meteen. 'Ik zag het in mijn ooghoek en ik dacht dat het dichterbij was.'

Donna's hart ging als een razende tekeer. 'Het geeft niet. Ik had mijn ogen op de weg moeten houden.'

'Beledig ik je als ik je vraag of ik mag rijden?' vroeg hij plotseling.

'Wil jij rijden?' herhaalde ze.

'Als je het niet vervelend vindt.' Hij zweeg en glimlachte. 'Ik weet niet hoe het komt, maar ik ben een beetje nerveus en achter het stuur van een auto kom ik meestal tot rust.'

'Ik vind het helemaal niet vervelend,' zei Donna oprecht.

Victor deed het portier open en Donna schoof een plaats op.

Hij liep om de rode Mustang heen en ging op Donna's plaats achter het stuur zitten.

'Zo, dat is beter,' zei hij en ze was het onmiddellijk met hem eens. Hij trok op en toen hij bij het stoplicht was, sprong dat meteen op groen. Het leek haar een goed teken.

Hij keek haar even aan. De dunne lijntjes bij zijn ogen ontspanden zich tot rimpeltjes die leken te glimlachen, dacht ze. Zijn stem klonk heel zacht toen hij vroeg: 'Naar huis?' Toen richtte hij zijn aandacht weer op de weg, zonder haar antwoord af te wachten.

Donna wist gewoon niet wat haar overkwam.

Ze had wel verwacht dat hij goed, ja zelfs uitstekend zou zijn in bed (hoewel ze zichzelf er twee dagen lang van had geprobeerd te overtuigen dat hij dat waarschijnlijk niet zou zijn – er moest gewoon iets fout gaan, dat kon niet anders. Zelfs in haar dromen was het nooit zo zalig geweest als nu in werkelijkheid). Maar ze had niet verwacht dat hij zo goed, zo geweldig zou zijn. Meer dan geweldig. Gewoon ongelooflijk. Ze was nog nooit met iemand naar bed geweest die zozeer bereid was om alles, letterlijk alles, te doen om het haar naar de zin te maken. Zijn toewijding – een merkwaardig woord in dit verband, besefte ze, maar ze kon geen beter woord bedenken – was allesomvattend. Hij wilde niets anders dan dat zij genoot. Hij verwachtte niets van haar. Ze hoefde alleen maar te liggen, met een gelukzalige glimlach op haar gezicht. Ze was wel passief, maar ondertussen genoot ze.

Bij zijn royale bungalow aangekomen, waren ze snel uit de auto gestapt en naar het huis gelopen. Ze hadden geen woord gesproken. Eenmaal binnen had hij haar bij de hand genomen en meegetroond door de gang, langs de woon- en eetkamer en de keuken – waarvan Donna in de gauwigheid opmerkte dat ze er verzorgd en smaakvol uitzagen – naar de achterkant van het huis, waar zich de slaapkamers bevonden. Afgaande op de lengte van de gang schatte Donna dat er drie, misschien wel vier slaapkamers waren. Hij leidde haar de eerste kamer binnen, een en al zachtblauw en beige ('zand en zee,' zei hij als grap, hij nam haar mee naar het tweepersoonsbed en begon haar op en rond haar mond te kussen).

Zwijgend kleedde hij haar uit. Hij liet alleen zijn handen, zijn vingers spreken. Toen ze zich boog om zijn overhemd los te maken, ontglipte hij haar en trok hij de dekens weg, zodat ze in bed kon stappen. 'Laat maar,' zei hij zachtjes, terwijl hij zelf zijn hemd losknoopte. 'Laat mij alles maar doen.' Donna had nog nooit zoiets opwindends gehoord.

Ze keek toe hoe hij zijn overhemd uitdeed en zijn schoenen en sokken uittrok. Misschien moest ze nu even de andere kant opkijken, bedacht ze, toen hij zijn broek en onderbroek uitdeed, maar ze deed het niet, kon het niet. Ze had nog nooit zo'n mooie man gezien.

Hij kroop naast haar en nam haar meteen in zijn armen. Zachtjes kuste hij haar. Hun kus leek eindeloos lang te duren, maar ze hadden tegelijkertijd ieder gevoel van tijd verloren.

Alles wat hij deed overtrof haar verwachtingen. Zoals hij haar aanraakte, streelde, vingerde – en al die tijd verlangde hij geen enkele tegenprestatie. Op een gegeven moment had ze aanstalten gemaakt om zijn penis in haar mond te nemen, maar hij had haar hoofd gegrepen en haar lichaam zo boven het zijne gemanoeuvreerd dat zij met haar gespreide benen precies boven zijn wachtende mond kwam, waar hij haar langzaam omlaagtrok.

'Laat mij nou...' fluisterde ze later, bijna dezelfde woorden als hij even tevoren had gebruikt.

'Nee,' zei hij en opnieuw ontglipte hij aan haar greep. Zijn hoofd gleed omlaag langs haar lichaam, maar zijn handen bleven haar borsten omvatten. 'Ik wil alles,' zei hij en zijn tong gleed over haar huid. 'Ik kan niet genoeg van je krijgen.'

Toen hij ten slotte bij haar binnendrong, had ze het gevoel dat ze niet nog een keer kon klaarkomen. Haar hele lichaam glom van het zweet, haar haren kleefden op haar voorhoofd, plakten op haar wangen. 'Ik kan niet meer,' hijgde ze, terwijl ze voelde hoe hij met zijn handen haar heupen bewoog in een ritme dat tegengesteld was aan dat van hem.

'Jawel, dat kun je wel,' zei hij en hij veranderde hun houding. Hij trok haar benen omhoog, tot over zijn schouders, hoog in de lucht, en ging zelf op zijn knieën zitten.

'O god!' riep ze, toen ze hem diep in zich voelde. 'Jezus christus!'

Ze was vrijwel buiten adem.

Minuten later deed hij haar benen weer omlaag en draaide hij haar zo dat ze allebei op hun zij lagen. Nu bewogen ze langzaam, heel langzaam. Voorzichtig maakte hij zijn mond los van de hare. Ze deed haar ogen open en zag dat hij haar lag aan te kijken.

'Zou het een grote schok voor je zijn, als ik je zei dat ik verliefd op je ben?' vroeg hij.

Ze begon te huilen en besefte dat ze nota bene alweer klaarkwam. Ze omhelsde hem en drukte hem zo stevig tegen zich aan dat ze nauwelijks meer voelde waar haar lichaam overging in het zijne.

Twee maanden later, toen ze bij McDonald's aan een champignonburger zaten, besloten ze te trouwen.

'Wanneer doen we dat?' vroeg ze, terwijl ze hem na de lunch met haar auto terugbracht naar kantoor.

'Zodra ik alles geregeld heb,' zei hij en zijn lichaam spande zich plotseling.

'Wat is er?'

'Sorry, schatje,' en het klonk echt gemeend, 'maar ik word verschrikkelijk zenuwachtig, als je met je handen zo aan het stuur zit.' Ze keek naar haar handen; die rustten enigszins nonchalant op de onderkant van het stuur. Zo zat ze vaak als ze reed.

'Als er iets gebeurt,' zei hij, 'als de een of andere idioot een stomme streek uithaalt en je moet plotseling reageren, dan heb je je handen nooit op tijd in de goede positie om hem te ontwijken. Dan ben je verloren.' Ze legde haar handen in de juiste positie aan weerskanten op het stuur.

'Je hebt gelijk,' zei ze. 'Ik moet wat beter op mezelf gaan passen.'

Ze stopte voor zijn kantoor, een groot, fraai kanariegeel gepleisterd gebouw. Een dikke man – niet lang, niet kort, maar gewoon – liep langs hun auto en ging de indrukwekkende ingang van het gebouw binnen.

'Was dat Danny Vogel niet?' vroeg ze. Hij knikte. 'Hebben jullie die dwaze ruzie nu nog niet bijgelegd?' Hij schudde het hoofd. 'Ik dacht dat hij zijn excuses had aangeboden.'

'Dat heeft hij ook gedaan.' Victor stapte uit de auto en boog zich naar binnen. 'Jij moet maar zeggen wie je wilt uitnodigen. Maak maar een lijst. Hoe minder mensen, hoe beter, wat mij betreft.'

Hij wilde het portier dichtslaan. 'Victor?' Hij deed het portier weer open en stak zijn hoofd naar binnen. 'Ik hou van je,' zei ze.

'Ik ook van jou, schatje,' antwoordde hij en hij deed het portier zachtjes dicht.

Donna keek hoe hij de grote witte deur door ging. Hij keek niet achterom. Hij scheen nooit achterom te kijken. Helemaal nooit. Hij was zo zeker van alles wat hij deed. 'O, moeder,' verzuchtte ze plotseling, want ze realiseerde zich hoe weinig ze eigenlijk van deze man wist en ze werd nu al nerveus als ze aan hun trouwdag dacht. 'Zeg alsjeblieft dat het goed is wat ik doe.' Maar ze hoorde slechts de stem van de discjockey op de autoradio, die haar vertelde dat het twee uur en tijd voor het nieuws was.

Al meer dan een uur zat ze daar. Ze deed niets. Ze staarde slechts naar de naam in het adresboekje voor haar. Lenore Cressy. Daarnaast stond, in hetzelfde evenwichtige handschrift en met dezelfde zwarte pen waarmee de meeste andere namen, adressen en telefoonnummers in het zwarte boekje waren geschreven, een adres en een telefoonnummer in Connecticut. Lenore Cressy. Donna bleef ernaar kijken.

Hij had haar verteld dat hij geen vrouw had; zijn moeder was dood, hij was enig kind. Wie kon dat dan zijn? Misschien een tante of een nicht. In ieder geval een familielid. Ze wendde haar blik af en bedacht wat haar te doen stond. Binnen twee weken zouden ze gaan trouwen en tot dusverre had hij haar slechts twee dingen gevraagd: of ze de bloemen en de fotograaf wilde regelen. Dat betekende twee telefoontjes en nu al liet ze zich afleiden door een bijkomstigheid. Ze probeerde zich te bepalen tot wat ze te doen had. Hun keus was gevallen op witte en gele rozen, en omdat hij zich had laten ontvallen dat hij madeliefjes ook zo mooi vond, zouden die eraan worden toegevoegd. Ze keek de kamer rond. Plotseling was ze erg blij dat hij op het idee gekomen was om het huwelijk hier te laten voltrekken, in zijn huis dat binnenkort ook háár huis zou zijn.

Zijn lijstje van mensen die hij wilde uitnodigen, telde slechts vijf namen, waarmee het totaal aantal gasten op twintig kwam. Ze had zijn adresboekje opgescharreld, niet omdat ze in zijn spullen wilde neuzen, maar om het telefoonnummer op te zoeken van de bloemist die hij haar had aangeraden. Hij was er zeker van dat die beter was dan de bloemist die een vriendin haar had aanbevolen. Bloemisterij Corona, onder de C, zeven namen boven Cressy, Lenore.

Ze nam de hoorn van de haak en draaide het nummer.

De vrouw had een nasale stem en kwam duidelijk uit Florida. 'Bloemisterij Corona,' zei ze met een onmiskenbaar verveelde klank.

'Ik wil bloemen bij u bestellen,' zei Donna, hoewel haar hoofd absoluut niet naar bloemen stond.

'Ja. Wat voor bloemen wilt u?'

Donna legde haar vlug uit, en herhaalde daarna nog eens, dat ze witte en gele rozen wilde hebben, voldoende voor een kamer van vier bij vijf meter; dat er madeliefjes tussen de rozen geschikt moesten worden; dat het voor een bruiloft was, ja, haar eigen bruiloft; en dat die madeliefjes ook in het bruids-boeket verwerkt moesten worden. Ze had besloten de eenvoudige witte zijden jurk te kopen die Victor had gezien in de etalage van Bonwit Teller aan Worth Avenue, in plaats van de lichtblauwe japon die ze zelf aan de overkant bij Saks had ontdekt, dus daarover hoefde ze zich evenmin druk te maken. Het regelen van de details met de nasale stem van bloemiste-rij Corona nam nog vijfentwintig minuten in beslag, maar toen dat er eenmaal opzat, bleef er nog één ding over: de foto-graaf van wie Victor had gezegd dat hij de beste was in heel Palm Beach. Messinger-Edwards, had hij gezegd, en ook dat nummer stond in het adresboekje. Donna wilde de bladzijde omslaan, maar kon er niet toe komen. Lenore Cressy hield haar tegen. Haar vingers speelden met de kiesschijf. Wie was Lenore Cressy? Eén telefoontje was natuurlijk genoeg om daarachter te komen. En dan? Dan zou ze ontdekken dat het ging om een vage, in vergetelheid geraakte en uit het gezicht verloren nicht over wie Victor het nooit had en die hij kennelijk niet op de bruiloft wilde hebben. Anders zou hij haar naam wel op het lijstje hebben gezet. De hoorn oppakken en deze Lenore Cressy opbellen zou erop neerkomen dat ze inbreuk maakte op het privé-leven van iemand anders, op een manier die ze zelf verafschuwde. Ze bladerde vlug door naar de M. Ze had nog tijd genoeg om erachter te komen wie Lenore Cressy was, en dan op een manier die veel eerlijker en directer was. Ze zou het bij gelegenheid gewoon aan Victor vragen.

4

De ruzie begon bijna zonder dat ze het merkten. Geen van beiden was later in staat exact het moment aan te geven waarop hun gesprek begon te ontaarden; van een vagelijk onplezierige sfeer in een duidelijk onaangename sfeer terechtkwam; van een gesprek overging in, of verviel tot een verschil van mening; en vervolgens tot bekvechten. Dat liep algauw uit de hand en groeide in snel tempo uit tot een complete ruzie, waarbij alle registers werden opengetrokken. Hun eerste echte ruzie.

'Ik heb de bloemist gebeld,' zei Donna.

'En?'

'Alles is geregeld. We krijgen witte en gele rozen. En madeliefjes.

Zoals jij had gezegd.'

'Ik dacht dat jij het zo wilde,' zei Victor oprecht.

'Dat is ook zo,' zei ze glimlachend. Witte en gele rozen zouden prachtig staan. En madeliefjes. Victor had smaak, dat was volkomen duidelijk.

'We kunnen witte en roze rozen nemen, als jij dat liever hebt,' bood hij aan.

'Nee,' zei ze en ze herinnerde zich dat dat haar eerste keus was geweest. Maar het was ook zíjn trouwdag. 'Ik vind witte en gele rozen prima. Ze zullen prachtig staan.'

Hij glimlachte. 'Tja, ik dacht, gezien de kleurstelling van de kamer...' Donna keek om zich heen in het vertrek. Het was een erg zonnige, lichte kamer. Aan de witte wanden hingen kleurige, moderne litho's; naast de zachtgele bar een Estève. Achter de kanariegele draaistoel de reeks harten van Jim Dine, boven de groen-met-wit gebloemde sofa een indrukwekkende Rosenquist. Haaks op de sofa stond een heel lichtgroene tweezitsbank. Tussen de twee banken in stond op een glazen tafel een zwarte lamp, waardoor de zachte weelde van het hoogpolige tapijt nog beter tot haar recht kwam. Het was een schitterende kamer. Victor was bijna een natuurtalent te noemen wanneer het om inrichten ging. Hij was er ook hevig in geïnteresseerd. Niet alleen in het feit dat iets mooi stond, maar ook waarom het ergens paste. En datzelfde gold voor de kunst. Hij was niet zomaar een verzamelaar die de heersende trend volgde. Hij had ervoor gezorgd dat hij net zoveel van kunst wist als de mensen van wie hij zijn kunstvoorwerpen kocht. Hij studeerde, maakte plannen. En hij maakte zelden fouten.

'Verder nog iets?' vroeg hij.

'Ik heb de fotograaf gebeld.'

'Welke?'

'Messinger-Edwards,' antwoordde Donna. Victor glimlachte.

'Hij is om vier uur hier.'

'Waarom om vier uur?'

Op die vraag had ze niet gerekend. Ze hakkelde: 'Ik dacht gewoon dat vier uur wel een goede tijd zou zijn. Een uur voor de plechtigheid. Dan kan hij wat foto's van ons maken...' Ze haperde. 'Hoezo? Vind jij vier uur geen goede tijd?'

Hij knikte. 'Natuurlijk wel.' Hij zweeg even. 'Ik zou het niet zo geregeld hebben, maar het is uiteraard uitstekend.'

'Wat zou jij dan hebben gedaan?'

Hij schudde het hoofd. 'Vier uur is prima.'

Ze veranderde van onderwerp. 'Ik heb die jurk gekocht bij Bonwit. Ik ben vandaag gaan passen. Het stond geweldig. Je had gelijk.' Hij glimlachte.

'Je moet je wel bedenken dat je die japon een hele poos aan moet hebben, nu je de fotograaf al om vier uur besteld hebt.'

'Wil je dat ik dat verander?'

'Nee. Vier uur is prima. Je moet alleen rekening houden met bepaalde consequenties, dat is alles. Het zou kunnen zijn dat de jurk er al een beetje verfomfaaid uitziet tegen de tijd dat de plechtigheid begint.'

'Wat vind jij dan beter? Moet ik hem om vijf uur laten komen?'

'We trouwen om vijf uur.' Hij lachte zacht. 'Ben je nu al vergeten hoe laat je trouwt?'

'Wanneer dan? Nog later?'

'Nee. Dan hebben we geen fut meer om nog te poseren.'

'Nou, wanneer moet ik hem dan laten komen?' herhaalde ze.

'Vier uur is prima, zei ik toch.'

'Maar je zei ook dat jij het niet zo geregeld zou hebben.'

'Ik ben van gedachten veranderd. Je had gelijk. Ik ben het met je eens.'

'Wat zeur je dan over bepaalde consequenties waar we rekening mee moeten houden?'

'Wat wil je nu nog van me?' vroeg hij. Met hoe meer stemverheffing zij sprak, des te zachter werd zijn stem. 'Ik zeg toch dat ik het met je eens ben.'

Ze voelde zich tekortgedaan, maar wist eigenlijk niet goed waarom; ze wist alleen dat ze de litho van Miro die boven zijn stoel aan de muur hing, wel op zijn hoofd kapot zou willen slaan.

'Wie is Lenore Cressy?' vroeg ze en ze realiseerde zich meteen dat ze het verkeerde moment had uitgekozen.

Maar naar de uitdrukking op zijn gezicht te oordelen, was er voor dit onderwerp niet zoiets als een gunstig moment.

'Hoe kom je aan die naam?' vroeg hij. Het klonk meer als een bevel dan als een vraag. 'Heeft ze soms gebeld toen ik er niet was?'

'Nee.' Donna voelde zich steeds minder op haar gemak. Wie het ook was, ze was duidelijk meer dan een lang verwaarloosd familielid. Voor een vergeten, ongetrouwde tante kwam je je stoel niet uit. Victor ging voor haar staan.

'Je hebt nog geen antwoord gegeven op mijn eerste vraag,' zei hij en zijn stem bleef kalm.

'Ik kwam haar naam toevallig tegen in je adresboekje,' legde ze uit. 'Ik was op zoek naar het nummer van de bloemist. Waarom maak je je daar zo druk over? Wie is dat?'

'Heb je haar gebeld?'

'Nee, natuurlijk niet. Zoiets zou ik nooit doen.' Ze wilde eraan toevoegen dat ze wel even in de verleiding was geweest, maar besloot dat ze dat toch maar beter voor zich kon houden. 'Wie is dat?'

Er viel een lange stilte. De gespannen uitdrukking verdween van Victors gezicht. 'Je neemt zeker geen genoegen met "zo maar iemand"?'

Ze glimlachte en voelde hoe de spanning week. Ze schudde het hoofd. 'Mijn moeder,' zei hij vlak en hij ging weer zitten.

Even was Donna zo verbijsterd dat ze geen woord kon uitbrengen. 'Je moeder?' hoorde ze zichzelf ten slotte vragen.

Haar stem klonk gevaarlijk schel. 'Je moeder? Je moeder was toch dood?'

'Dat is ze ook,' antwoordde hij. Zijn stem klonk net zo monotoon als even tevoren, onbewogen zelfs. 'Tenminste, wat mij betreft.'

'Waar heb je het over?' Ze vloog ineens uit haar stoel.

Hij stond ook weer op en liep van haar weg. 'Ik zei dat mijn moeder – wat mij betreft – dood is. Al ruim drie jaar.'

'Wat moet dat betekenen?'

'Waarom maak je je zo van streek?'

'Waarom? Waarom? Over een paar weken gaan we trouwen en plotseling kom ik erachter dat je tegen me gelogen hebt over je moeder. Dat ze nog leeft!'

Hij werd boos. 'Ho, ho. Wacht eens even voordat je begint te schelden.'

'Wat noem jij dan schelden?'

'Je hebt me net voor leugenaar uitgemaakt. Ik heb nog nooit tegen je gelogen.'

'Je zei dat je moeder dood was.'

'Dat *is* ze ook wat mij betreft.'

'Waarom staat haar telefoonnummer dan in je zwarte boekje?'

Er viel een lange stilte. Donna had het gevoel dat haar keel werd dichtgesnoerd. Ze voelde dat er tranen in haar ogen kwamen.

'Ik weet het niet,' zei hij ten slotte. 'Ik weet het niet.'

Donna liet zich weer op de tweezitsbank vallen. De warme, groene tinten leken plotseling kil. 'Ik denk dat je me maar het beste precies kunt vertellen wat er aan de hand is,' zei ze.

'Er is niets aan de hand. Het is allemaal al ruim drie jaar geleden gebeurd. Het is dood en begraven.' Hij zweeg. Ze keek hem afwachtend aan, zonder de tranen weg te vegen die nu onophoudelijk over haar wangen stroomden.

'Je mascara loopt door,' zei hij zachtjes, bijna schuchter.

'Vertel op.' zei ze. Haar handen rustten als verstard naast haar op de bank.

Hij ging naast haar zitten en nam haar handen in de zijne. Ze verzette zich niet, maar werkte ook niet mee. Het was, alsof haar handen levenloze voorwerpen waren. Alsof ze dood waren.

'Ik hou van je,' zei hij.

Ze lachte. 'Straks vertel je me nog dat je ook nog getrouwd bent en dat je vrouw nog leeft. Maar dat dat niet hindert, omdat ze wat jou betreft tegelijk met je moeder is overleden.' Gespannen keek ze hem in de ogen, in de hoop daar het bewijs te vinden dat haar zwakke poging om een grapje te maken ook niet méér was dan dat; dat het niet méér was geweest dan een akelige grap. Zijn ogen ontkenden niet wat ze gezegd had. 'O, nee toch,' zei ze en ze probeerde haar handen los te trekken, op te staan. Hij gaf haar de kans niet. 'O, nee,' zei ze steeds weer. 'Ik kan het niet geloven. Ik kan het gewoon niet geloven.'

'Luister nu eens naar me,' zei hij met stemverheffing. 'Hou nou eens even je mond dicht en luister naar me.'

'Je hoeft me niet te commanderen.'

'Hou je mond,' riep hij. 'Ik commandeer je *wel*. Tenminste, als je de waarheid wilt horen.'

'Daar is het nu wel een beetje laat voor, vind je niet?'

'O ja?' schreeuwde hij. 'O ja? Vind je dat?' Bijna ruw liet hij haar handen los. Hij stond op en begon door de kamer te ijsberen. Als een bom die ieder moment kon ontploffen.

'Wil je de waarheid nu horen of niet? Leugens of halve waarheden, het kan je niet schelen; je schrikt er niet voor terug om me voor leugenaar uit te maken, maar wanneer ik je dan de waarheid wil vertellen, ben je niet geïnteresseerd.'

'Nu moet je het me toch niet flikken om de zaken om te draaien!' schreeuwde Donna en ze sprong overeind. 'Heb niet het lef om te doen alsof ik het op de een of andere manier op mijn geweten heb; alsof het mijn schuld is.'

'Jij bent aan zet, Donna,' vervolgde hij. 'Niemand heeft het over schuld. Er is hier toch niemand ergens van beschuldigd? Waarom zou je een schuldige moeten aanwijzen? We hebben het over de waarheid. En óf je bent daarin geïnteresseerd óf je bent het niet.'

'Het is niet te geloven hoe jij de zaken kunt verdraaien!'

'Wat doe je, Donna? Speel je of loop je gewoon weg?'

'Jezus, bespaar me je beeldspraken!'

Het was even stil. 'Wat doe je, Donna?' herhaalde hij. 'Jij bent aan zet.'

'Ik,' zei Donna gesmoord en ze beukte met haar vuist tegen haar borst. 'Ik ben aan zet.'

'Ik ben bereid om je de waarheid te vertellen, als jij bereid bent naar me te luisteren.'

'Als ik bereid ben naar je te luisteren,' herhaalde ze verdoofd en ze ging weer zitten. Enkele minuten lang zeiden ze geen van beiden iets. Toen hief Donna haar hoofd op en keek Victor recht aan. Ze zei nog steeds niets, maar maakte duidelijk dat ze naar hem zou luisteren.

Victor haalde diep adem. 'Dank je wel,' zei hij. Er viel weer een lange stilte. 'Iets meer dan vijf jaar geleden, misschien wel bijna zes,' begon hij en hij probeerde zijn woorden zorgvuldig te kiezen, maar desondanks haperde hij soms toch nog, 'ontmoette ik een meisje, Janine Gauntly. Ik trouwde met haar.' Donna haalde diep adem en hoopte vurig dat ze niet zou flauwvallen. Ze voelde haar maag in opstand komen. 'Luister nu naar me,' zei hij, want hij merkte wel dat ze zich plotseling helemaal niet goed voelde. Hoewel ze hem recht bleef aankijken, verdween iedere uitdrukking uit haar ogen. En dat zag hij. 'We zijn gescheiden,' zei hij snel. 'Dat zweer ik je. We zijn gescheiden. Dat ben ik al sinds ik hier kwam wonen. Ons huwelijk was een ramp. Ik heb werkelijk geen idee waarom. Het lukte gewoon niet. Dus gaven we het na twee jaar op en ik vertrok. We hadden geen kinderen. Het leek allemaal zonder complicaties te verlopen. Maar er kwam er toch één.' Hij zweeg, zelfs op kritieke momenten niet zonder gevoel voor dramatiek. 'Mijn moeder.' Donna slaakte een bijna geluidloze zucht. De inhoud van haar maag deinde op en neer, alsof ze op een wip zat. Ze zei niets en wachtte slechts tot hij verder zou gaan. 'Ik heb je verteld dat ik enig kind ben,' vervolgde hij en hij voegde er snel aan toe: 'En dat is ook zo. Dat ben ik. Mijn ouders konden niet meer kinderen krijgen. Na mijn geboorte kreeg mijn moeder verscheidene miskramen. Eén keer is ze zelfs bijna zes maanden zwanger geweest. Het was een meisje en – zoals je zult begrijpen – het bleef niet in leven. Daar is mijn moeder nooit echt helemaal overheen gekomen. En ik weet dat dit als een cliché klinkt, maar Janine werd voor haar die dochter. Ze konden het heel erg goed met elkaar vinden. Te goed.' Hij zweeg even. 'Wanneer Janine en ik problemen hadden, trok ze altijd partij voor Janine. Het leek wel alsof Janine haar kind was en ik aangetrouwd. En, terecht of niet, ik vond het afschuwelijk. Maar ik accepteerde het, ik legde me erbij neer. Ik kon er wel mee leven, zolang Janine en ik samen waren. Toen we uit elkaar gingen, wist ik dat mijn moeder het daar erg moeilijk mee zou hebben. Maar ik wist niet dat mijn moeder Janine bleef zien, nadat ik mijn intrek in een flat had genomen. Haar iedere dag bleef spreken, zoals ze dat altijd gedaan had.' Hij zweeg en keek naar Donna in de hoop op een zweem begrip. Hij zag slechts verwarring. Ze had haar wenkbrauwen enigszins opgetrokken. 'Het was alsof... alsof ze volledig achter Janine stond, terwijl die mij twee ellendige jaren had bezorgd. Misschien heb ik het verkeerd uitgelegd, ik weet het niet. Maar ik voelde me... ik voelde me echt verraden. Ja, verraden. Dat is het woord. Ik kon gewoon niet verdragen dat die twee vriendinnen bleven. Het was uit tussen Janine en mij. Ik wilde dat ze uit mijn leven verdween.' Naarmate de herinneringen bovenkwamen, steeg zijn stemvolume. 'Ten slotte heb ik mijn moeder voor de keus gesteld: Janine of ik, haar zoon.' Hij schudde het hoofd. 'Het klinkt nu misschien kleinzielig of kinderachtig, dat weet ik niet. Maar op dat moment was het erg belangrijk voor me, en daar gaat het om. Niet hoe belangrijk of onbelangrijk het voor iemand anders was, maar hoeveel het voor mij betekende.' Hij zweeg weer, want het kostte hem steeds meer moeite zijn verhaal af te maken. 'Ik... eh... vertelde mijn moeder hoe ik me voelde; dat volgens mij haar keus duidelijk was, maar... tja, het ging mij er niet eens om of die keus nu verkeerd was of niet, het ging mij erom...' Hij zweeg een volle tel en vervolgde toen: 'Ze aarzelde.' Hij zweeg opnieuw. Het was duidelijk dat hij nog steeds niet begreep hoe dat had kunnen gebeuren. 'Ik stelde haar voor de keus tussen haar eigen zoon en iemand die ze pas twee jaar kende, en ze aarzelde. Dus zei ik dat ze in mijn ogen haar keus gemaakt had; dat wij elkaar niets meer te zeggen hadden en dat ik uit haar leven zou verdwijnen. En dat heb ik gedaan. Ik zegde mijn baan op, pakte mijn spullen en vertrok naar Florida.' Hij keek Donna liefdevol aan. 'Doe je mond dicht,' zei hij zachtjes, 'anders vat je hart kou.'

Ze sloeg geen acht op zijn poging om de gespannen sfeer te doorbreken. 'Je pakte gewoon je spullen en liet alles achter?' zei ze verbaasd.

'Ik liet niets achter. Er was geen sprake van "alles achterlaten". Ik had niets achter te laten.'

'En heb je je moeder sindsdien nooit meer gezien?' Hij schudde het hoofd. 'Weet ze waar je zit?'

'Dat weet ze, ja.'

'En?'

'En niets,' zei hij. 'Ze heeft een paar keer gebeld, maar ik heb haar niets te zeggen.'

'Na al die tijd heb je haar nog niets te zeggen?'

'Er bestaat verdriet dat nooit sterft.'

'Maar moeders sterven wel,' zei Donna vlak. 'Is wat ze gedaan heeft zo onvergeeflijk?'

Victor schudde ontreddered het hoofd. 'Ik vond van wel,' zei hij. 'Misschien heb ik het verkeerd. Ik weet alleen dat ik er nog niet klaar voor ben om haar weer te zien.' Hij ging naast Donna zitten. 'En ik weet ook dat het nooit mijn bedoeling is geweest om tegen je te liegen. Toen ik je vertelde dat mijn moeder dood was, had ik niet het minste vermoeden dat ik je twee maanden later ten huwelijk zou vragen. En tegen die tijd wist ik niet meer hoe ik je de waarheid moest vertellen; zeker niet nadat ik zoveel over jouw moeder gehoord had en je me jouw gevoelens jegens haar verteld had. Ik wist dat je het nooit zou begrijpen.' Weer schudde hij het hoofd. 'Voor iemand die zo prat gaat op zijn gezonde verstand, heb ik het ongelooflijk stom aangepakt.'

Donna knikte zwijgend. 'En je ex-vrouw?'

'Wat bedoel je?'

Donna voelde dat ze weer woedend werd. 'Waarom heb je me niet verteld dat je al eerder getrouwd bent geweest?'

'Wat mij betreft telde alleen het heden, en dat is nu nog steeds het enige dat telt.'

'Hou daarmee op.' zei Donna en ze stond op.

'Waarmee ?'

'Met dat "wat mij betreft",' herhaalde ze. 'Dat zeg je voortdurend! Helaas ben jij niet de enige die het betreft. Vond je niet dat ik er recht op had op de hoogte te zijn?'

'Nee,' zei hij. Hij stond op en ging naast haar staan. 'Nee. Ik zag niet in wat een vorig huwelijk met ons te maken had. Er waren geen kinderen. Ik heb Janine al in geen jaren meer gezien of gesproken. En ik heb voor de toekomst zeker geen plannen in die richting.' Hij liep in de kamer rond. 'Ik zag niet, en dat zie ik nog niet,' zei hij met nadruk, 'hoe een gesprek over de fouten die ik in het verleden gemaakt heb, enige bijdrage zou kunnen leveren aan ons leven samen.'

Donna zocht naar woorden om hem van repliek te dienen. 'Heb ik jou ooit iets over je verleden gevraagd? Over vroegere vriendjes?'

'Dat is iets heel anders,' protesteerde Donna. 'Ik ben nooit eerder getrouwd geweest.'

'Heb ik je daar ooit naar gevraagd?'

'Dat hoefde je me niet te vragen. Ik heb je uit mezelf al alles over mijn verleden verteld. Ik heb niet gewacht tot je ernaar vroeg.'

'Tja, ik ben anders dan jij. Is dat zo vreselijk? Is dat zo verkeerd? Dat ik anders ben dan jij?'

'Daar gaat het niet om.'

'Waar gaat het dan eigenlijk wel om?'

'Waar het om gaat is dat jij me dit had moeten vertellen.' Ze liet zich weer op de tweezitsbank vallen. Hij liep langzaam naar haar toe en ging op zijn knieën voor haar zitten.

'Zou het enig verschil gemaakt hebben?' vroeg hij. 'Zou het iets hebben veranderd aan je gevoelens voor mij, als ik je verteld had dat ik al een keer getrouwd geweest ben?'

'Toen niet,' antwoordde ze.

'En nu?' vroeg hij. Tot Donna's verbazing werden zijn ogen ineens wazig. Ze had geen tranen verwacht. 'Verandert het nu iets aan je gevoelens voor mij?'

Donna schudde het hoofd. 'Ik weet het niet.' Ze zweeg. 'Ik voel me alleen ineens zo volkomen leeg.'

Hij streelde sussend haar arm. 'Het spijt me heel erg,' zei hij. 'Het was verkeerd van me. Ik ben erg stom geweest. Ik kan er geen andere verklaring voor geven.' Hij ging naast haar zitten. Ik denk dat ik niet gewend ben om fouten te maken, en als dat dan toch gebeurt, praat ik er niet graag over.'

Ze keek in zijn ogen. Net als bij haar stroomden nu de tranen over zijn gezicht. 'Maar waarom niet? Fouten maken je alleen maar menselijker.'

'Ben ik dat dan niet?' vroeg hij. 'God, ik hou zoveel van je.'

Ze lieten zich snikkend in elkaars armen vallen. In Donna's hoofd heerste zo'n chaos van verwarrende gedachten en gevoelens dat ze nauwelijks meer wist waar of wie ze was.

'Zeg alsjeblieft dat je van me houdt,' hoorde ze hem zeggen.

Ze knikte. 'Ik hou van je,' bekende ze in tranen. 'Ik hou van je.'

Ze maakte zich los uit zijn omhelzing. 'Ik weet alleen niet of we...'

'Wat?'

'Misschien moeten we het allemaal een poosje uitstellen,' zei Donna.

'Waarom? Of je houdt van me óf je houdt niet van me.'

'Misschien is liefde alleen niet genoeg.'

'Wat hebben we dan nog meer nodig?'

'We moeten elkaar vertrouwen,' antwoordde ze alleen.

Meteen voelde ze dat hij terugdeinsde. Waar waren zijn armen gebleven? Ze wilde zijn armen weer om zich heen voelen. Waarom hoorde ze geen tedere en sussende woordjes meer om haar te laten weten dat het hem speet? Daar had ze behoefte aan. Hij moest haar geruststellen, haar zeggen dat hij van haar hield; dat hij zou zorgen dat alles weer goed kwam. Hij maakte aanstalten om iets te zeggen; ze verwachtte dat hij een en al tederheid zou zijn, dat hij haar zou proberen gerust te stellen. Maar zijn stem klonk koel, afstandelijk. 'Daar kan ik niets aan doen,' zei hij. 'Ik heb geprobeerd het zo goed mogelijk uit te leggen. Ik heb mijn excuses aangeboden. Dat is alles wat ik kon doen. Meer doe ik niet. Je kunt mijn verontschuldigingen accepteren of niet. Ik hou van je. Ik wil met je trouwen. Maar wanneer jij denkt dat je me niet langer kunt vertrouwen, tja, dan kan ik daar niets tegen doen. Om vertrouwen in iemand te krijgen heb je tijd nodig. En meer dan dat. Je moet ook enige bereidheid hebben om iemand onvoorwaardelijk te vertrouwen. Die bereidheid heb je of die heb je niet. Ik kan je zeggen dat ik van je hou, dat ik van nu af aan op al je vragen eerlijk antwoord zal geven, dat ik zo open zal zijn als ik maar kan. Ik kan je beloven dat ik je nooit een haar zal krenken als ik boos op je ben, dat ik je nooit zal bedriegen. Nooit. Dat zweer ik. Maar ik kan het niet bewijzen. Je moet me vertrouwen. Je moet bereid zijn om je voortdurend voor honderd procent te geven.'

'Ik dacht dat je in een huwelijk allebei vijftig procent voor je rekening nam,' zei ze zachtjes.

'Wie heeft je dat verteld?' vroeg hij en hij probeerde te glimlachen. Zijn stem klonk weer vriendelijk. 'Dat kan nooit iemand met hersens geweest zijn.' Hij streelde haar gezicht. 'Waar kom je terecht, als je iemand halverwege tegemoet wilt gaan? Halverwege.' Ze lachte zachtjes door haar tranen heen. 'En wanneer die ander zijn helft niet voor zijn rekening neemt, dan sta je voor de keus. Je kunt blijven waar je bent, halverwege – nergens dus – en dan ben je mislukt. Of je kunt nog een kwart of dertig procent, of misschien verdomme zelfs de volle vijftig procent extra voor je rekening nemen, je armen om hem heen slaan en hem zeggen dat je van hem houdt. Ook al blijft hij dan nog volhouden dat hij gelijk heeft en jij ongelijk; ook al weet je dat hij een zak is, want dat weet hij waarschijnlijk net zo goed als jij. Ook al wil hij dat op dat moment niet onder ogen zien.' Hij zweeg. 'Geef me dat extra stuk, Donna,' smeekte hij. 'Vertrouw me. Ik weet dat ik een zak ben. Maar ik hou van je. Stel ons huwelijk alsjeblieft niet uit. Draai je niet om, blijf vooruit kijken.' Hij nam haar hoofd in zijn handen. 'Trouw met me,' zei hij.

De fotografen arriveerden om kwart over vier. Donna zat al ruim drie kwartier kant en klaar te wachten. Ondanks de airconditioning begon ze zich precies zo te voelen als Victor voorspeld had – verfomfaaid. Ze controleerde haar uiterlijk voortdurend in de spiegel. Om de haverklap corrigeerde ze een onwillige lok haar. Victor zei herhaaldelijk dat ze van haar haar moest afblijven, dat ze het alleen maar erger maakte en dat het er vet van werd. Toen ze haar kapsel eindelijk helemaal naar haar zin had, keek hij haar aan en zei hij: 'Waarom heb je dat nu gedaan? Ik vond het daarnet mooier.' Ze keek steels maar dikwijls naar haar oksels, tot Victor zei dat ze waarschijnlijk steeds heviger zou gaan transpireren, naarmate ze zich daarover meer zorgen maakte. Daarna keek ze nog omzichtiger, maar niet minder vaak. De bovenkant van haar handen begon te jeuken; Victor zei haar dat ze niet moest krabben. Het waren gewoon zenuwen, zei hij. Ze had wel willen zeggen dat er niets aan haar zenuwen mankeerde, behalve dan dat hij daar een verkeerde invloed op had. Ze had willen zeggen dat hij zijn bek moest houden; dat hij wat haar betreft weer naar Connecticut kon vertrekken. Ze had trek in vier, misschien wel vijf straffe borrels. Ze had zin om de met bloemen versierde kamer in een chaos te veranderen. Want ondanks het zonnige, feestelijke interieur kreeg ze steeds meer het gevoel dat ze als een net afgelegd, bezweet lijk in een rouwkamer lag opgebaard. Ze had zin haar schoenen uit te schoppen, haar jurk van haar lijf te rukken, haar sluier aan flarden te scheuren, haar boeket in brand te steken en er als een razende vandoor te gaan.

Hoe zou Victor zich voelen? vroeg ze zich af. Toen ging de bel. Het was kwart over vier en daar waren de fotografen, één en al excuses en verontschuldigingen. Ze zetten hun apparatuur op, maakten foto's: van de bruid alleen, van de bruid en de bruidegom, in een formele pose op de bank en een ongeposeerde kiek. Sommige gasten arriveerden al vroeg, de restaurateur en zijn personeel kwamen te laat, weer één en al excuses, weer dezelfde verontschuldigingen. De tafels werden neergezet en de consumpties uitgestald. Er arriveerden nog meer gasten. Het werd een hele drukte. Er werd gefeliciteerd. Een telegram van Donna's zusje, die zich nog eens verontschuldigde voor het feit dat ze er niet bij kon zijn – compleet met de smoes dat ze examen moest doen – en die haar veel geluk toewenste. De dominee en zijn assistent arriveerden op tijd, zonder excuses, zonder verontschuldigingen. Ze begroetten de aanwezigen glimlachend, werden aan iedereen voorgesteld en feliciteerden iedereen op hun beurt met deze heuglijke dag. Daarna werd iedereen naar zijn plaats gedirigeerd en vielen er ineens stilten, die net zo overdonderend waren als het lawaai dat ze onderbraken. De dominee nam het woord, zei iets over het plechtige karakter van de gebeurtenis, het blijde gebeuren dat zich zou gaan voltrekken. Voltrekken, dacht ze, het lijkt wel een vonnis. Ze zag zijn lippen bewegen, maar door het doffe geruis in haar oren hoorde ze niet wat hij zei. Ze voelde dat er zweetplekken zichtbaar werden in haar jurk, haar handen begonnen weer te jeuken. Ze hoorde bekende stemmen het jawoord geven en vroeg zich af waarom ze geen 'dat beloof ik' hadden gezegd. Ze voelde Victors lippen zachtjes langs de hare strijken, hoorde overal om zich heen blijde kreten en wist dat het allemaal voorbij was. Voorbij. Wat was er eigenlijk voorbij? vroeg ze zich af. En wat begon er nu precies?

Ze keek naar Victor, die haar stralend, trots en tevreden aankeek. Hoe zou hij zich voelen? vroeg ze zich af.

Later aan tafel zei ze tussen twee happen en de aanhoudende gelukwensen van hun aangeschoten gasten door: 'Ik zat me af te vragen... Je hebt toen in Connecticut gewoon je koffers gepakt en alles en iedereen achtergelaten...' Ze had vier, misschien vijf borrels op.

'Wat wilde je daarmee zeggen?' vroeg hij zonder een spoor van boosheid. Hij had zelf al ongeveer evenveel op.

'Nou, ik zat aan mezelf te denken... wanneer het tussen ons niet zou lukken. Ik bedoel: zou je dan gewoon je spullen pakken en het verrukkelijke Florida vaarwel zeggen? Zou je me gewoon dood verklaren en naar onbekende oorden vertrekken?'

Hij glimlachte tegen haar. Op zijn gezicht stond slechts liefde te lezen. Haar lichaam reageerde op de vertrouwde manier op de zachte, liefkozende klank van zijn stem; die wond haar op. 'Ik zou je kapotmaken, niets van je heel laten,' zei hij teder. Toen kuste hij haar.

De kersverse mevrouw Donna Cressy bracht het grootste deel van haar huwelijksnacht in de wc door, brakend.

5

Donna keek toe hoe de man achter in de rechtszaal van zijn
stoel opstond, langs haar liep – hij had een onregelmatige, on-
vaste loop, waardoor hij voortdurend dreigde te struikelen –
en zijn plaats in de getuigenbank innam. Onderzoekend keek
ze naar die man die tegen haar zou getuigen. Zowel zijn leeftijd als zijn lengte waren gemiddeld te noemen. Eigenlijk
maakte hij in alle opzichten een 'gemiddelde' indruk: van
middelbare leeftijd, een man uit de middenklasse, afkomstig
uit het midden van het land, gematigd in zijn opvattingen.
Echt een man van het midden. Donna glimlachte, toen ze over
dat woord nadacht. Midden. Wanneer je het bleef zeggen, begon het een beetje dwaas te klinken; een onzinwoordje, zoals
kinderen dat kunnen bedenken. Midden... midden...
Hij had zijn bruine haar keurig naar één kant over een ontlui-
kende kale plek gekamd. Weer glimlachte ze om haar woord-
keuze. Hoe kon je iets dat ging kalen ontluikend noemen?
Waarom ook niet, zei ze tegen zichzelf. Zij kon alles doen, ze
was toch gek. Althans, ze was er zeker van dat ze zichzelf zo
zou horen beschrijven. Donna Cressy, van beroep: gek. Niet
geschikt om haar twee kindertjes groot te brengen. De glimlach verdween. Rotvent, dacht ze. Wie hij ook was. Het plotselinge besef dat ze niet wist wie hij was, deze getuige die
Victors beschrijving van haar nog geloofwaardiger zou moeten maken, maakte haar erg zenuwachtig. Ze draaide zich om
naar Mel, die een paar rijen achter haar zat, waar ze hem
goed kon zien. Ze trok haar wenkbrauwen op en vroeg hem
woordeloos of hij deze man kende. Mel antwoordde met een
nauwelijks merkbaar schouderophalen – ze leken wel twee
heimelijke bieders op een veiling van Sotheby. Hij had evenmin een idee. Donna keek weer naar de getuigenbank. De
man, die op het punt stond de eed af te leggen, had uiterlijk
niets opvallends, of het moest zijn dat hij te ruim in zijn vel
leek te zitten, alsof hij de jas van een ander had aangetrok-
ken. Qua kleur maakte zijn huid een gezonde indruk. Het

leek alleen alsof het vel om zijn lichaam hing. Verder was hij niet knap en niet lelijk, vriendelijk noch bedreigend om te zien. Hij was niets, helemaal niets. Het type man dat zo vaak gepasseerd wordt wanneer het om promoties gaat, eenvoudig omdat men vergeet dat hij er is. Daar ergens in het midden.

Hij had een zachte, prettige stem. Donna ging op het puntje van haar stoel zitten. Ze wilde geen woord missen van wat hij te zeggen had. De griffier vroeg hem zijn naam, adres en beroep op te geven.

'Danny Vogel,' zei de man en hij deed zijn uiterste best om niet in Donna's richting te kijken. 'Tenth Avenue 114, Lake Worth. Ik ben vertegenwoordiger bij een verzekeringsmaatschappij.'

De rechter legde de getuige uit wat er van hem verwacht werd bij zijn getuigenis en Danny Vogel knikte zwijgend.

Ze herkende zijn naam. Danny Vogel. Langzaam maar zeker kwam hij wat duidelijker in beeld, net als een polaroidfoto tijdens het ontwikkelen. Zijn adres kwam haar bekend voor. Ze was er weleens geweest. Ze was er weleens heengereden. Ze huiverde toen ze zich alles weer herinnerde. Hij werkte bij Victor op de zaak. Natuurlijk kende ze deze man, maar hij was aanzienlijk vermagerd sinds ze hem voor het laatst had gezien. Dáárom hing zijn huid zo los om hem heen en dáárdoor had ze hem aanvankelijk niet herkend.

Maar daarmee was het haar nog niet duidelijk wat hij hier kwam doen. Waarom was hij als getuige opgeroepen? Ze wist niet meer wanneer hij voor het laatst bij haar thuis was geweest; ze herinnerde zich niet hem ooit samen met haar kinderen gezien te hebben. Hoe kon hij dan getuigen hoe ze als moeder was?

'Hoelang kent u Victor Cressy al?' vroeg Ed Gerber, Victors advocaat.

Luid en duidelijk – hij had blijkbaar goed naar de instructies van de rechter geluisterd – antwoordde Danny Vogel: 'Ongeveer acht jaar. We zijn collega's.'

'Zou u uzelf een goede vriend van Victor Cressy willen noemen?'

'Jazeker,' knikte hij en hij keek in Victors richting om bevestiging. Als Victor zich al bewoog, dan zag Donna dat in elk geval niet.

'En mevrouw Cressy?'

'Haar ken ik minder goed,' verklaarde hij, nog altijd naar Victor kijkend. Minder goed, dacht Donna. Hij kent me helemaal niet. We hebben elkaar weleens ontmoet, meer niet. Op feestjes en zo hebben we elkaar weleens gezien. Maar we zijn nooit verder gekomen dan: 'Hallo! Dag! Ja, graag, ik lust nog wel een glaasje.' Minder goed! Wat verbeeldde hij zich wel! Je was niet eens bij ons huwelijk, leken haar ogen hem toe te schreeuwen, terwijl ze probeerde hem te dwingen haar kant uit te kijken. En waarom was je er niet? Vraag hem dat eens, meneer Gerber, beste advocaat van Florida, vraag meneer Danny Vogel eens waarom hij niet bij het huwelijk van zijn 'goede vriend' aanwezig was, terwijl de vrouw met wie zijn 'goede vriend' trouwde, de vrouw die hij 'minder goed' kent, nota bene gevraagd had hem ook uit te nodigen.

'Wat is uw indruk van Victor Cressy?' vroeg Ed Gerber.

'In welk opzicht?' vroeg de getuige. Donna merkte dat ze glimlachte, of ze wilde of niet. Geen gemakkelijke vraag, meneer Gerber, dacht ze. Ze begreep Danny Vogels behoefte aan verduidelijking wel.

'In het algemeen,' antwoordde de advocaat. 'Als mens, als vriend, als collega.'

Donna zag dat Danny Vogel in gedachten een lijstje maakte. Duidelijk een man die gewend was naar zijn cliënten te luisteren en hun instructies uit te voeren. 'Als mens,' begon hij enigszins traag, 'is Victor Cressy een sterke, krachtige, ik zou zelfs zeggen, dynamische persoonlijkheid. Hij is intelligent, snel van begrip en hij kent zijn zaakjes. Hij is wel veeleisend, maar hij eist van zichzelf evenveel als van een ander. Ik heb hem altijd beschouwd als een eerlijk, gedisciplineerd mens, die weet wat hij doet.' Hij zweeg. In gedachten hielp Donna hem een streep te zetten door Victor Cressy, de man die wist wat hij deed. 'Als vriend is hij trouw, eerlijk. Als hij kritiek op je heeft, dan steekt hij die niet onder stoelen of banken. Hij zegt je precies wat hij van je denkt en het lijkt me duidelijk dat dat soms wrijvingen veroorzaakt.' Dat is duidelijk, viel Donna hem bij, maar vertelt Victor je ooit echt wat hij van je denkt? Of denk jij alleen maar dat hij dat doet? Hij is erg gesloten, niet het type man dat een ander in vertrouwen neemt als hij in de problemen zit. Dus wanneer hij dat toch doet, dan weet je dat het behoorlijk ernstig is. Maar hij staat altijd klaar om je te helpen als je moeilijkheden hebt.' Dat was Victor Cressy, de vriend die altijd voor je klaarstaat. 'Als collega is hij de beste vertegenwoordiger van het bedrijf, daar is geen twijfel over mogelijk. Hij werkt hard, is een echte perfectionist, en...' Danny Vogel keek om zich heen in de rechtszaal, alsof hij verwachtte dat iemand uit de zaal hem een passende omschrijving zou toeroepen... 'hij is gewoon onze beste man.' En dat passende superlatief beschreef Victor Cressy als collega. Goed zo, meneer Vogel.

Je bent niet bij ons huwelijk geweest omdat Victor Cressy het jou, gewaardeerde collega, nog altijd niet had vergeven dat je je volgens hem tussen hem en een van zijn potentiële cliënten gedrongen had; een onachtzaamheid waarvan jij je niet eens bewust was en waarvoor je bijna een jaar lang je excuses hebt lopen aanbieden voordat Victor, intelligent en eerlijk als hij is, vond dat je genoeg gestraft was en zich verwaardigde weer met je te praten. Sindsdien heb je altijd het gevoel gehad dat jij het volkomen bij het verkeerde eind had gehad. Dat Victor niet alleen gelijk had met zijn aanvankelijke veronderstellingen, maar bovendien met de manier waarop hij jou daarna behandeld heeft. Jouw 'goede vriend' is een eersteklas manipulator. Zijn genie schuilt daarin dat hij er niet alleen in slaagt anderen ervan te overtuigen dat hij altijd gelijk heeft, maar dat hij bovendien zelf al jaren overtuigd is van zijn gelijk. Zo weet hij alles wat hij doet, hoe belachelijk soms ook, geloofwaardig te maken. Hij is degene die fout zit, en toch krijgt hij het voor elkaar een ander met een schuldgevoel op te zadelen. Donna keek van de getuige naar Victor Cressy. Zo'n gave moest een gave Gods zijn.

'En wat was uw eerste indruk van mevrouw Cressy?'

'Bij onze eerste ontmoetingen was ik erg van haar onder de indruk,' gaf hij toe. 'Een charmante vrouw was ze, met gevoel voor humor, leek me...'

Waarom praat hij over me in de verleden tijd? vroeg Donna zich af. Was ze soms plotseling overleden? Zou dan ten slotte deze rechtszaal haar hel worden in plaats van die gootsteen vol vuile vaat? Zou ze naar een eindeloze litanie van getuigen moeten luisteren, die al haar daden en beweegredenen stuk voor stuk zouden veroordelen – haar reuzenrotsblok van Sisyphus dat ze de berg op moest duwen – tot ze onder de last van dat alles zou instorten en zou uitroepen: Ja, jullie hebben gelijk. Het is allemaal mijn schuld.

'... leek het wel alsof ze veranderde,' vertelde Danny Vogel.

'Wanneer was dat?'

'Het is moeilijk om daar een exact moment voor aan te geven, want ik zag haar niet vaak, alleen op feestjes en dergelijke, maar die werden steeds zeldzamer.' Hij zweeg even en slikte. 'Toen ik Donna voor het eerst ontmoette, leek ze me iemand die vrij vaak uitging. In de loop der jaren maakte ze de indruk dat ze zich steeds meer terugtrok. Ze ontving thuis geen mensen meer...'

'Protest,' zei Donna's advocaat, terwijl hij opstond. 'Deze getuige is niet in de positie om een verklaring af te leggen over het bezoek dat de Cressy's al dan niet ontvingen.'

'Toegewezen.'

Danny Vogel leek van zijn stuk gebracht.

'Meneer Vogel,' vervolgde Ed Gerber, die de draad weer oppakte, 'hoe vaak bent u zelf bij de Cressy's thuis uitgenodigd voor een dineetje of voor wat voor sociaal gebeuren dan ook?'

Danny zweeg even om na te denken. 'Die eerste paar jaar van hun huwelijk een paar keer per jaar, denk ik. Na Adams geboorte ben ik misschien nog één keer uitgenodigd. En na Sharon helemaal niet meer. Op een keer...,' begon hij en hij keek naar Ed Gerber, die blijkbaar op de hoogte was van wat de getuige wilde gaan zeggen en aangaf dat hij door kon gaan met zijn verhaal. 'Op een dag kwam ze Victor van kantoor halen. Victor en ik stonden buiten te wachten – ze was te laat – en ik stak mijn hoofd door het autoraampje om haar gedag te zeggen. Victor stelde voor dat Renee en ik in de loop van de daaropvolgende week een avond bij hen zouden komen barbecuen. Maar zij zei nee; daar kon beslist geen sprake van zijn. Ik merkte duidelijk dat Victor erg in verlegenheid gebracht was. En ik hoef u niet te vertellen dat voor mij hetzelfde gold.'

'Zei ze ook waarom het niet kon?'

'Nee. Ze zei alleen maar nee. Het was heel vreemd.'

'Is u verder nog iets "vreemds" opgevallen?' vroeg Ed Gerber. Danny Vogel schudde het hoofd. 'Nee, eigenlijk niet. O, behalve haar haar. Dat was felrood, peenrood. Ik had haar de week daarvoor nog op een feestje gezien en toen was ze nog blond.'

'Dus u zag Donna Cressy bij verschillende gelegenheden?'

'Ja. We verkeerden zo'n beetje in dezelfde kringen. We hadden een gezellig bedrijf. Er was altijd wel iemand die een feestje gaf.'

'Viel er in de loop der jaren een verandering op te merken in mevrouw Cressy's gedrag op dat soort feestjes?'

'Och, zoals ik al zei, ze begon zich steeds meer terug te trekken. Het leek wel alsof ze ieder volgend feestje minder zei. Ze lachte bijna nooit. Ze was erg vaak verkouden. Zij leek altijd wel iets te mankeren.'

'Protest.' Stamler klonk buitengewoon ontstemd.

'Toegewezen,' zei de rechter. 'De rechtbank trekt haar eigen conclusies, meneer Vogel.'

Danny Vogel leek oprecht van streek door het feit dat hij de rechtbank last had bezorgd. 'Neemt u me niet kwalijk, edelachtbare,' zei hij zachtjes. Indachtig zijn instructies van kort tevoren herhaalde hij dat daarna nog eens luid.

'Hebt u thuis ooit weleens zo'n feestje gehad, meneer Vogel?' vroeg Ed Gerber, wetende dat het antwoord op deze vraag bevestigend zou luiden.

'Zeker.'

'Waren de Cressy's toen ook uitgenodigd?'

Het antwoord luidde wederom bevestigend.

'Wanneer was dat?'

'Ruim twee jaar geleden,' antwoordde Danny Vogel. 'Ter ere van mijn veertigste verjaardag.'

Donna wist de exacte datum. Het was vijfentwintig maanden geleden. Precies negen maanden voor Sharons geboorte. De nacht waarin Sharon verwekt was.

'Zou u een exacte beschrijving kunnen geven van wat er gebeurde vanaf het moment dat de Cressy's op uw feestje arriveerden?'

Donna dacht terug aan dat feestje. Wat kon hij daar in 's hemelsnaam over te zeggen hebben?

'Ze waren laat. Ze kwamen als laatsten. Maar Victor was erg gezellig, hartelijk. Donna hield zich een beetje op de achtergrond. Ze glimlachte niet toen ze binnenkwam. Ze maakte een afwezige indruk. Ik veronderstelde dat ze wel weer een van haar buien zou hebben...'

'Protest.'

Nadat het protest in overweging was genomen en was toegewezen, ging de getuige verder: 'Ik heb haar in elk geval niet veel horen zeggen. Als ik naar haar keek, was ze steeds alleen. Ze bleef op één plek staan met een glas in de hand. Volgens mij is ze daar ook niet vandaan geweest. Ze nam af en toe een slokje en snoot regelmatig haar neus – ze was verkouden en ik weet nog dat ze voortdurend haar neus snoot. Het was alsof ze de hele avond met een Kleenex voor haar neus stond.'

Gaan ze me mijn kinderen afnemen omdat ik met een Kleenex voor mijn neus stond? vroeg Donna zich ongelovig af. Kleenexgebruiker, niet in staat om de neus van haar kinderen te snuiten! Verdomme, zei ze bij zichzelf, zij was om drie uur 's morgens haar bed uitgegaan om hun neus te snuiten als ze huilden. ('Mammie, mijn neus, mijn neus,' schreeuwde Adam altijd al bij de geringste verstopping.) Zij had hun neus afgeveegd, hun tranen gedroogd en hun zalige ronde billetjes schoongepoetst.

Maar op de een of andere manier was het verkeerd wanneer ze haar eigen neus afveegde, zelfs al was ze verkouden. Maar dat was natuurlijk het punt. Ze was weer eens verkouden geweest. Victor had al verteld dat ze dol was op dat soort aandoeningen. Dit waren nu echt elkaar dekkende getuigenverklaringen. Ze werd niet veroordeeld omdat ze een Kleenex gebruikt had om haar neus te snuiten, maar omdat ze weer eens verkouden was.

'Op een gegeven moment ben ik een praatje met haar gaan maken,' vervolgde Danny Vogel, zich niet bewust van Donna's stilzwijgende interruptie. 'Maar dat werd een nogal eenzijdig gesprek.'

'Kunt u zich er iets van herinneren?'

'Ik zei haar dat ze er beeldig uitzag.' Hij grinnikte. 'Dat was ze met me eens.'

Tja, het was ook idioot om het daarmee eens te zijn, dacht Donna.

'Haar stem klonk erg hees. Volgens mij had ze keelontsteking, dat had ze erg vaak. Dus kwam ik tot de conclusie dat praten wel pijnlijk zou zijn; vooral toen ik haar een paar dingen gevraagd had en ze geen antwoord gaf.'

'Wat vroeg u haar dan?'

Danny Vogel haalde de schouders op. 'Ik vroeg naar haar zoontje, Adam. Hoe het met hem ging. En of ze van plan was hem naar de crèche te doen. Ze gaf geen antwoord. Ik weet nog dat ze me alleen maar aankeek. Het leek haast wel of ze... of ze bang was.'

'Bang? Waarvoor?'

'Ik heb geen idee. Ze zei niets.'

'Edelachtbare,' zei Stamler, Donna's advocaat, terwijl hij zich uit zijn stoel verhief, 'ik vermag het nut van deze getuigenverklaring niet in te zien. Wanneer het de bedoeling is dat de getuige een verklaring aflegt over de persoon van Victor Cressy, dan vind ik dat prima. Maar laat hij zich dan daartoe beperken. Alles wat hij tot dusverre over mevrouw Cressy heeft gezegd, is van geen enkel belang. De heer Vogel schijnt te willen suggereren dat mevrouw Cressy zich niet correct gedroeg, omdat ze zijn vragen niet bevredigend beantwoordde. Donna Cressy was verkouden. Ze had keelontsteking. Kun je dan beweren dat haar gedrag onstabiel was? Maakt dat haar tot een onbekwame moeder?'

'Mag ik de rechtbank vragen ons nog even tijd te geven,' wierp Ed Gerber tussenbeide, voordat de rechter iets kon zeggen. 'We zullen straks het belang van deze verklaring aantonen.'

De rechter keek nogal sceptisch, maar gaf de advocaat toestemming verder te gaan.

Gerber vertrok zijn mond tot wat onaantrekkelijke grimassen en formuleerde in gedachten zijn volgende vraag: 'Gaf me vrouw Cressy's gedrag gedurende de rest van de avond u aanleiding om – laten we zeggen – te gaan twijfelen aan haar verstandelijke vermogens?'

'Ongeveer halverwege het feestje veranderde haar gedrag volkomen,' antwoordde Danny Vogel, zijn woorden zorgvuldig

kiezend. 'Het deed me denken aan dr. Jeckyll en mr. Hyde.
Of mrs. Hyde dan,' voegde hij eraan toe en hij lachte bedeesd
om zijn eigen grapje. Niemand lachte mee, alleen Ed Gerber
glimlachte.

'Het ene moment stond ze nog te snotteren en praatte ze met
niemand en het volgende ogenblik stond ze te schreeuwen,
en dan bedoel ik ook echt schreeuwen. Haar stem was ineens volkomen helder, aan niets viel meer te horen dat ze verkouden was. En dat bleef de rest van de avond zo.' Hij zweeg
even, alsof hij wachtte tot iemand protest zou aantekenen.
Maar dat gebeurde niet. Donna keek naar de rechter. Diens
interesse was weer gewekt. Hij luisterde vol aandacht.

'Hebt u iets opgemerkt waardoor deze verandering veroorzaakt werd?'

'Donna stond tegenover de bar – nog precies zo als vlak na
hun komst – en Victor liep naar haar toe om haar een Kleenex
te geven. Ik zag dat hij die in zijn hand hield. Plotseling sloeg
ze hem hard tegen zijn hand, waardoor de Kleenex eruit
vloog en zijn arm tegen een van de andere gasten aan sloeg.
Vervolgens morste die haar drankje over haar japon – ik geloof, dat dat mevrouw Harrison was. Donna wekte duidelijk
de indruk dat ze ruzie zocht. Ze begon heel hard te praten en
hield dat de rest van de avond vol. Steeds wanneer iemand
iets begon te vertellen, viel zij in de rede om háár mening te
geven, en die stond telkens lijnrecht tegenover die van alle
anderen. Ze beledigde verscheidene gasten en sloeg diverse
malen obscene taal uit. Tegenover Victor was ze genadeloos.
Elke keer dat hij zijn mond opendeed, maakte zij een sar-
castische opmerking. Ze zette hem voortdurend voor gek en
vertelde in geuren en kleuren wat er volgens haar allemaal
aan hem mankeerde. En wanneer hij dan toch iets zei, bauw-
de ze hem na. Het was allemaal erg gênant. Toen Victor ten
slotte te kennen gaf dat het tijd werd om naar huis te gaan,
gaf ze opnieuw kleinerend commentaar. Ze zei iets van haar
"master's voice" of iets dergelijks, en toen vertrokken ze. Ik
moet bekennen dat we allemaal een diepe zucht van verlich-
ting slaakten.'

Ed Gerber laste een langdurige pauze in. Hij was zeer tevreden over de gang van zaken. 'Zou deze plotselinge verande-

ring in het gedrag van mevrouw Cressy volgens u toegeschreven kunnen worden aan de hoeveelheid alcohol die ze op had, meneer Vogel?'

Het leek wel alsof Danny Vogel dolblij was dat die vraag hem gesteld werd. Hij gedroeg zich als een kleine jongen die eindelijk toestemming krijgt een al te lang bewaard geheim te verklappen. 'Nee,' piepte hij bijna, 'zoals ik al zei, bleef ze de hele avond op die ene plek staan, tegenover de bar, met die ene borrel die ik haar aan het begin van de avond had ingeschonken. Ze kwam niet van haar plaats. Ik heb haar geen nieuw drankje zien halen.'

'Zo-even zei u dat Victor Cressy zijn problemen niet zo gauw aan anderen zou toevertrouwen,' vervolgde Ed Gerber, uiterst zorgvuldig formulerend.

'Dat klopt,' zei de getuige instemmend.

'Nu moet u me eens vertellen... Maar let op uw woorden. U mag niet letterlijk herhalen wat er gezegd is, want dat zou "roddelen" zijn,' zei Ed Gerber met een sluwe glimlach in de richting van Stamler. 'Kunt u me, zonder letterlijk te citeren, vertellen of Victor Cressy u ooit heeft toevertrouwd dat hij zich zorgen maakte over het gedrag van zijn vrouw?'

'Ja, dat heeft hij me verscheidene keren gezegd.'

'Heeft hij ooit uiting gegeven aan zijn bezorgdheid om zijn kinderen?'

'Inderdaad.'

'Wat voor vader was Victor Cressy?' vroeg Ed Gerber. Weer viel het Donna op dat hij in de verleden tijd sprak. Was Victor soms ook plotseling overleden?

'Voorzover ik dat kon beoordelen was hij een fantastische vader. Hij was erg bezorgd om zijn kinderen, al direct vanaf het moment dat hij hoorde dat Donna zwanger was. Hij las alle boeken over dat onderwerp, ging met zijn vrouw naar zwangerschapscursussen – bij beide kinderen – en hij kende alle ademhalingsoefeningen. Hij is beide keren de gehele bevalling bij Donna gebleven en bij Adam duurde die, geloof ik, bijna vierentwintig uur...'

Zesentwintig uur, stommerd, schreeuwden Donna's ogen hem toe. En ik lag in barensnood en niet die hufter die alle ademhalingsoefeningen deed. Ik leed pijn. Wat moet u gelukkig zijn met zo'n zorgzame man, hadden de verpleegsters tegen haar gezegd. Vooral na Sharons geboorte. Die verpleegster die Victor zo stralend had aangekeken. Trut, had Donna wel willen schreeuwen. Vraag hem maar eens hoe deze baby verwekt is!

'Hij hamerde er erg op dat Donna goed at. Hij vond het geweldig, toen ze besloot beide kinderen borstvoeding te geven. Volgens hem was dat gezonder. Hij was erg trots op zijn kinderen. Hij nam ze weleens mee naar kantoor. Je kon gewoon zien hoe dol hij op hen was.'

'En hebt u Donna ooit met haar kinderen gezien?'

Danny Vogel schudde het hoofd. 'Nee.' En op de een of andere manier slaagde hij erin dat als een veroordeling te laten klinken.

Donna's advocaat ging meteen tot de aanval over, toen het zijn beurt was voor het kruisverhoor.

'Meneer Vogel,' begon hij. Hij sprak zoals een schrijfmachine letters op het papier hamert, scherp, afgebeten, snel en doelgericht. 'Bent u soms een ervaren psycholoog?'

Danny Vogel schudde glimlachend het hoofd. 'Nee.'

'Hebt u enige extra scholing gehad in een van de gedragswetenschappen?'

'Nee.'

'Ooit wat aan psychologie gedaan op de universiteit?'

'Nee.' De glimlach was verdwenen.

'Dus u beschikt niet echt over de kwalificaties die nodig zijn om het gedrag van mevrouw Cressy te kunnen beoordelen?'

'Ik heb alleen verteld wat ik heb gehoord en gezien,' zei Danny Vogel vinnig, als een in het nauw gedreven slang, bang en klaar om toe te schieten.

'Uw ogen en oren kunnen u bedriegen, meneer Vogel. Dat weten we allemaal. Een buitenstaander kan nooit een eerlijk en juist oordeel geven over een huwelijk, vindt u ook niet?'

'Daarin zult u wel gelijk hebben.' Hij zweeg even. 'Maar Donna's gedrag was meer dan...'

Stamler viel de getuige abrupt in de rede: 'Wilt u soms beweren dat u over speciale kwalificaties beschikt om vrouwelijk gedrag te beoordelen? Hoe vaak bent u getrouwd, meneer Vogel?'

Danny Vogel kromp zichtbaar ineen. 'Twee keer,' moest hij toegeven.

'Uw eerste huwelijk eindigde met een scheiding?'

'Inderdaad.'

'En uw tweede huwelijk? Is dat gelukkig te noemen?'

'We leven gescheiden,' zei hij met gebogen hoofd en nauwelijks hoorbaar.

'Dan kunnen we u nauwelijks een autoriteit op het gebied van vrouwen noemen, hè, meneer Vogel?' vroeg de advocaat sarcastisch. Toen vervolgde hij onmiddellijk: 'Zo-even beweerde u dat u mevrouw Cressy nooit samen met haar kinderen hebt gezien.

Is dat juist?'

'Dat is zo, ja.'

'Dan bent u dus in geen enkel opzicht in staat om mevrouw Cressy's capaciteiten als moeder te beoordelen, vindt u wel?'

'Nee, maar...'

'Dank u. Dat was alles, meneer Vogel.'

Danny Vogel aarzelde even voordat hij uit de getuigenbank stapte. Hij keek in de richting van Victor, die hem grotendeels bleef negeren. Terwijl hij langzaam naar zijn plaats terugliep, deed hij nog steeds zijn uiterste best om Donna's blik te ontlopen.

Stamler – wat zou zijn voornaam eigenlijk zijn? vroeg Donna zich plotseling af, terwijl ze zich realiseerde dat ze hem nooit anders dan meneer Stamler genoemd had – klopte geruststellend op haar hand. Hij vond blijkbaar dat ze deze ronde gewonnen hadden. De getuige had toegegeven dat hij niet in staat was om een oordeel te vellen over Donna's capaciteiten als moeder ('Dan bent u dus in geen enkel opzicht in staat om mevrouw Cressy's capaciteiten als moeder te beoordelen, vindt u wel?' 'Nee, maar...'). Haar advocaat had toen snel een eind gemaakt aan zijn getuigenis, maar dat laatste woord stond in de notulen. De rechtbank had het gehoord. Zij had het gehoord. De rechter had het vast en zeker ook gehoord. Maar. Ze herhaalde het in gedachten telkens weer – maar, maar, maar, maar – tot het net zo'n belachelijk woord was geworden als 'midden'.

'Vertel me eens een verhaaltje.'

Donna keek naar haar zoontje, net vier jaar oud, die op een armlengte afstand van haar zat en met de helderblauwe deken die op zijn bed lag, over zijn neus wreef. 'Adam, ik heb je al drie verhaaltjes voorgelezen. Ik heb je gezegd dat dit het laatste verhaaltje was. We hadden afgesproken dat je daarna onder de dekens zou kruipen en zou gaan slapen.'

'Ik lig onder de dekens,' zei hij en hij kroop snel in bed.

'Mooi zo.' Donna stond op. Ze voelde zich moe, leeg, en toch wilde ze eigenlijk nog niet bij hem weggaan. Adam voelde haar besluiteloosheid onmiddellijk aan.

'Ach...' zei hij en er verscheen al een reusachtige, verwachtingsvolle grijns op zijn gezicht.

Donna ging weer naast zijn kussen op zijn bed zitten. Adam kroop direct dicht tegen haar aan. 'Goed dan, welk verhaaltje moet ik je voorlezen?'

'Niet voorlezen. Je moet me een verhaaltje vertellen.'

'O, schatje, ik ben zo moe. Ik kan nu geen verhaal bedenken...'

'Je moet me een verhaaltje vertellen over een jongetje dat Roger heet en een meisje dat Bethanny heet...'

Donna glimlachte bij het horen van die twee namen; dat waren Adams nieuwste speelkameraadjes op de kleuterschool.

'Goed,' zei ze. 'Er was eens een jongetje dat Roger heette en een meisje dat Bethanny heette. Op een dag gingen ze naar het park...'

'Nee!'

'Nee?'

'Nee. Ze gingen naar de dierentuin, naar de giraffen!'

'Wie vertelt er hier een verhaaltje? Jij of ik?'

Adam dacht even na. 'Je moet me een verhaaltje vertellen over een jongetje dat Roger heet en een meisje dat Bethanny heet en ze gingen naar de dierentuin, naar de giraffen. Wil je me dat vertellen?'

'Goed dan,' zei Donna grinnikend, 'ze gingen dus naar de dierentuin...'

'Nee! Je moet bij het begin beginnen. Er was eens...'

'Nou moet je niet al te veel praatjes krijgen, ventje!'

'Je moet me een verhaaltje vertellen over een jongetje dat

Roger heet en een meisje dat Bethanny heet en ze gingen naar de dierentuin, naar de giraffen. En ze namen pinda's mee. Maar er hing een bordje waarop stond: "Verboden te voenete".'

'Te wat?'

'Te voenete,' herhaalde hij ongeduldig.

'Te voederen, bedoel je.'

'Ja.' Natuurlijk, wat heb je? Hoor je me niet? 'Wil je me dat verhaaltje vertellen?'

Donna haalde diep adem. 'Er was eens een jongetje dat Roger heette, en een meisje dat Bethanny heette. Ze gingen naar de dierentuin om naar de giraffen te kijken. Ze namen pinda's mee. Maar er hing een bordje waarop stond: "Verboden te voederen". Zo goed?' Adam knikte. 'En daarom...'

'Ja?'

'En daarom aten ze alle pinda's zelf op,' zei Donna snel. 'Ze hadden hartstikke veel plezier en gingen weer naar huis, naar hun mammie, en daarna leefden ze nog lang en gelukkig.' Donna drukte hem een tedere kus op zijn voorhoofd, stond weer op en deed het licht uit.

'Waar is jouw mammie?' vroeg het stemmetje. Op die vraag had Donna niet gerekend.

Even wist ze niet wat ze moest zeggen. Hij had die vraag nog nooit eerder gesteld en ze wist niet goed wat ze moest antwoorden. Ze besloot dat ze haar antwoord maar zo simpel mogelijk moest houden. En in het schemerdonker zei ze zacht: 'Die is dood, lieverd. Ze is al lang geleden gestorven.'

'O.' Er viel een lange stilte. Donna draaide zich om, om de kamer uit te gaan, ervan overtuigd dat ze het juiste antwoord had gegeven. Zo moeilijk was het niet geweest, dacht ze.

'Wat is "gestorven"?' vroeg hij plotseling. Donna stond stil. Moesten ze het daar uitgerekend nu over hebben? Ze keek naar Adams gezichtje. Ja, het was duidelijk dat ze nu daarover moesten praten. Ze ging opnieuw op het bed zitten en probeerde zich te herinneren wat Benjamin Spock over dit onderwerp geadviseerd had. 'Eh... even denken.' Je kon een kind dat op het punt stond te gaan slapen, natuurlijk absoluut niet vertellen dat doodgaan net zo iets was als gaan slapen. En op de een of andere manier had ze het gevoel dat ze het woord hemel niet over haar lippen zou kunnen krijgen. Verdorie, dacht ze, ik wilde dat je nog een paar dagen met die vraag gewacht had. Als Victor het proces wint, mag hij het opknappen. 'Nee, *ik* zal het je vertellen,' zei ze hardop. Adam keek haar verrast aan. Victor zou het proces niet winnen. Hij zou haar haar kinderen niet afnemen.

'Waarom praat je zo hard?'

'O, neem me niet kwalijk.' Ze wist plotseling het advies van dokter Spock weer. 'Iedereen gaat dood, lieverdje,' legde ze uit. 'Dat gebeurt met alles wat leeft: bloemen, dieren, mensen. Het is heel natuurlijk en het doet geen pijn of zo. We houden gewoon op met leven. Maar dat gebeurt bij mensen meestal pas als ze heel erg oud zijn.' Adam lag haar aan te kijken. 'Begrijp je het? Is het zo goed?'

Hij knikte zwijgend en kroop diep onder zijn dekens. Weer drukte Donna een kus op zijn voorhoofd.

'Ik hou van je, snoeperdje.'

'Welterusten, mammie.'

Donna liep het gangetje door naar Sharons kamer en gluurde naar binnen. Sharon ging onmiddellijk rechtop in haar ledikantje zitten.

'Waarom zit je nu nog rechtop in bed?' vroeg Donna.

Het meisje zei niets. In het donker ging ze overeind zitten en strekte haar handjes uit naar haar moeder. Donna liep naar Sharon toe, tilde haar uit het ledikantje en drukte haar warme lijfje tegen zich aan.

'Je hoort al te slapen, weet je dat wel?'

Sharon keek diep in haar moeders ogen. Teder, langzaam, bijna bedachtzaam hief Sharon haar rechterhandje op en streelde zachtjes Donna's wang. Donna drukte het meisje dicht tegen zich aan. 'Je moet gaan slapen, kleintje. Ik hou van je, engeltje. Lekker slapen, schatje.'

Sharon legde haar hoofdje tegen Donna's schouder en doezelde meteen weg.

'Mammie?' De stem van Adam verscheurde de stilte.

'Ik kan dat jong wel wat doen,' zei Donna hardop. Ze liep naar het ledikantje en legde Sharon voorzichtig neer.

'Mammie!'

Donna liep de gang in, vlug terug naar Adams kamer. 'Wat is

er, Adam?' vroeg ze enigszins geprikkeld. Adam zat opnieuw rechtop in bed.

'Ik wil je iets vragen.'

Vraag me alsjeblieft niet wat er na je dood met je gebeurt, smeekte ze in stilte. Morgen koop ik een boekje van Elizabeth Kübler-Ross voor je! 'Wat is er, lieverd?'

'Wie heeft mij gemaakt?' vroeg hij.

Nee toch, dacht Donna. Niet nu. Geen leven en dood op één en dezelfde avond. Niet na een dag vol echtscheiding. Ze liet zich weer op zijn bed zakken. 'Pappie en mammie hebben je gemaakt, lieverd.'

Hij keek haar heel nieuwsgierig aan. 'Hoe konden jullie dat dan?' vroeg hij en hij wachtte op haar antwoord.

'Dat konden we omdat we erg veel van elkaar hielden,' antwoordde Donna na een minutenlange stilte. En terwijl ze dat zei, hoopte ze dat Sharon haar die vraag nooit zou stellen.

6

'Je ademt niet goed.'

'Wel waar.'

'Nee. Je moet de eerste ademhalingsoefening doen. De buik-
ademhaling moet helemaal van onder uit je romp komen. Jij
doet oefening twee.'

'Ik moet borstademhaling doen.'

'Nee, dat is niet waar. Dat is oefening twee. We doen nu oefening één.'

'Ik ben moe,' zei Donna geprikkeld en ze ging traag en enigszins moeizaam overeind zitten. 'Laten we maar een avond
overslaan.'

Victor was niet te vermurwen. 'Als we die ademhaling niet
iedere dag oefenen, heeft het geen enkele zin.' Aan zijn gezicht was te zien dat het niet veel scheelde of hij werd cha-
grijnig.

'En dat vertel je me nu, dat het allemaal geen zin heeft?' vroeg
Donna en ze probeerde niet te lachen. 'Nu ik al tweeëntwintig
pond ben aangekomen en het nog maar twee maanden duurt
voordat de baby geboren wordt.' Ze worstelde zich overeind.
'Dat is niet eerlijk, Victor, dat is niet eerlijk.'

'*Jij* bent niet eerlijk,' zei hij boos. 'Tegenover de baby.'

'O, Victor, maak je niet zo boos. Waar is je gevoel voor humor?
Op cursus doe je altijd zo grappig.' Ze waggelde naar de bar
en schonk zichzelf een glas tonic in. 'Ze zouden je thuis eens
moeten zien.'

Hij keek haar diep getroffen aan.

'Morgen oefenen we weer, Victor. We zullen er niets van krijgen als we een dag overslaan, en de baby ook niet...'

'Je moet maar doen wat je niet laten kunt,' zei hij op een toon
die hij zich had aangewend voor alles wat hem niet aanstond.
'Straks zit jij met de gebakken peren...'

'O, Victor, hou op.' Ze schudde het hoofd en probeerde niet
boos te worden. Er hing ruzie in de lucht. Dat voelde ze. Maar
ze wilde geen ruzie. Ze moest een afleidingsmanoeuvre zien

te bedenken voordat dit onderwerp zó was opgeblazen dat ruzie onvermijdelijk was. 'Ik vraag me af hoe vrouwen kinderen kregen toen er nog geen zwangerschapsgymnastiek bestond.'

'Toen was een bevalling een lijdensweg,' zei hij slechts. 'Eén lange lijdensweg,' zei hij met nadruk.

'Maar ze overleefden het wel,' zei ze.

'Soms.'

Zijn zelfgenoegzaamheid begon haar te irriteren. Ze kwam tot de ontdekking dat haar geduld slonk naarmate haar omvang toenam. Hoe explosiever de lading, des te korter de lont. 'Victor, mijn overlevingskansen hebben niets te maken met de vraag of ik de juiste ademhalingstechniek gebruik bij de overgang van de ontsluiting naar de uitdrijvingsfase (twee termen die ze tijdens haar zwangerschap had geleerd).'

Victor haalde de schouders op. Daarna draaide hij zich zwijgend om en liep de kamer uit. Donna keek naar het zitvlak van zijn broek, toen hij wegliep. Ondanks haar woede – waarbij ze zich realiseerde dat het sop de kool niet waard was – vond ze hem nog steeds begeerlijk. Ze zou niet protesteren, wanneer hij zich omdraaide, zijn broek liet zakken, naar haar toe kwam, haar op de grond drukte en... Reken maar dat ze niet zou protesteren, dacht ze, terwijl ze langs haar enorme buik omlaag keek. Reken maar.

Zo eindigden hun ruzies meestal. Niet precies volgens dat scenario natuurlijk. De enige keer dat Victor na een ruzie daadwerkelijk zijn broek had laten zakken, was hij ten slotte de hele kamer doorgehopt met zijn broek op zijn enkels, en toen hij eindelijk bij haar was, moesten ze allebei zó lachen dat zijn erectie verdwenen was en zij kramp in haar buik kreeg. Maar toen ze uiteindelijk in staat waren zich van hun kleren te ontdoen, hadden ze als gebruikelijk heerlijk gevrijd, doornat van het zweet in elkaar wegzinkend op de vloer van de woonkamer.

Misschien was dat nu het probleem; misschien hadden ze daarom steeds vaker ruzie. Ze hadden al bijna een maand niet meer gevrijd. Hoewel in alle boeken stond dat dat nog wel kon en hoewel hun dokter zei dat het nog wel mogelijk was, maakte Victor zich steeds meer zorgen dat hij de baby misschien pijn zou doen. En ondanks alle beweringen was het gewoon een feit dat het allemaal niet zo gemakkelijk meer ging. Ze glimlachte bij de gedachte aan Victor boven op haar, zijn lichaam haaks op het hare, hij fanatiek met zijn armen zwaaiend om zo min mogelijk op haar te steunen. 'Jij kunt beter boven,' had hij gezegd en hij had geprobeerd hen beiden om te rollen. 'Volgens mij krijg ik zo een hernia,' mopperde hij even later, nog altijd tevergeefs proberend van houding te veranderen. Uiteindelijk was ze lachend en uitgeput met een plof op zijn buik terechtgekomen, hetgeen hem de uitroep 'De Amerikanen zijn geland!' ontlokt had.

Donna kwam tot de ontdekking dat ze in haar eentje stond te lachen in de woonkamer. Hoe afschuwelijk ze ook tegen elkaar waren uitgevaren, als Victor wilde, wist hij haar boosheid altijd te verdrijven met zijn grapjes. Tenzij *hij* boos wilde blijven. Dat was een heel ander verhaal.

Zo was het bijna vanaf het begin geweest. Na een korte huwelijksreis naar Key West, waar hij het afschuwelijk vond en zij zalig ('Te sjofel, te veel rare flikkers,' had hij gezegd; 'dat zijn juist mensen met karakter, zij zijn kunstenaars,' had zij geantwoord; later waren ze het erover eens geworden dat de waarheid ergens in het midden lag, zonder dat de personen in kwestie zich trouwens iets van hun oordeel aantrokken) keerden ze terug naar Palm Beach en naar een hele serie meningsverschillen die niet zo eenvoudig op te lossen was. Donna was er nooit helemaal zeker van waar de kiem van die ruzies lag. Ze wist alleen dat iets dat begon als een gewoon gesprek, misschien een klein verschil van mening, na enkele minuten kon ontaarden in een serie heftige uitbarstingen die steeds heviger werden, totdat ieder woord een potentiële landmijn was, die zelfs bij nadering al dodelijk kon zijn en in ieder geval letsel toebracht.

Zij: 'Wat is er?'

Hij: 'Niets.'

'Er zit je iets dwars, dat merk ik. Waarom vertel je me niet wat?'

'Er zit me niets dwars.'

'Waarom zeg je sinds het avondeten dan niets meer tegen me?' vroeg ze.

Hij keek kribbig. 'Goed dan, er zit me *inderdaad* iets dwars. Maar het is niets belangrijks. Laat maar, het gaat vanzelf wel weer over.'

'Wil je er niet over praten?'

'Nee. Laat maar zitten. Laat maar.'

En dus lieten ze het zitten, wat het dan ook was. Maar er bleef toch altijd iets van hangen.

'Wat heb je met je haar gedaan?' vroeg Victor.

'Wat bedoel je, met mijn haar gedaan? Niets. Ik heb het alleen anders gekamd.'

'Waarom zei je dan "niets"?'

'Omdat ik er niet echt iets mee gedaan heb. Ik heb het alleen anders gekamd,' antwoordde Donna, al haar stekels overeind.

'Het zit anders,' zei hij vlak.

'Nou en?'

'Dat zal ik je vertellen. Ik heb net gisteren tegen je gezegd dat ik vond dat je haar zo leuk zat.'

'Nou en?'

'En nu voel jij je gedwongen het te veranderen. Uiteraard. Elke keer als ik tegen je zeg dat ik iets leuk vind, verander jij het. Stel je toch voor dat je eens iets zou doen wat Victor leuk vindt.'

'Waar heb je het over?'

'Dat zal ik je vertellen: eigenlijk zou ik hier in huis nooit moeten zeggen dat ik iets leuk vind, want dan zie ik het nooit meer.'

Hij begon steeds harder te praten.

'Het is niet te geloven,' bracht Donna uit. 'Kom nou, Victor, we kunnen toch geen ruzie maken over het feit dat ik mijn haar anders gekamd heb.'

'Waarom niet?'

'Omdat... omdat dat zoiets onbelangrijks is.'

'Voor jou misschien. Maar voor mij misschien niet. Heb je daar weleens bij stilgestaan? Dat iets dat voor jou misschien niet belangrijk is, dat voor mij wel zou kunnen zijn? Dat ik er misschien andere gevoelens op nahoud dan Donna Cressy?'

'Maak je je nu echt zo druk over het feit dat ik mijn haar met een scheiding in het midden heb in plaats van opzij?' vroeg ze, een en al ongeloof.

'Je luistert niet naar me.'

'Wat heb ik dan gemist?'

'Laat maar. Het doet er niet toe.'

'Voor jou blijkbaar wel. Vertel me dan eens wat ik gemist heb. Wat is me dan ontgaan?'

'Dat haar is maar één ding. Het gaat om een heleboel. Alles wat ik hier leuk vind, wordt veranderd.'

'Een heleboel? Alles?' vroeg Donna boos. 'En jij zegt altijd tegen mij dat ik woorden als "altijd" niet mag gebruiken wanneer we ruzie hebben.'

'Ik heb geen "altijd" gezegd.'

'Je zei alles. Dat is hetzelfde. Dat is totale generalisatie.'

'Dat is niet hetzelfde.'

'Waarom gelden hier toch altijd verschillende maatstaven andere regels voor jou dan voor mij?'

'Wie generaliseert er nu?'

Ze schudde het hoofd. 'Dit kan ik niet winnen.'

Hij ging meteen tot de aanval over. 'Dat is nu precies het probleem met jou. Jij denkt altijd in termen van winnen en verliezen. Niet hoe je iets moet oplossen. Alleen hoe je moet winnen.'

'Dat is niet eerlijk.'

'Maar het is wel de waarheid.'

'Nee, dat is het niet.'

'Heb je gezegd "Dit kan ik niet winnen" of heb je dat niet gezegd?'

'Het is niet te geloven.'

'Raas en tier maar zoveel als je wilt. Dat verandert niets.' Zijn stem klonk plotseling irritant rustig en kalm. Donna probeerde haar gedachten en gevoelens te ordenen, trachtte ze netjes op een rijtje te zetten. Als een serie vuilniszakken.

'Dit is belachelijk,' zei ze meer tegen zichzelf dan tegen Victor, hoewel hij naar haar luisterde en het met haar eens was.

'Waar maken we nu ruzie over?' Ze zweeg even en probeerde zich te herinneren hoe het allemaal begonnen was. 'Je zei dat ik alles verander wat je hier leuk vindt.'

'Nee, dat zei ik niet.'

'Wat zei je dan?'

'Ik zei dat alles wat ik hier leuk vind veranderd *wordt*.'

'Veranderd wordt? Door wie? Niet door jou blijkbaar, anders zouden we het er nu niet over hebben...'

'Misschien niet, nee.'

'Wat bedoel je daar nu weer mee?' zei ze na een korte stilte. 'Dat *jij* dat allemaal verandert, wat dat verdomme ook moge zijn?'

Hij schudde het hoofd. 'Jij *moet* vloeken, hè? Je geeft me niet eens de kans om jou op een elegante manier gelijk te geven.'

'Waar heb je het over?'

'Ik was het met je eens dat ik niet degene ben die die veranderingen aanbrengt...'

'Je was het met me eens? "Misschien niet, nee." Daarmee wilde je zeggen dat je het met me eens was?'

'Je viel me in de rede.'

'Wat? Wanneer?'

'Zojuist. Ach, wat doet het er ook toe! Ik weet nu wat je hierover te zeggen had.'

'Wat heb ik dan gezegd?' Ze schreeuwde nu.

'Hou op met dat geschreeuw. Jij schreeuwt altijd.'

'Schreeuw ik *altijd*? Daar ga je weer met je generalisaties.'

'Nou, dan moet je maar eens naar jezelf luisteren. Ik schreeuw niet.'

Donna haalde een paar keer diep adem. 'Jij zei dat alles hier veranderd wordt, hè?' Hij gaf geen antwoord. 'Jij doet dat niet. En het is duidelijk dat die veranderingen niet vanzelf tot stand komen. Dus blijf ik over, ja?'

'Misschien.'

'Misschien. Dat wil dus zeggen dat je het met me eens bent?'

'Misschien.'

'Daar gaan we dan maar van uit.'

'Goed, dan weten we nu waar we staan.'

'Ik ben zo in de war dat ik niet eens weet of ik zit, sta of lig,' zei ze. 'Maar ik wil dit wel tot op de bodem toe uitpraten.'

'Ongeacht de negatieve gevolgen?'

'Waarom zou dat negatieve gevolgen moeten hebben?' Ze voelde zich hoe langer hoe meer gefrustreerd.

'Die hebben onze ruzies altijd.'

'Maar waarom? Waarom kunnen wij onze problemen niet als twee normale mensen bespreken? Als jou iets dwarszit, moet je dat tegen me zeggen. Ik kan niet door je heen kijken. Ik kan je gedachten niet lezen. Als je kwaad op me bent, dan moet je me ook vertellen waarom.'

'Dat heb ik gedaan. Maar wat ik zei stond je niet aan.'

'Mijn haar? Hebben we echt ruzie om mijn haar?' Hij glimlachte minzaam. 'Maar je zei: alles. Wat verander ik dan nog meer dat jij leuk vindt?'

'Laten we er maar over ophouden.'

'Nee. Laten we het er nu maar allemaal uitgooien en het uitpraten.'

Hij was woedend. Zijn ogen stonden ijskoud. 'Goed dan. Ongeveer een maand geleden zei ik tegen je dat ik die jachtschotel van je zo lekker vond; sindsdien hebben we dat niet meer gegeten. Ik heb je gezegd dat ik vond dat je er in die rode jurk geweldig uitzag. Sindsdien heb je die niet meer aangehad...'

'Die jurk is te kort. Uit de mode. Niemand draagt meer zulke korte jurken...'

'Je valt me in de rede. Wil je nu horen wat ik te zeggen heb of niet?' Ze knikte zwijgend. 'Laatst zei ik dat ik zo dol was op smeerkaas...' vervolgde hij.

'Toen *heb* ik ook smeerkaas gekocht!'

'Smeerkaas met stukjes ham, en die vind ik niet te eten. Ik zei tegen je dat ik dol was op smeerkaas, maar zoals gewoonlijk luisterde jij weer niet. Jij koopt wat *jij* lekker vindt.'

'Dat is niet waar. Ik dacht dat je de kaas die ik gekocht had lekker vond. Was je daardoor laatst zo uit je doen?'

'Wat bedoel je met laatst?'

'Toen je na het eten geen woord meer tegen me zei. Toen je zei dat je iets dwarszat, maar dat we het maar moesten laten zitten, dan zou het vanzelf wel overgaan.'

'Maar jij wilde het er niet bij laten, hè? Dat wil je nooit. Nu ook weer niet.'

'En *nu* hebben we weer ruzie omdat ik het toen heb laten zitten! Het is helemaal niet overgegaan. Het vrat gewoon door en het werd steeds erger.' Ze begon nu echt boos te worden. 'Ik kan het gewoon niet geloven. Ik kan niet geloven dat je echt uit je doen was, omdat ik een vergissing heb gemaakt en de verkeerde kaas voor je gekocht heb! Ik kan gewoon niet geloven dat we daar twee dagen later werkelijk ruzie over hebben.'

'Het was geen vergissing.'

'Wat moet dat nu weer betekenen? Dat ik het met opzet ge-daan heb?'

'Nee. Niet met opzet. Maar onbewust.'

'Onbewust?'

'Schreeuw niet zo.'

'Wat moet dat nou verdomme weer betekenen?'

'Vloek niet.'

'Jij hoeft me de wet niet voor te schrijven!'

'Laten we er maar over ophouden.'

'Nee! Laten we dit nu eens voor altijd uitpraten. Ik heb het gevoel dat ik verdrink in een zee van trivialiteiten.'

'Dat zijn het voor jou.'

'Ja!' schreeuwde ze. 'Dat zijn het voor mij! En dat zouden het voor jou ook moeten zijn. Jachtschotel, een rode jurk, smeer-kaas, mijn haar. Het is niet te geloven dat dat soort dingen het waard is om ruzie over te maken! Dat zijn symptomen van een probleem dat dieper zit. Mijn god, die kunnen het probleem zelf niet zijn.'

'Misschien niet.'

'Nee, niet "misschien niet". Dat is zo!'

'Waarom zou je mij dan naar mijn mening vragen? Waarom zou je die moeite nog nemen?'

'Denk je echt dat ik met opzet de verkeerde kaas voor je ge-kocht heb?'

'Ik zei dat je dat onbewust had gedaan.'

'Is er in jouw wereld geen plaats voor eerlijke vergissingen?'

Hij werd opeens heel kalm, zijn stem klonk onmiskenbaar uit de hoogte. 'Liefje,' zei hij en hij nam haar handen in de zijne, 'ik zeg niet dat je dit soort dingen echt met opzet doet. Maar je moet niet denken dat het leuk is als jij altijd wel goed weet te doen wat jij prettig vindt en op de een of andere manier de dingen die ik leuk vind, nooit doet of verkeerd doet.'

Ze rukte haar handen met zoveel kracht los dat het hen al-lebei verbaasde. 'Lul,' schreeuwde ze. 'Klootzak. Ik heb nog nooit in mijn leven zoveel gelul gehoord. Staat me daar als een dictatortje de les te lezen wat ik moet doen en laten, wat ik niet doe, wat ik onbewust doe. Ik heb nog nooit zoveel kul gehoord.'

'Als je dit soort taal blijft gebruiken, loop ik de kamer uit.'

'Heb niet het lef om ook maar een stap buiten de kamer te zetten.'

'Wie leest hier nu wie de les?'

'Hufter!'

'Ga me maar beledigen, wel ja. Eerst ben ik een dictator, je had het als ik me niet vergis over een "dictatortje", met bijzondere nadruk op dat "tje", ik heb geen idee, waarom. Vervolgens noem je me een klootzak en nu ben ik een hufter. Ga door, wat voor schade denk je nog meer te kunnen aanrichten?'

Donna voelde zich zo ontredderd dat ze hard begon te huilen.

'Dacht je soms dat jij geen schade aanricht?'

'Ik heb jou nergens voor uitgescholden. Ik heb niet gevloekt. Ik heb je gevraagd het onderwerp te laten vallen. Maar dat wilde je niet. Nu sta je me te beledigen, uit te schelden. Wat staat er nu op het programma, Donna? Ga je ook nog met pijltjes gooien?'

Hij liep in de richting van de deur. 'Waag het niet weg te gaan,' riep ze hem na, maar hij liep de woonkamer uit, naar hun slaapkamer.

'Laat me alsjeblieft met rust, Donna,' zei hij vermoeid. 'Heb je nu nog niet genoeg gezegd?' Hij pakte de afstandsbediening van de televisie en zette het toestel aan.

'Zet alsjeblieft die televisie uit,' zei Donna zacht.

'Waarom? Om jou de gelegenheid te geven weer tegen me te gaan schreeuwen? Dank je feestelijk.

'Alsjeblieft.'

'Nee.' Hij keek strak naar *All in the family*. Al een oude aflevering, zag ze.

'Ik wil dit gewoon uitpraten.'

'Ik wil vanavond niet meer met je praten, snap je dat dan niet? Heb je dan zo'n plaat voor je kop?'

Donna begon weer te huilen. 'Wie is hier nu beledigend?'

'Goed dan, jij je zin. Nu heb ik jou ook beledigd. Dan staan we quitte. Ik ben de slechtste echtgenoot van de wereld. Ik ben een ellendeling.'

'Dat heb ik helemaal niet gezegd. Ik heb helemaal niet gezegd dat je een slechte echtgenoot bent.' Ze zweeg even. 'Zet alsjeblieft die verdomde tv uit.'

'Daar gaan we weer, je vloekt.'

'O, Victor, schei alsjeblieft uit. Doe niet zo overdreven braaf.'

'Prima, Donna. Ga zo door. Nu ben ik ineens overdreven braaf. Ga door, heb je nog meer voor me in petto?'

'Wil je die tv uitzetten?'

Tot haar verbazing zette hij de televisie inderdaad uit. 'Goed, Donna. Die is uit. Ga door, maar je moet je wel realiseren dat de volledige verantwoordelijkheid voor wat er vanaf dit moment gebeurt bij jou ligt. Ik heb je gevraagd erover op te houden. Ik heb je gesmeekt erover op te houden. Maar nee, jij bent erop uit om de boel echt kapot te maken. Nou, je hebt me inmiddels al behoorlijk geraakt, maar ik sta nog. Je hebt vijf minuten de tijd om me knock-out te slaan.'

'Waarom zeg je dat? Ik wil je helemaal geen pijn doen.'

'Ik garandeer je dat je er binnen vijf minuten in geslaagd bent om deze ruzie te laten ontaarden op een manier, zoals ik me nu nog niet kan voorstellen. Maar ga door. Zeg wat je wilt zeggen. Ik geef je vijf minuten de tijd.' Hij keek op zijn horloge.

Donna probeerde in paniek haar gedachten in woorden om te zetten. Er wilde echter geen orde in de chaos komen, de woorden bleven plakken aan haar verhemelte, als pindakaas hangen aan haar tandvlees en alles wat ze wist uit te brengen, was slechts een verwarde herhaling van wat ze al eerder gezegd had.

'Ik begrijp gewoon niet hoe we toch steeds in dit soort onnozele ruzies verzeild raken,' begon ze zwakjes, weinig krachtig.

'Dat komt, omdat jij erover doordramt. Jij blijft zeuren, tot het te laat is.'

'Volgens mij niet.'

'Natuurlijk doe je dat wel. Wat doe je nu dan?'

'Ik probeer uit te zoeken hoe de vork in de steel zit.'

'Dat kan ik je wel vertellen: je houdt gewoon niet echt van me.'

'Dat is niet waar. Ik hou wel van je.' Hij trok weifelend een wenkbrauw op. 'Echt.' Ze was weer gaan schreeuwen en ze corrigeerde zichzelf meteen. 'Het spijt me.'

'Dat weet ik. Het spijt je dat je van me houdt.'

'Nee, dat bedoel ik niet,' schreeuwde ze. 'Het spijt me dat ik schreeuwde.'

'Hou alsjeblieft op met dat geschreeuw, Donna. Ik heb er genoeg van. Heus, je moet niet meer tegen me schreeuwen.' Hij klonk als een krijgsgevangene die door de vijand gemarteld werd.

Donna keek naar het plafond. 'Wat is hier toch aan de hand? Kan dan niemand me helpen?'

'Is dit de bedoeling voor de komende vijf minuten? In dat geval kijk ik liever naar *All in the family*. De ruzies daar zijn tenminste leuk.'

'Klootzak die je bent!' schreeuwde ze. 'Je zegt me dat ik maar moet spuien wat ik op het hart heb, en als ik dat probeer, geef je me de kans niet. Dan val je me in de rede. Je manipuleert net zolang tot ik zo woedend word dat ik ga schreeuwen.'

'Je doet nooit iets anders, Donna.'

'En als puntje bij paaltje komt, krijg ik nooit de kans om te zeggen wat ik wil.'

'Wat wil je dan zeggen, Donna? Weet je dat zelf eigenlijk wel?'

'Volgens mij heb je zo'n lage dunk van me.'

'Heb *ik* een lage dunk van *jou*?'

'Ja. Je denkt altijd meteen het ergste.'

'*Altijd?*'

'Dat ik dingen verander die jij leuk vindt, met opzet of onbewust. Dat doet er ook niet toe. Het lijkt wel alsof jij het gevoel hebt dat ik het altijd op je gemunt heb. Maar je geeft me de kans niet me te verdedigen. De helft van de tijd weet ik niet eens waarover je je druk maakt, omdat je me niet vertelt wat je dwarszit...'

'Waarom zou ik ook? Dan doe je het toch af als iets onbelangrijks.'

'Ach, barst, we blijven steeds in een kringetje ronddraaien.'

'En jij slaat nog steeds grove taal uit. Krijg je daarvan soms een extra kick, omdat ik je gezegd heb hoe vervelend ik dat vind? Omdat je weet dat het mij heel erg stoort?'

'Waarom trek jij je toch alles zo persoonlijk aan? Waarom denk je automatisch dat ik jou probeer te pesten als ik uit pure wanhoop "barst" zeg?'

'Omdat dat zo is.'

'Je bent paranoïde, Victor!'

Ze was te ver gegaan. Zodra het eruit was, wist ze het. Hij had haar het geweer voorgehouden en zij had er de munitie ingestopt. Hij had erop zitten wachten dat ze er zoiets zou uitflappen; hij had erop aangestuurd. Op de ene misser waarmee hij de hele zaak in gruzelementen kon laten vallen. Haar vijf minuten waren om en ze had hem die misser gegeven. Paranoïde. Zijn stem klonk kalm.

'Zo, nu heb je eindelijk gezegd wat je wilde zeggen, hè, Donna?'

'Ik bedoelde alleen...'

'Ik wil niets meer horen. Je hebt alles gezegd wat er te zeggen viel. Je hebt me genoeg verdriet gedaan. Wil je soms bloed zien? Is dat het? Je hebt een simpel meningsverschilletje, een domme uitspraak van mij, waarvoor ik mijn excuses heb aangeboden, aangegrepen...'

'Je excuses aangeboden? Wanneer heb jij je excuses aangeboden?'

'Je luistert gewoon niet naar me, Donna. Dat zeg ik je voortdurend.'

'Je hebt je excuses helemaal niet aangeboden!'

Plotseling begon hij ook te schreeuwen. 'Goed dan, ik heb mijn excuses helemaal niet aangeboden! Als jij dat zegt, dan zal dat wel zo zijn, want jij hebt altijd gelijk. Ik dacht dat ik mijn excuses had aangeboden. Maar ik zal er wel naast zitten. Alweer.' Hij zweeg even. 'Wat maakt het ook uit?'

'Dat maakt alles uit. Als jij je excuses had aangeboden, dan zou deze hele ruzie nooit zo hoog opgelopen zijn.'

'Natuurlijk wel. Snap je dat dan niet? Jij was zo vastbesloten om me te vertellen wat voor een rotzak ik ben, hoe paranoïde ik ben, hoezeer ik het altijd bij het verkeerde eind heb, dat je daar toch wel een manier voor gevonden zou hebben, ongeacht wat ik wel of niet gezegd zou hebben. Daar gaat het ook niet om. Waar het wél om gaat, is wat je daarna zei.'

Donna probeerde orde te scheppen in haar gedachten. Er zat iets scheef in wat hij zei, maar ze was gewoon te zeer in de war en te moe om dat uit te zoeken.

'Ik snap het niet.'

'Nee, je snapt het nooit,' zei hij verdrietig.

Donna begon zich langzaam maar zeker vreselijk schuldig te voelen. Waarom begreep ze het niet? Waarom schreeuwde ze altijd? Waarom vloekte ze toch zo veel? Ze wist dat hij daar niet van hield. Ze wist dat hij dol was op jachtschotel. Waarom maakte ze die dan niet vaker? Had ze met opzet, onbewust, de verkeerde kaas voor hem gekocht? Nee, verdomme, dacht ze plotseling. Nee, dat had ze niet.

'Je bent altijd zo uit op je gelijk,' zei hij langzaam en zo rustig en vol overtuiging dat Donna – toch al geplaagd door schuldgevoelens – wel naar hem moest luisteren. 'Je begrijpt niet dat het er uiteindelijk niet toe doet wie gelijk heeft en wie ongelijk. Waar het om gaat, is wat er in de tussentijd gezegd wordt. Je hebt mij jou niet horen beledigen.'

'Noem je het geen belediging als jij tegen mij zegt dat ik met opzet alles verander wat jij leuk vindt?' riep ze uit.

'Je valt me alweer in de rede.'

'Neem me niet kwalijk, ik dacht dat je uitgesproken was.'

Hij hief zijn handen op in gespeelde overgave. 'Goed, als jij dat zegt, zal het wel zo zijn.'

'Nee, Victor, toe nou. Ga door. Ik wilde je niet in de rede vallen.'

'Laat je me dan nu uitspreken? Val je me niet in de rede?'

'Wat moet dit voorstellen? Voeren we soms een officieel debat of zo? We discussiëren gewoon, zoals een heleboel mensen. En net als andere mensen, val je elkaar dan weleens in de rede.'

'Ja, maar jij doet het voortdurend. Je geeft me nooit de kans mijn gedachten onder woorden te brengen.'

Donna beet hard op haar onderlip. 'Goed,' zei ze langzaam, 'ik zal je niet meer in de rede vallen.'

Hij bleef even zwijgen om het effect van wat hij ging zeggen te vergroten. 'Het is heel eenvoudig waarom we in een kringetje blijven ronddraaien, Donna. Jij vraagt me wat me dwarszit. En ik weet al bij voorbaat wat er gebeurt als ik je dat vertel. Dit is wat er dan gebeurt. Vanavond is wat er dan gebeurt. Omdat je niet echt wilt horen wat ik te zeggen heb. Je bent alleen uit op een kans om me te vertellen wat er allemaal aan me mankeert.'

'Dat is...'

'Je valt me in de rede.'

'Sorry.'

'Kijk nu eens naar vanavond, Donna. Dit zou niet gebeurd zijn, als jij niet zo had doorgezet. Ik heb je gevraagd erover op te houden. Wat me ook dwarszat, het zou uiteindelijk wel overgegaan zijn. Maar nee, jij moest het met alle geweld op tafel hebben. Zodat jij me kon zeggen hoe onnozel, hoe onbelangrijk het was, hoezeer ik het bij het verkeerde eind had. Daarmee. Met jou. Met alles. Als je niet wilt horen wat ik te zeggen heb, vraag me dan niet wat me dwarszit. Maar bij al onze ruzies gebeurt er iets heel geks, Donna. Jij vraagt altijd wat míj dwarszit, maar op de een of andere manier hebben we het altijd alleen over wat jou dwarszit. En ik word altijd uitgemaakt voor alles wat mooi en lelijk is. En dat blijft dan nog heel lang in mijn hoofd naspoken, als ik allang vergeten ben waarover we ruzie hadden.' Hij zweeg even. 'Je hebt een heel scherpe tong, Donna. Je weet niet half hoeveel schade je daarmee aanricht. Je weet van geen ophouden meer, als je eenmaal op me begint in te hakken.'

'Begin *ik* op *jou* in te hakken?'

'Je kunt het niet laten om me in de rede te vallen, hè?' Donna voelde zich hoe langer hoe schuldiger. Ze zat daar met hangende schouders, veegde een traan uit haar ogen en zei niets. In grote trekken had hij wel gelijk. Waarom kon ze niet gewoon haar mond houden, wanneer hij haar dat vroeg? Waarom kon ze niet gewoon meegaand zijn? Het ging altijd allemaal prima, zolang ze maar meegaand bleef; zolang ze hem alle beslissingen liet nemen. Waarom moest ze altijd zo drammen om een oplossing? Er werd uiteindelijk nooit iets opgelost. Net zoals wat hem dwarszat nooit echt helemaal wegging. Ze zuchtte. Niets verdween. Niets werd opgelost. Ze kwamen nooit één stap verder. Uiteindelijk had ze de helft van wat er nog van de avond restte nodig om haar excuses aan te bieden. Ze smeekte hem om vergiffenis en gaf zichzelf van alles de schuld, terwijl hij zwijgend en goedkeurend toekeek. Maar ergens in haar achterhoofd hoorde ze de stem van haar moeder: 'Denk erom dat je je door niemand op je kop laat zitten. Je moet altijd voor jezelf opkomen.' Diep in haar hart wist ze dat zijn argumenten niet zuiver waren. Maar er zat een kern van waarheid in; net voldoende om ervoor te zorgen dat ze als een vis in het aas hapte. En wanneer het scherpe haakje zich eenmaal in haar zachte wang had geslagen, was haar lot bezegeld, haar vonnis geveld. Ze zou op de bodem van een boot terechtkomen, waar ze naar adem snakkend zou liggen spartelen – een vis op het droge.

De andere helft van de avond brachten ze in bed door. En Donna merkte altijd tot haar verbazing dat wat er buiten bed gebeurde geen invloed had op wat zich daarna in bed afspeelde. Als er al van enige invloed sprake was, dan uitte die zich alleen in nog meer hartstocht dan anders.

Zo ging het altijd. Hun ruzies liepen altijd op dezelfde manier af. Wanneer ze niet meteen haar excuses aanbood, dan gebeurde dat toch stamelend enkele dagen van kil stommetje spelen later. En na ieder excuus werd de stem van haar moeder, diep binnen in haar, zachter, steeds zachter.

En zo zou het vanavond weer gaan. Donna had het geweten, zodra haar man vermoeid de kamer was uitgelopen; met hangende schouders, alsof hij geslagen was. Maar deze keer zou er niet gevrijd worden. Ze zouden de gemoederen nu niet kunnen sussen door zich in bed lekker te laten gaan. Waarom was ze er ook mee begonnen? Ze zou er toch niets van gekregen hebben, als ze die stomme ademhalingsoefeningen wél gedaan had? Verdorie, ze mocht blij zijn dat hij zoveel interesse toonde in haar zwangerschap. Sommige mannen hadden daarvoor totaal geen belangstelling. Maar Victor leefde zo mee, alsof hij dat kind moest krijgen. Hij wilde er gewoon deel aan hebben, het helemaal samen met haar beleven. En wanneer hij zich druk maakte om die ademhalingsoefeningen, dan deed hij dat uit bezorgdheid om haar en hun baby. Waarom werd ze daarover dan zo boos? Was het een kwestie van bezorgdheid of van bedilzucht? vroeg het stemmetje binnen in haar. Ze wilde er niet naar luisteren en liep naar de slaapkamer.

'Het spijt me,' zei ze. 'Het spijt me echt.'

Hij leek meer gekwetst dan ooit. 'Dat zeg je altijd. Maar er verandert nooit iets.'

'Ik ben gewoon prikkelbaar vanavond. Volgens mij heb ik kou gevat.'

'Alweer?'

Ze haalde de schouders op. 'Ik heb een loopneus, het is gewoon vreselijk. Dat weet je toch.'

'Je hebt er toch niet iets tegen geslikt, hè?' Opnieuw was hij bezorgd om haar zwangerschap, hun ongeboren kind. Waarom klonk het toch zo beschuldigend?

'Natuurlijk niet.' Ze zweeg even. 'Wil je die oefeningen nu nog doen?'

Hij keek op zijn horloge. 'Het is elf uur. Dat wordt te laat.'

Hij trok een gezicht alsof hij ergens pijn had.

'Is er iets?'

'Door die scènes van jou krijg ik vreselijk veel last van mijn maag.'

Donna zei niets, maar voelde plotseling het gewicht van Sisyphus' rotsblok op haar schouders neerdalen. Ze ging op het bed zitten en begon zich uit te kleden. Terwijl hij zich in de badkamer stond te wassen, was het stil tussen hen, een stilte die pas werd doorbroken, toen hij met veel lawaai zijn neus snoot.

'Dat moet je zo niet doen,' zei ze, terwijl ze de badkamer inliep. 'Daarmee snuit je je slijmvliezen kapot.'

Hij zei niets. Zij ging zich wassen. Waarom voelde ze zich toch altijd zoveel beroerder *nadat* ze haar excuses had aangeboden? Ze kroop naast hem in bed. Hij lag op zijn rug, met zijn handen onder zijn hoofd, naar het plafond te kijken. Donna lag minutenlang naar hem te kijken voordat ze zei: 'Ik hou van je,' en wachtend op zijn antwoord keek ze naar zijn mond. 'Het is al goed,' zei hij, een arm naar haar uitstrekkend. Dat was het teken dat hij haar eindelijk had vergeven en dat ze bij hem mocht komen. Ze kroop in het holletje van zijn arm, haar hoofd tegen zijn borst. Ze liet haar hand over zijn lichaam glijden, terwijl hij afwezig haar rug streelde.

'Waarom maak je het me toch altijd zo moeilijk?' vroeg hij zachtjes. Ergens heel diep binnen in haar, gedempt en gesmoord, begon het stemmetje het uit te schreeuwen.

7

'Je hebt het anders klaargemaakt,' zei hij.

'Het is dezelfde jachtschotel die ik altijd maak.'

'Nee, dat is niet waar. Je hebt iets veranderd. Ik proef het.'

'Ik heb niets veranderd. Dat zeg je elke keer.'

'Het smaakt ook elke keer anders.'

'Het is dezelfde jachtschotel die ik altijd maak. Vind je het niet lekker?'

'Het smaakt prima. Wat minder droog dan anders.'

Hij stond op van tafel.

'Wat ga je doen?'

Hij deed het gootsteenkastje open.

'Wat doe je daar?'

Hij rommelde in de pedaalemmer.

'Dat dacht ik al,' zei hij triomfantelijk, en hij haalde een leeg blikje tomatensaus te voorschijn.

'Wat dacht je al?' vroeg Donna en haar sterk ontwikkelde intuïtie zei haar dat zijn antwoord haar niet zou bevallen.

'Tomatensaus. Volgens mij staat er in het recept tomatenpuree.'

'In het recept staat tomatensaus,' zei ze kribbig. 'Kom je nu weer aan tafel? Straks is het eten koud.'

'Laat me het kookboek eens zien.'

'Geloof je me niet?'

'Waarom zou ik het kookboek niet even mogen zien? Ik zeg helemaal niet dat ik je niet geloof! Hemeltje, Donna. Je reageert wel een beetje paranoïde, vind je niet?'

Donna legde haar vork neer en stond op van tafel. 'Als ik zoiets tegen jou zou zeggen, zou je woedend zijn.' Ze deed een greep naar een plek op een van de planken boven de telefoon, waar ze haar kookboeken had staan, en gaf hem het stukgelezen exemplaar van *101 Ovenschotels*.

Hij pakte het boek aan en slaakte een diepe zucht. 'Begin je nu weer ruzie te maken, omdat ik het kookboek wil zien?'

Ze keek naar haar reusachtig dikke buik. De dokter had gezegd dat de baby nu iedere dag kon komen. Officieel was ze over twee weken uitgeteld en dat was op zijn gunstigst een goed onderbouwde gok. 'Nee, ik begin helemaal geen ruzie te maken.'

Met groeiende ergernis keek ze toe, terwijl hij het boek doorbladerde.

'Hoe heet dit ook alweer?' vroeg hij.

'Duitse jachtschotel,' antwoordde ze, terwijl ze terugliep naar de keukentafel en weer ging zitten. 'En hij staat koud te worden.'

Hij keek de lijst van ingrediënten door. 'Ja, je hebt gelijk. Hier staat tomatensaus.'

'Dank je wel.'

Hij zette het boek op de plank terug. 'Ik dacht dat je altijd tomatenpuree gebruikte.'

'Dat doe ik meestal ook,' zei ze en ze wenste onmiddellijk dat ze het niet gezegd had. Als door een wesp gestoken keek hij haar aan. Ze vervolgde rustig: 'Ik heb me ooit een keer vergist en tomatenpuree gebruikt. En toen jij zei dat je het lekker vond...'

'Veranderde jij het prompt.'

'Nee! Toen heb ik sindsdien altijd tomatenpuree gebruikt. Behalve nu. Ik had geen tomatenpuree in huis, dus heb ik tomatensaus genomen, wat volgens het recept ook eigenlijk moet.'

'Waarom zei je dan dat je niets veranderd had?'

'Omdat ik geen zin had in de discussie zoals we die nu voeren.'

'Als je me meteen de waarheid had verteld, hadden we deze discussie niet hoeven te voeren. Ik ben niet gek. Ik wist dat er iets anders was dan anders.'

'Volgens mij smaakt het precies hetzelfde.'

'Maar volgens mij niet! Ik wist meteen dat er iets anders was.'

'Moeten we hierover doorgaan? We lijken wel een reclamespot op de televisie! "Dit is geen Heinz,"' zei ze met een verdraaide stem.

'Daar gaan we weer, jij met je scherpe tong.'

'O, Victor, schei uit. Moeten we overal zo'n drama van maken?'

'Jij bent degene die er een drama van gemaakt heeft. Waarom moest je er dan ook over liegen?'

'Ik heb niet gelogen.'

'Je zei dat je niets veranderd had.'

'O, jezus, Victor, laten we erover ophouden!'

'Natuurlijk. Als jij wilt dat we erover ophouden, dan doen we dat ook.'

'Wil je echt ruziemaken over die tomatensaus?'

'Het gaat gewoon om jouw houding, Donna. Het is weer het oude liedje. Wat belangrijk is voor Victor, dat doet er niet toe. Dat is de moeite niet waard. Zo gaat het hier verdomme elke dag.'

'Je vloekt,' bracht ze hem in herinnering.

'O, dat was ik vergeten. Alleen jij mag hier vloeken.'

'Jezus christus, Victor!' barstte ze uit. 'Je maakt me zo kwaad! "Zo gaat het hier verdomme elke dag!"' zei ze, zijn woorden herhalend.

'Als jij dat zegt.'

'Dat zeg *jij*. Woordelijk. Jij zei "Zo gaat het hier verdomme elke dag."'

'Ik kan me niet herinneren dat ik dat gezegd heb.'

'Nou, dat heb je wel. En toen zei ik dat je vloekte.'

'O ja, dat was ik vergeten. Ik mag hier niet vloeken. Alleen jij.'

'Dat heb ik helemaal niet gezegd.' Ze huilde.

'Pak een Kleenex, Donna.'

'Nee.'

'Prima. Dan pak je geen Kleenex.'

Stilte.

'Eet je je bord niet leeg?'

'Ik heb geen trek.'

'O, geweldig. Ik maak speciaal voor jou jachtschotel...'

'Je moet geen dingen speciaal voor mij doen, Donna. Dat is me de prijs die ik ervoor moet betalen, niet waard.'

'Ik vind het leuk om iets speciaal voor jou te doen,' hoorde ze zichzelf zeggen, in een poging het weer goed te maken.

'Misschien is dat wel zo. Maar op de een of andere manier beleef ik er nooit plezier aan, of vind jij van wel?'

Zijn woorden bevatten weer net genoeg waarheid. Ze voelde het scherpe haakje in haar wang.

Later, de excuses waren amper verklonken, de zijne volgend op de hare ('Het spijt mij ook,' had hij gezegd met een berusting alsof hij het leed van de hele wereld op zijn schouders droeg), zijn arm om haar schouders, naast elkaar in bed, haar ogen vielen bijna dicht van de slaap, zei hij: 'Ik snap niet, dat je zoiets als tomatenpuree niet in huis hebt. Je hebt laatst toch boodschappen gedaan?'

'Ja, maar toen ben ik het vergeten.' Ze schoof van hem af en wentelde zich als een enorme walvis op haar linkerzij.

'Hoe kon je dat nu vergeten? Had je geen boodschappenlijstje?'

'Nee, ik maak nooit een lijstje.' Laat me alsjeblieft slapen.

'Dan is het ook geen wonder dat je nooit iets in huis hebt! Geen wonder dat het hier zo'n ongeorganiseerde boel is!' Eureka. Ik heb het gevonden! 'Hoe is het mogelijk dat je geen lijstje maakt?'

'Ik zal in het vervolg een lijstje maken,' zei Donna. 'Mag ik nu alsjeblieft gaan slapen?'

'Hoe is het mogelijk dat je geen lijstje maakt?' zei hij nog eens. Zelfs met haar rug naar hem toe en haar ogen dicht wist ze dat hij het hoofd schudde.

Om drie uur 's nachts braken de vliezen en het bed was meteen drijfnat. Victor vloog als door de bliksem getroffen het bed uit. 'Jezus christus, wat heb je nu gedaan?'

Donna glimlachte slechts naar hem met een mengeling van opwinding en perverse genoegdoening. Net goed, dacht ze, en onmiddellijk voelde ze zich schuldig.

Uiteindelijk moest de baby met de keizersnee gehaald worden. De dokter had hen een maand eerder op die mogelijkheid voorbereid. Hij had hun verteld dat het kind in dwarsligging lag, maar dat er nog een goede kans bestond dat het uit zichzelf zou draaien. Indien dat nodig mocht blijken te zijn, moesten ze zich echter voorbereiden op een chirurgische ingreep.

Donna was al zesentwintig uur bezig voordat de dokter besloot dat die ingreep noodzakelijk was. Victor en zij hadden meer dan genoeg tijd om hun ademhaling volmaakt te krijgen. Victor zat naast haar en ademde voortdurend in haar tempo mee. Hij vertelde grapjes, probeerde haar aan te moedigen, bevochtigde haar lippen met de spons, want hij had eraan gedacht dat hij die moest meenemen (dat stond namelijk in de instructies van de zwangerschapscursus) en wreef bijna voortdurend over haar rug.

Donna hield zich heel goed en aanvankelijk was ze ook zo opgewonden dat ze de pijn minder voelde. Maar na vijftien uur zwoegen, zonder eten en zonder slaap, begon de opwinding af te nemen en werd de pijn heviger. 'Ik begin hier wel een beetje moe van te worden,' zei ze tegen Victor. Die drukte een kus op haar voorhoofd en bleef over haar rug wrijven.

Na twintig uur werd ze hoe langer hoe opstandiger. 'Dit is belachelijk,' kreunde ze, terwijl ze in de kleine verloskamer om zich heen keek. 'Waarom zetten ze hier geen tv neer?' De kamer zag er erg gezellig uit. Eén muur had fris groenwit behang, de kasten waren vrolijk van kleur en er hing een Kandinsky recht tegenover haar bed. 'Is dat nu echt nodig, al die rommel om me heen?'

'Op die monitor kunnen we de hartslag van de baby zien,' zei Victor. De grote, grijze computer was via een speciale gordel om haar buik met haar lichaam verbonden. Hij registreerde de hartslag van de baby en voor wie niets van computers wist, leek hij erg veel op een leugendetector. Ook haar weeën werden geregistreerd en zichtbaar gemaakt.

'O, je hebt weer een wee,' zag Victor, blijkbaar verrast omdat deze zo snel op de vorige volgde.

'Bedankt voor de informatie,' hijgde ze.

'Het is een hevige. Kijk dan, liefje.'

'Ik hoef niet te kijken! Ik kan het wel voelen! Wat denk je eigenlijk dat ik hier lig te doen?'

'Wat opwindend.'

'Prima. Dan ga *jij* hier maar liggen met weeën en dan kijk ik op die snertmachine. Zo, ik ben het nu zat.'

'De overgangsfase moet zijn aangebroken,' zei hij blij. 'Trish zei dat je erg prikkelbaar zou worden tijdens de overgangsfase.'

'Waar is dat mens? Ik vermoord haar.'

Victor stond alweer achter haar en wreef haar rug. 'Je zou blij

moeten zijn,' zei hij. 'Als de overgangsfase is ingetreden, betekent dat dat het er bijna op zit. Nog maar een paar uurtjes.'
Alleen een man kan zoiets zeggen, dacht ze.

In een van de andere verloskamers slaakte een vrouw een doordringende, hartverscheurende kreet, gevolgd door een benijdenswaardige reeks eenlettergrepige woorden. 'Ik denk er precies zo over,' zei Donna. 'Luister eens, ik heb mijn best gedaan, maar ik ben het nu zat. Nu is het jouw beurt. Ik ga naar huis.'

Donna probeerde uit bed te klimmen. 'Donna, doe dat in godsnaam niet.'

'Roep me maar als alles achter de rug is,' zei ze, terwijl ze de band van de computer losmaakte.

'Donna, alsjeblieft...' smeekte Victor hulpeloos.

'Bel eens een taxi voor me, Victor.'

Victor belde de zuster.

'Spelbreker,' zei ze.

Twee uur later ijlde ze.

'Ingmar Bergman,' riep ze uit.

'Wat zeg je?' vroeg Victor.

'Dokter Harris vroeg me iets,' zei Donna ongeduldig. Dokter Harris was inmiddels bij hen gekomen en zat aan het voeteneinde van het bed. 'Hij vroeg me wie de regisseur van *Scènes uit een huwelijk* is en dat vertelde ik hem.'

'Jezus.'

'Dat komt uit mijn vocabulaire.' Ineens begon ze te huilen. 'Victor, kunnen ze me nu echt niet een of andere prik geven?' Ze wist dat hij gehoopt had dat ze het zonder pijnstillers zou weten te redden.

'Natuurlijk,' antwoordde hij meteen. 'Dokter Harris?'

Dokter Harris gaf haar een injectie met Demerol, maar Donna merkte tot haar teleurstelling dat de voortdurend heviger wordende pijn van de weeën er helemaal niet door verminderde. Ze werd alleen maar suffig van de prik.

'Ik denk niet dat de baby nog verder zal indalen,' hoorde ze dokter Harris in de verte zeggen. Hij had haar verteld dat de baby met zijn hoofdje recht naar boven lag. 'We kunnen beter opereren. We hebben nu lang genoeg gewacht.' Daarna ging het allemaal heel snel. Ze werd de operatiekamer binnengereden en op de tafel gelegd. Het infuus waaraan ze sinds haar komst in het ziekenhuis gelegen had, bleef naast haar staan, net als Victor. Twee reddingsboeien in nood. Ze moest in foetushouding op haar zij gaan liggen, en zich niet bewegen. Geen gemakkelijke opgave voor iemand die voort-durend weeën heeft, bedacht ze. Ze kreeg nog twee injec-ties, de eerste was een plaatselijk verdovend middel tegen de pijn die de tweede injectie zou veroorzaken: de injectie in de epidurale ruimte onder in de ruggengraat, waardoor haar ge-voel totaal zou verdwijnen. Haar gezicht vertrok en ze hijgde zwaar toen ze de vloeistof vanuit de epidurale ruimte door haar ruggengraat voelde trekken. Het was alsof iemand met een hamer haar hele wervelkolom langsging. Trish, die lieve lerares van de zwangerschapsgymnastiek, had vergeten te vertellen hoeveel pijn een injectie in de epidurale ruimte ver-oorzaakt. Ze had het alleen maar gehad over de zalige gevoel-loosheid die erop volgde. De zuster deed een zuurstofmasker over Donna's neus en Donna voelde hoe ze vastgebonden werd. Voor haar gezicht werd een groen laken gespannen, zodat ze de eigenlijke operatie niet zou kunnen zien. Victor kreeg een stoel naast haar hoofd. Hij hield haar hand vast en praatte geruststellend op haar in.

'Dit voel ik nog, hoor,' zei ze plotseling, toen ze merkte dat er aan haar lichaam gerommeld werd, ook al wist ze niet precies wat er gebeurde. 'Ik kan geen adem meer halen.'

De anesthesist verzekerde haar dat haar ademhaling prima was. 'Maar mijn neus zit helemaal verstopt.'

'Dat is een natuurlijke reactie,' zei hij en hij begon uitleg te geven. Maar ze hoorde er niets van. Het enige dat ze hoorde was het heerlijke geluid van een gezonde baby van acht-eneenhalf pond, die een enorme keel opzette toen hij uit haar lichaam werd gehaald en boven het laken werd getild, zodat ze hem kon zien. 'Hallo, Adam,' zei ze en ze voelde hoe haar de tranen in de ogen sprongen.

'Wat een bul,' zei Victor met onmiskenbare trots.

'Dat komt door al die slagroomtaartjes die ik van jou eigenlijk niet had mogen eten.'

Hij lachte. 'Ik hou van je,' zei hij.

Ze glimlachte en keek hem in zijn betraande ogen. 'Ik hou

ook van jou,' zei ze, en ze voelde zich een beetje als dat echtpaar in de film over een bevalling die ze op de cursus hadden
gezien. ('Het is zo'n cliché om op een moment als dit te zeggen dat je van elkaar houdt,' hadden die twee aan het hart-
verwarmende slot van de film tegen elkaar gezegd.) En toch
was dat het enige dat ze echt wilde zeggen. 'Ik hou van je,'
zei ze nog eens. 'Ik hou van je.'

In de drie maanden die volgden deed Adam niets anders dan
huilen. Hij huilde vóór de voeding, na de voeding, tijdens de
voeding, de hele dag en de hele nacht. Donna maakte zich
er zorgen over dat ze misschien niet voldoende moedermelk
had. Maar de dokter verzekerde haar dat Adam aankwam;
Victor zei haar dat ze moest volhouden. Donna vroeg zich bezorgd af of ze Adam misschien flesvoeding moest gaan geven.
Dokter Wellington, haar kinderarts, had haar gezegd dat ze
moest doen wat zij het prettigst vond. Victor zei dat ze moest
volhouden.
Adam huilde wanneer hij in zijn wiegje gelegd werd – hij
huilde wanneer hij eruit gehaald werd. Hij huilde wanneer
je hem wiegde en wanneer hij op de arm lag. Hij huilde in
de auto en in de kinderwagen. Zijn gezichtje werd rood en
zijn vuistjes werden wit. Tegen de tijd dat Victor thuiskwam
van zijn werk, was Donna's gezicht soms even wit als Adams
handjes en haar ogen net zo rood als zijn gezichtje. En dan
huilden ze allebei.
'Je houdt hem niet goed vast of zo, denk ik,' zei Victor.
'Hou jij hem dan vast,' antwoordde Donna vlug en ze legde
het krijsende kind in Victors armen. Dan begon Adam nog
harder te schreeuwen.
'Dat had je niet moeten doen,' zei Victor. 'Nu heb je hem nog
meer van streek gemaakt.' Victor legde de baby in een andere houding.
Adam hield op met huilen. Victor glimlachte en deed zijn best
om niet triomfantelijk te kijken. 'Zie je wel, ik zei wel dat het
kwam door de manier waarop je hem vasthield.'
Adam begon weer te gillen. Donna moest glimlachen, of ze
wilde of niet. Goed zo, ventje, dacht ze.
'Ik zei je toch dat je hem niet had moeten verplaatsen,' zei

Victor boos, terwijl hij de baby in Donna's armen legde. 'Is het al tijd voor zijn voeding?'

'Ik heb hem net een uur geleden gevoed. En twee uur daarvoor ook nog.'

'Misschien geef je hem te veel,' opperde Victor.

'Vraag het hem.'

'Heb je hem al een schone luier gegeven?' hield hij vol.

'Baby's vinden het niet erg om in een natte luier te liggen.'

'Dat vroeg ik niet.'

'Na zijn voeding heb ik hem een schone luier gegeven en toen heeft hij me helemaal ondergepoept.'

'Geef hem dan weer een schone. Hij vindt dat waarschijnlijk niet prettig.'

'Waarom doe jij het niet?'

Victor trok een schaapachtig gezicht. 'Hij is me nog te klein om te verschonen, Donna. Als hij wat groter is, doe ik het wel.'

'Ja, ja.'

'O, begin nu alsjeblieft niet te katten. Ik heb het overdag al moeilijk genoeg; dan moet jij het me niet ook nog eens moeilijk maken als ik thuiskom.'

Donna deed Adams luier af. Hij was kurkdroog. En Adam bleef huilen.

Om twee uur 's nachts voedde Donna hem weer. Om drie uur lag hij nog te krijsen. Donna liep de slaapkamer in.

'Jouw beurt,' zei ze tegen Victor, die deed alsof hij sliep.

'Moet ik hem soms voeden?' vroeg hij boos. 'Zeg me dan maar eens hoe ik dat moet doen.'

'Wilde je daarom zo graag dat ik hem borstvoeding gaf?'

'Welterusten, Donna,' zei hij en hij draaide zich van haar af, op zijn zij. 'De baby huilt.'

'Haal hem dan uit de wieg. Ik heb hem al een hele tijd op de arm gehad en ik ben net klaar met voeden. Je kunt wel een poosje met hem heen en weer lopen.'

'Donna, ik moet morgen weer werken!'

'En wat denk je dat ik doe? Dat ik de hele dag lig te pitten? Met die herrie? Ik moet er ook de hele dag naar luisteren.'

'Vraag dan of mevrouw Adilman komt oppassen. Ze zei dat ze dat dolgraag zou willen doen.'

'Ik heb haar al eens gevraagd. Maar ze is nu niet bepaald piepjong meer. Ze kan niet zoveel meer hebben.'

'Ondertussen huilt de baby nog steeds.'

'Het is ook jouw zoon,' zei Donna op een toon die Victor duidelijk maakte dat er verder niet over te discussiëren viel. Ze kroop in bed. Victor stapte er boos uit.

Drie uur later huilde Adam nog steeds. Victor was niet teruggekomen. Donna liep naar Adams vrolijk geel en wit geschilderde kamertje. Adam lag te krijsen in zijn wiegje en Victor lag ernaast op de grond te slapen.

Toen Adam voor het eerst niet meer huilde en werkelijk een hele nacht had doorgeslapen, was Donna ervan overtuigd dat hij dood was. Mevrouw Adilman gluurde door het keukenraam naar binnen, waar Donna aan de ronde, witte keukentafel in alle rust van haar koffie zat te genieten. Ze gebaarde mevrouw Adilman om binnen te komen.

'Is Victor al zo vroeg naar zijn werk gegaan?' vroeg mevrouw Adilman. 'Het is pas acht uur.'

'Hij moest voor zaken een paar dagen naar Sarasota.'

'En de baby? Slaapt hij?' vroeg ze ongelovig.

Donna zette haar kopje neer. 'Volgens mij is hij dood. Ik durf niet te gaan kijken.'

Mevrouw Adilman keek haar verbijsterd aan. 'Wat zeg je?'

'Toen ik naar bed ging, huilde hij. Maar hij moet vannacht, terwijl ik sliep, zijn opgehouden met huilen. Ik ben ongeveer een halfuur geleden wakker geworden. Het is zo stil in huis dat ik mijn oren niet kan geloven.'

'Heb je nog niet gekeken?'

Donna keek mevrouw Adilman recht aan. 'Het zal wel afschuwelijk klinken,' begon ze, 'maar ik had vanmorgen zo'n trek in koffie, en ik wist dat ik nooit meer aan die koffie toe zou komen, als ik bij hem ging kijken en hem dood zou vinden. Omdat ik dan nu toch niets meer kan doen, vond ik dat ik net zo goed eerst een kop koffie kon nemen, voordat ik ga kijken.' Mevrouw Adilman staarde haar aan in totaal ongeloof. Victor had het haar niet kunnen verbeteren. Hij had haar waarschijnlijk vanuit Sarasota gebeld en gevraagd of ze even bij Donna wilde langsgaan.

Ze gingen samen bij de baby kijken. Hij lag heerlijk te slapen.

Donna liep terug naar de keuken en schonk zichzelf een tweede kop koffie in.

8

Donna begon lijstjes aan te leggen. Elke morgen bij het wakker worden maakte ze een lijstje van wat ze die dag moest
doen. Nu ze niet langer werkte en Adam zich helemaal met
zijn bestaan had verzoend, had ze veel meer vrije tijd. Tijd
om naar de wasserette te gaan, om het huis schoon te maken, om kleren bij de stomerij op te halen, om boodschappen
voor het eten te doen (daar had ze een apart lijstje voor), om
naar de tandarts, de dokter, de bank, de ijzerhandel te gaan,
om dineetjes te organiseren, om wat noodzakelijke boodschappen voor Victor te doen en natuurlijk om Adam te voeden, die sinds de nacht waarin hij met huilen was opgehouden op een wonderbaarlijke manier op een schema van drie
voedingen per dag was komen te staan, waardoor Donna
zelfs nóg meer tijd kreeg voor de punten op haar diverse lijstjes.
Op een dag maakte ze twee lijstjes: één van wat ze moest
doen en een van wat ze afschuwelijk vond.

Wat ze afschuwelijk vond:
1. Huishoudelijk werk.
2. Schoonmaken.
3. De vaat uit de afwasmachine halen en opruimen.
4. Rekeningen betalen.
5. In opdracht van Victor mensen bellen om te klagen over
   allerlei mankementen in huis.
6. De huisvrouwenquiz op de televisie.
7. Haar haar.
8. Haar kleren.
9. Haar uiterlijk.
10. Haar lichaam, dat zijn oude vorm nog altijd niet terug had.
11. Gymnastiekoefeningen.

(Ze realiseerde zich dat de nummers 6 tot en met 10 geen dingen waren die ze afschuwelijk vond om te *doen*, maar aange-

zien ze ze wel afschuwelijk vond en het tenslotte háár lijstje was, besloot ze ze er toch maar op te zetten.)

Donna maakte een lijstje van wat Victor elke morgen tegen haar zei. Aan het eind van elke week maakte ze een apart lijstje van haar favoriete dagelijkse opmerkingen:

1. Je mascara zit over je hele gezicht. Heb je die er gister-avond vergeten af te halen?
2. Je hebt weer gesnurkt. Dat is een rotgewoonte van je; die heb je je aangewend tijdens je zwangerschap.
3. Voel je je wel goed? Ik kan nu niet zeggen dat je er gewel-dig uitziet.
4. Wat is er? Heb je weer een rotbui?
5. Geef je hem niet te veel te eten?
6. Volgens mij heb je ongelijk.
7. Nee. Ik heb geen tijd om te ontbijten. Als je me op tijd had wakker gemaakt...
8. Heb je hem wel goed laten boeren? Ik heb hem niet horen boeren. Weet je het zeker?
9. Je moet niet aan je handen krabben. Daar krijg je die uit-slag juist van. Je bent echt nog erger dan de baby, Donna.
10. Jezus, ik heb niet voortdurend kritiek op je. Begin je nu alweer, zo vroeg in de morgen?
11. Nee, ga je gang. Zeg maar wat je wilde zeggen. Laat me maar weer te laat komen.
12. Waar heb je mijn sleutels gelaten?
13. Je hebt die envelop weggegooid, terwijl ik je had gezegd dat je die moest bewaren. O nee, hier is-ie.
14. Ik zou hem niet zo warm aankleden. Nee, jij bent de moe-der. Doe maar zoals jij wilt. Jij weet het het beste. Ik denk alleen niet dat hij... nou ja, nee, zeg jij het maar.
15. Heb je iets te doen vandaag?
16. Ik weet het niet, Donna. Volgens mij kun je dat niet aan, een diner voor acht personen.
17. Waarom eet je geen zemelbolletjes? Ik heb je toch gezegd dat ik wil dat je elke dag een zemelbolletje eet. Dan ben je niet meer zo vaak verkouden.

Ze maakte een lijstje van dingen waarover ze ruziemaakten:
1. Het feit dat hij voortdurend kritiek had op haar rijstijl.

2. Het feit dat hij voortdurend kritiek had op haar uiterlijk.
3. Het feit dat hij voortdurend kritiek had op de manier waarop ze haar huishouden bestierde.
4. Het feit dat hij voortdurend kritiek had op de manier waarop ze Adam grootbracht (verwennen was dan zijn meest gehanteerde term).
5. Het feit dat hij altijd wel ergens kritiek op had.
Punt.

En dat leidde weer tot ruzies over:
6. Het feit dat zij altijd generaliseerde.
7. Het feit dat hij geen woord tegen haar kon zeggen, zonder dat zij hem ervan beschuldigde dat hij kritiek op haar had.
8. Het feit dat zij hem voortdurend ergens over aanviel.
9. Het feit dat zij hem nooit voldoende emotionele steun gaf.
10. Het feit dat ze voortdurend kritiek op hem had.
Punt.

Ze hadden nooit ruzie over:
1. Hun schoonfamilie (die was er niet, althans zo kon je het wel stellen).
2. Geld (dat hadden ze genoeg).
3. Seks (die hadden ze genoeg en het ging nog altijd geweldig, hoewel Donna de laatste tijd door al hun ruzies weleens zo uitgeput was dat ze niet veel zin had in vrijen – dat was een vrij recente ontwikkeling).

Hoewel Donna wel aanvoelde dat dit laatste punt een bron van eventuele ruzies zou kunnen worden, was Victor tot dusverre óf te trots óf te veel heer om er echt een punt van te maken. Misschien voelden ze allebei aan dat deze bron van mogelijke ruzies zo groot was dat ze die beter niet konden aanboren. Ze maakten alleen maar ruzie over kleinigheden, nooit over iets echt belangrijks – waarschijnlijk omdat ze wel voelden dat hun huwelijk niet bestand zou zijn tegen een kloof van grotere afmetingen. Bovendien was het vrij moeilijk om woedend op je vrouw te worden, wanneer ze voortdurend liep te niezen en over te geven. Het leek wel alsof Donna de laatste maanden voortdurend grieperig was. Soms had ze er een paar weken geen last van en dan begon het weer. Ze schreef het toe aan haar geringe weerstand, als gevolg van oververmoeidheid. Volgens Victor was het onvermijdelijk dat ze allerlei virussen opliep, wanneer ze haar slechte eetgewoonten niet afschafte. Dan zei ze dat er niets aan haar eetgewoonten mankeerde en dat hij niet moest zeuren. En dat leidde weer tot de zoveelste ruzie, die ze aan haar voortdurend langer wordende lijst kon toevoegen.

Ze maakte nog twee lijstjes. Een van alles wat ze in Victor waardeerde en een van alles wat ze niet leuk aan hem vond. Ze legde de lijstjes naast elkaar.

Wat ik leuk vind:
1. Zijn gevoel voor humor.
2. Zijn doorzettingsvermogen, zijn gedrevenheid.
3. Zijn geboren leiderschap.
4. Zijn verwaandheid.
5. Hij wil altijd van alles het beste.
6. Zijn intelligentie.
7. De opvattingen die hij erop nahoudt.
8. Alles wat hij doet, doet hij goed.
9. De geweldige theorieën die hij heeft.

Wat ik niet leuk vind:
1. Hij blijft altijd zo mokken.
2. Hij dramt altijd zo door.
3. Hij moet altijd en overal de baas zijn.
4. Zijn verwaandheid.
5. Hij verwacht altijd te veel.
6. Hij denkt dat hij alles weet.
7. Hij moet altijd gelijk hebben.
8. Hij is een perfectionist.
9. De geweldige theorieën die hij heeft.

Aan haar lijstje van wat ze waardeerde, voegde ze nog drie punten toe: hij hield van Adam (hoewel ze wilde dat hij ook eens de tijd nam om alles wat hij haar altijd opdroeg zelf eens met Adam te doen); hij hield van haar (ondanks zijn voortdurende kritiek twijfelde ze daar – vreemd genoeg – nooit aan); en hij was nog altijd de beste minnaar die ze ooit had gehad. Ze maakte de balans op. De positieve punten wogen nog steeds zwaarder dan de negatieve.

'Wat ga je daarmee doen?' Donna's stem klonk scherp, zoals zo vaak wanneer ze geschokt was.

'Wind je niet op. Ik zet het terug als iedereen weg is,' antwoordde Victor glimlachend.

'Maar ik vond het daar leuk staan. Waar zet je het nu?'

'In de kast. Je weet dat ik er een hekel aan heb dat het hele huis vol staat met al die rommeltjes.'

'Victor, die pop heb ik van mijn moeder gekregen. Uit Mexico.'

'Dat weet ik, liefje, en ik beloof je dat ik die morgen weer in de woonkamer zet. Maar kunnen we die pop niet voor één avondje in de kast zetten? Daarvan zal ze niet stukgaan.'

'Maar ik vind haar hier leuk staan.'

'En ik niet.' Ze zaten in een impasse. 'Donna, we hebben deze discussie sinds ons trouwen nu al tenminste honderd keer gevoerd. Ik vind het afschuwelijk dat er in iedere kamer tientallen van die frutsels staan. Jij vindt het leuk...'

'Die maken het huis gezellig.'

'Dat vind jij. Voor mij maken ze het rommelig. Enfin, ik weet hoeveel een heleboel van die dingetjes voor je betekenen en meestal zeg ik er niets van. Eerlijk is eerlijk, of niet soms?'

'Nee, maar...'

'Dus vind ik dat ik best mag vragen of ik één avond, één avondje maar, mijn zin mag hebben.' Hij liep met het lappenpopje naar de kast in de gang.

'Wat heb je nog meer weggehaald?'

'Ik heb de boel gewoon een beetje opgeruimd.'

Donna liep van de keuken naar de woonkamer. 'Nou, nou,' zei ze. 'Je bent zo druk geweest als een klein baasje.'

'Het was hier een chaos, Donna. Ik zag dat je er nog niets aan gedaan had. En we krijgen vanavond nu eenmaal twee stellen te eten...'

'Ik heb net vanmiddag gestofzuigd.'

'Wil je alsjeblieft niet gaan schreeuwen?'

'Waar heb je de droogbloemen gelaten?'

'In de linnenkast. Niets zeggen... ik weet dat jij ze mooi vindt. Alleen vanavond, Donna? Toe?'

Donna beet op haar lip en liep terug naar de keuken. Victor kwam meteen achter haar aan.

'Krijg nu alsjeblieft niet een van je buien,' waarschuwde hij.

'Een van mijn buien?'

'Je weet wel wat ik bedoel.' Hij keek om zich heen. 'O, je hebt kip gemaakt?'

'Ja? Is dat dan niet goed?' vroeg Donna.

'Jawel, het is prima. Ik dacht dat ik je gezegd had dat ik liever biefstuk had gehad.'

'Nee, dat heb je niet gezegd.'

'Wel waar. Dat weet ik zeker. Maar vooruit, dan eten we kip.'

'Je vindt mijn kip met zoetzure saus toch altijd lekker?'

'Jawel. Ik vind je biefstuk alleen lekkerder. Dat is alles, liefje. De kip is altijd een beetje droog. Dat is alles.'

'Sinds wanneer is dat? Dat heb je me nooit gezegd.'

'Dat zeg ik altijd. Jij luistert nooit.' Victor glimlachte en trok zijn wenkbrauwen op. Dat was een gewoonte van hem. En iedere keer als hij dat deed, kon ze hem zijn kop wel afhakken.

'Wat eten we nog meer?'

'Aardappelen, boontjes met geschaafde amandeltjes...'

'Alweer?'

'De laatste keer dat ik boontjes met geschaafde amandeltjes heb gemaakt, was meer dan een jaar geleden, en toen hadden we andere gasten.'

'Weet je dat zeker?' Ze keerde hem de rug toe en liep naar de koelkast. 'Geen soep?' vroeg hij.

'Neem me niet kwalijk, die heb ik nog vergeten te noemen. Koude komkommersoep. Kan dat je goedkeuring wegdragen?'

Ze nam de grote soepterrine uit de koelkast.

'Prima. Waarom doe je nu zo agressief? Ik mag toch wel vragen wat we eten?' Ze haalde de schouders op. 'Pas op. straks laat je dat ding nog vallen.' Hij haastte zich naar haar toe en pakte haar de soepterrine uit handen. 'Waar moet ik die zetten?'

'Op het aanrecht,' zei ze. Op je kop, dacht ze.

'Jezus christus, wat ligt hier op de grond?'

Donna keek naar de vloer. 'O, Adam heeft vanmiddag wat appelsap gemorst. Ik dacht dat ik het allemaal had opgedweild,' antwoordde ze.

'Het plakt helemaal. Heb je de zwabber gebruikt?'

'Nee. Ik ben op mijn knieën gaan liggen en heb het opgedweild.'

'Je moet de zwabber gebruiken. Op deze manier blijft het plakken en loop je het het vloerkleed in. Geen wonder dat dat er zo smerig begint uit te zien.'

'O, Victor, wil je alsjeblieft ophouden?'

'Ach, Donna, we zouden eigenlijk geen mensen meer moeten ontvangen. Het is je te veel. Moet je jezelf nu eens zien. Je bent één bonk zenuwen. Ik kan niets tegen je zeggen of je raakt over je toeren. Het is hier een chaos in huis. Ik ben niet boos of zo. Ik begrijp best dat je geen tijd hebt om het hele huis schoon te houden, als je ondertussen ook nog op Adam moet letten. Maar ik heb je toch gezegd dat we geen mensen hoeven uit te nodigen. *Jij* stond op dit etentje.'

'Ik zei alleen dat het me leuk leek. En dat lijkt het me nog als jij tenminste ophoudt met dat gevit...'

'Gevit?' Adam begon te huilen. 'Wat heeft hij?'

'Volgens mij wordt hij ziek.'

'Ik zei je toch dat je een maskertje voor je neus en je mond moest doen, wanneer je verkouden bent.'

'Victor, de dokter zei dat dat niet nodig was. Ik heb het hem gevraagd. Bovendien ben ik niet verkouden.'

'Nu misschien toevallig niet.' Ze liep naar de koelkast en haalde er een medicijnflesje uit. 'Wat doe je nu?'

'Ik geef hem een paar druppeltjes Tylenol.' Ze liep naar de keukendeur.

'Het kind huilt en jij geeft hem medicijnen?'

'Hij heeft een beetje koorts. En daar wil ik hem van af hebben, voordat het erger wordt. Ik heb dokter Wellington gebeld. Die zei dat ik hem Tylenol moest geven.'

'Weet je dat uit onderzoek is gebleken dat Tylenol schade kan toebrengen aan de lever?'

'Grote god, sta me bij,' fluisterde Donna. 'Ik mag hem van jou ook al geen kinderaspirine geven...'

'O, natuurlijk, geef hem dat maar. Wil je soms dat hij een in-
wendige bloeding krijgt?'

'Jezus, Victor. Moeten we nu overal zo'n punt van maken?
Kan ik dan niets doen zonder het eerst in stemming te brengen? Kan ik nog niet één klein beslissinkje nemen zonder jou
te raadplegen?'

'Jij neemt *alle* beslissingen hier in huis. Wanneer heb ik hier
ooit een stem in het kapittel?'

'Jij hebt altijd een stem in het kapittel.'

'O, werkelijk? Ga je hem die Tylenol geven?'

'Victor, hij heeft koorts. De dokter...'

'Geef je hem die Tylenol? Ja of nee?'

'Ja.'

'Natuurlijk. We doen hier immers altijd jouw zin.'

Donna voelde de tranen in haar ogen springen.

'Waarom huil je nu, Donna?' treiterde hij. 'We doen toch immers jouw zin. We doen precies wat jij wilt. We geven Adam
dat drankje en we eten kip vanavond; we krijgen de Vogels
en de Drakes hier. We doen precies wat jij gewild hebt. Waarom huil je dan?'

'Je verdraait alles!'

'Je make-up loopt door van je gehuil.' Hij keek op zijn horloge.

'Over tien minuten zijn ze er. Dat heb je geweldig uitgekiend.
Doe jij voor je visite de deur maar met zo'n huilgezicht open.
Laat mij maar weer de boeman zijn.'

Donna probeerde haar ogen droog te vegen.

'Je smeert je mascara uit,' zei hij.

'Barst,' mompelde ze. 'Waarom moet jij ook altijd alles bederven?'

'Prima, Donna. Ga door. Laten we eens een fijne ruzie beginnen.'

Adam begon te schreeuwen. Donna draaide zich om en liep
de keuken uit.

Aanvankelijk heerste er een wat krampachtige sfeer aan tafel. Donna was erg gespannen. In het begin van de avond zei
ze niet veel, ze maakte af en toe eens een losse opmerking. Ze
probeerde bezig te zijn in de keuken, te glimlachen in plaats
van iets te zeggen, ze voelde zich tot het uiterste gespannen.

Victor maakte een volkomen normale indruk; hij was gezellig en spraakzaam tegen over zijn visite. Hij vertelde verschillende vermakelijke anekdotes en naarmate de avond verstreek ontdekte Donna tot haar afschuw dat ze in de verleiding kwam om om zijn verhalen te lachen. Als ze niet zo woedend was geweest, zou ze dat ook gedaan hebben. Ze moest zelfs heel hard op haar lip bijten om niet te lachen, en Victor, die alles zag, merkte dat ook op en glimlachte. Hij had blijkbaar besloten niet boos te blijven – waarom hing dat altijd van hem af? Misschien was het eten beter dan hij verwacht had, hoewel ze de amandeltjes iets te bruin gebrand had en de boontjes een beetje te gaar waren. Na die glimlach van hem voelde Donna zich minder bezwaard, minder vijandig. Ze realiseerde zich hoe graag ze wilde dat hij niet langer boos zou zijn. Hoe heerlijk het was wanneer ze aardig tegen elkaar waren. Bovendien moest ze wel passend reageren, anders zou ze ervan beschuldigd worden dat ze de ruzie rekte. Dat zij per se oorlog wilde blijven voeren, terwijl hij blijk had gegeven van zijn bereidheid om vrede te sluiten. En daarin zou hij – natuurlijk – gelijk hebben. Ze keek Victor aan en glimlachte naar hem. De lucht begon op te klaren.

'Ik hou van je,' zei ze later, omdat ze behoefte had aan liefde.

'Ik hou van je,' antwoordde hij, omdat dat van hem verwacht werd.

De rest van de avond heerste er een totaal andere stemming. Donna was gezellig, spraakzaam, bijna overdreven hartelijk. Ze besefte dat ze wel erg nadrukkelijk aanwezig was, maar ze voelde zich zo zalig in de wetenschap dat er niemand meer boos op haar was. Toen de avond voorbij was en de Vogels en de Drakes naar huis waren, ging Victor bij Adam kijken. Hij lag heerlijk te slapen, zoals een gezonde baby betaamde. Ook al was hij nu vijftien maanden, ze hadden het nog altijd over hem als over 'de baby'.

'Hij ligt heerlijk te slapen,' zei Victor, terwijl hij naast Donna in bed stapte en meteen zijn arm om haar heen sloeg. 'Ik heb aan zijn hoofdje gevoeld. Het was niet warm.'

'Mooi zo,' zei Donna. Ze was erg moe. Hij leunde over haar heen. 'Kunnen we vanavond niet gewoon gaan slapen, Victor? Ik ben echt moe.'

Hij keek gekwetst, maar trok zich terug op zijn helft van het bed. 'Draai je maar om,' zei hij alleen. 'Kom maar tegen me aan liggen.'

Donna draaide zich om en kroop tegen zijn warme lichaam aan.

'Ik hou van je,' zei hij, omdat hij behoefte had aan liefde.

'Ik hou van je,' antwoordde zij, omdat dat van haar verwacht werd.

Er gingen verscheidene minuten voorbij voordat ze weer iets zei: 'Ik droomde gisteravond dat je een verhouding had,' zei ze.

'O?'

'Ja. Je was alleen heel dik en zwaar.'

'O, dat begrijp ik wel.'

'Hoe bedoel je?'

'Ik word altijd heel dik en zwaar als ik een verhouding heb.'

Ze lachte en de spanningen, die ondanks de wapenstilstand toch waren gebleven, verdwenen nu helemaal. Ze draaide zich naar hem om. Plotseling voelde ze zich helemaal niet moe meer en hij sloeg meteen zijn armen om haar heen. Ze wilde wanhopig graag dat alles weer goed zou zijn tussen hen. En ze vermoedde dat hij er net zo over dacht.

'Ik hou van je,' zei hij, want hij meende het.

'Ik hou van je,' antwoordde ze, want ze wilde het zo graag menen.

9

'Hoelang heb je nog nodig?' riep hij vanuit de eetkamer.
'Nog een paar minuutjes. Waarom neem je intussen niet even een borrel?'
'Ik ben al aan mijn tweede bezig. Wil je me soms dronken hebben voordat we daar zijn?'
'Ik ben zó klaar.'
Donna controleerde haar uiterlijk in de spiegel. Wat ze zag stond haar wel aan. Ze ging voor het laatst nog even met het poederdonsje over haar wangen, duwde haar haren nog wat op en liep de woonkamer in. Vanavond zou het niet zo gaan als op andere avonden, had ze eerder op de dag besloten. Ze zouden geen ruzie maken. Ze zou hem niet uit zijn tent lokken of op een andere manier zijn irritatie opwekken; ze zou gezellig en charmant zijn. Ze zou hem bijvallen en hem vaak en oprecht in het bijzijn van de andere gasten op het feestje van Danny Vogel complimentjes maken. En ze zou wanhopig haar best doen om niet te hoesten, te niezen of op een andere manier te laten merken dat ze verkouden was. Ondanks haar steeds erger wordende keelontsteking. Ze zou het ook niet over Adam hebben, tenzij ze daar echt niet meer omheen kon. Want Victor vond het altijd afschuwelijk, wanneer andere mensen over hun kinderen praatten. Kortom, ze zou de volmaakte echtgenote zijn; ze zou zich voor de volle honderd procent geven. Victor hield altijd van die preken tegen haar... nee, fout. Op die manier zou ze de avond absoluut verkeerd beginnen, als ze zich zo bleef opstellen. Hij hield geen preken; hij praatte gewoon tegen haar en dan zei hij altijd buitengewoon verstandige dingen. Wat er ook gebeurde, wat er ook gezegd of gedaan zou worden, ze zouden geen ruzie maken. Dank zij hun ruzie van de vorige avond (ze kon zich echt niet meer herinneren hoe die begonnen was of waarover die ging, maar ze vermoedde dat de uiteindelijke oorzaak wel gelegen zou zijn in seksuele spanningen) was ze tot de overtuiging gekomen dat er een einde moest komen aan die einde-

loze ruzies. Ze moesten ermee ophouden zo tegen elkaar te schreeuwen, niet alleen in hun eigen belang, maar ook in dat van Adam, die inmiddels ruim twee was en zich de dingen die hij om zich heen zag en hoorde, begon aan te trekken. De vorige avond had Adam hun gesmeekt met dat geschreeuw tegen elkaar op te houden, maar zij hadden hem genegeerd en waren gewoon doorgegaan. Toen had hij hun de rug toegekeerd en was hij vlak naast hen gaan zitten spelen, zonder verder acht op hen te slaan. Hij had hen gewoon buitengesloten, alsof ze er niet waren. Daarvan was ze erg geschrokken. Die avond had ze besloten dat ze geen ruzie meer zouden maken. Ze kon dan misschien Victors opvliegendheid niet beteugelen, maar zichzelf kon ze wel in bedwang houden. En voor ruzie waren er twee nodig. Ze zou zich niet meer tot ruzies laten verleiden. Zij zou er de oorzaak niet meer van zijn dat er geruzied werd en ze zou niet meer meedoen, als Victor toch begon.

Bovendien moesten ze weer wat regelmatiger met elkaar naar bed gaan. Hun seksleven was altijd fantastisch geweest; maar daar was tegenwoordig bijna niets meer van over. Dat was meer haar schuld dan de zijne, wist ze. Maar het kostte haar hoe langer hoe meer moeite om zich lichamelijk en geestelijk op vrijen in te stellen, wanneer ze eigenlijk alleen maar woede en zelfs haat voelde. Nog erger dan haat – wanhoop. Ze kon niet voor hoer spelen, en dan nog een heel slechte ook, want ze vond zichzelf de laatste tijd niets meer waard. Wanneer ze hem met haar liet vrijen, wanneer ze toestond dat hij over haar heenkroop, bij haar binnendrong, dan was ze gewoon bang dat er niets van haar zou overblijven, dat ze verloren zou gaan onder zijn verpletterende gewicht, dat ze zo verminkt zou worden dat ze – als ze al ooit gevonden zou worden – niet meer te identificeren was.

Ze maakte een eind aan die gedachten. Wanneer ze wilde dat deze avond een succes zou worden, dan moest ze ophouden zo te denken. Alle andere avonden behoorden tot het verleden. Vandaag was de eerste dag van de rest van haar leven, en meer van die flauwekul.

Ze ging achter Victor staan. 'Hallo, ik ben zover.'

Hij draaide zich om. 'Ga je zo?'

Ze voelde onmiddellijk dat haar goede voornemens begonnen weg te schrompelen. Maar ze riep zichzelf meteen tot de orde; wat was er met haar aan de hand? Mocht hij niet eens een simpele vraag stellen? Je kon van hem niet verwachten dat hij wist wat zij had staan denken. Hij mocht zeggen wat hij wilde. Ze had niet moeten verwachten dat hij precies datgene zei wat zij wilde horen. Daar ging ze weer – met haar verwachtingen. Daardoor kregen ze altijd problemen. Wanneer zij nu maar helemaal geen verwachtingen koesterde, dan zou het allemaal veel beter gaan. Dan zouden ze veel gelukkiger zijn.

'Vind je deze niet leuk?'

'Ik heb die jurk nooit leuk gevonden,' zei Victor. 'Waarom zou ik dat ding dan nu ineens wel leuk vinden?'

'Ik dacht dat je deze wel leuk vond.'

'Nee, Donna.' Hij zette zijn glas neer. Zijn stem klonk kalm en helemaal niet onaangenaam. 'Maar doet het er iets toe of ik die jurk leuk vind of niet? Je trekt die toch wel aan.'

Donna probeerde te glimlachen. 'Wat wil jij dan graag dat ik aantrek?'

'Laat maar, Donna,' zei hij en hij keek op zijn horloge. 'Het is al laat.'

'We hebben nog wel even de tijd. Ik zal me vlug verkleden. Maar dan moet jij zeggen wat jij graag wilt dat ik aantrek.'

'Wat dacht je van die blauwe jurk?'

'Blauwe jurk?'

'Laat maar.'

'Wacht nu even, welke blauwe jurk?'

'Die jurk met die bloemetjes op de mouwen.'

'Bloemetjes op de mouwen... O! O! Die is niet blauw, die is zachtgroen.'

'O, wat een misdaad. Ik had het verkeerd. Ik heb een fout gemaakt. Neem me niet kwalijk.' Zogenaamd smekend boog hij zijn hoofd.

'Daarvoor hoef je je niet te verontschuldigen. Ik wist alleen niet welke jurk je bedoelde toen je het over blauw had...'

'Ja, je bent nu wel duidelijk geweest.'

Donna stond op het punt om woedend te reageren. Ze had zichzelf nog juist bijtijds in de hand en haalde diep adem.

'Ik ga me verkleden.'

'Voor mij hoef je het niet te doen,' riep hij haar na.

Enkele minuten later kwam hij bij haar in de slaapkamer. De rood met zwarte jurk die ze eerst aan had gehad, slingerde op het bed. Nu stond ze voor de passpiegel de zachtgroene jurk recht te trekken.

'Wat vind je er nu van?' vroeg ze. Ze moest toegeven dat deze haar beter stond.

'Niet gek,' zei hij. 'Alleen je make–up is verkeerd.'

Ze draaide zich met een ruk weer om naar de spiegel. 'Wat is daar verkeerd aan?'

'Hij is te opvallend. Hij stond prima bij die rood met zwarte jurk, maar bij die groene jurk staat hij goedkoop.'

'Goedkoop? Vind je niet dat je nu een klein beetje overdrijft?'

'Zeg maar wat je niet laten kunt. Ik zeg alleen dat die jurk je geweldig staat, maar je gezicht kan zo boven een heel goedkoop uitverkoopjaponnetje.'

Donna keek naar de grond. Ze wilde niet huilen, zei ze steeds weer tegen zichzelf. Ze wilde haar zelfbeheersing niet verliezen. Zo was hij niet echt, dit zei hij omdat hij op seksueel gebied tekort kwam. En voor dat tekort was zij verantwoordelijk. 'Hoe vind jij dan dat ik me moet opmaken?'

'Zoals je het zelf wilt. Het is jouw gezicht.'

'Toe, Victor, ik vraag je mening.'

'Ik zou het gewoon allemaal wat afzwakken. Je moet er zo natuurlijk mogelijk uitzien.'

'Zo veel make–up heb ik echt niet op.'

'Kom nou. Je ziet eruit alsof je net van de grimeur komt.'

Donna liep vlug naar de badkamer en waste haar gezicht. Ze maakte zich opnieuw op, met alleen wat crème onder haar ogen (om de kringen te verdoezelen) en langs haar neus (om de velletjes te maskeren – haar neus was rauw van al het snuiten), een beetje rouge en wat mascara. Net voordat Victor haar zijn definitieve goedkeuring kon geven, moest ze niezen.

'Jezus, waarom doe je dat nou?' vroeg hij.

'Ik deed het niet expres, Victor.'

'Ga je gezicht schoonmaken,' zei hij en Donna liep terug naar de badkamer om de mascara van haar jukbeenderen te verwijderen.

'Ik snap niet hoe je het klaarspeelt om nu alweer verkouden te zijn,' zei hij, terwijl ze naar de auto liepen. Toen ze de deur uitgingen, hadden ze mevrouw Adilman gewaarschuwd en die was meteen gekomen. 'Er is goddank tenminste nog iemand op tijd.'

Op die laatste opmerking sloeg ze geen acht, maar ze antwoordde op de vorige. 'Adam steekt me aan,' zei ze. 'Nu hij twee ochtenden per week op dat peuterklasje zit, neemt hij een hoop bacillen mee naar huis. Ik heb een echte peuterklasneus.'

'Misschien zou je hem naar een ander schooltje moeten doen.'
Ze stapten in de auto.

'Dan zouden we dat probleem toch houden,' zei Donna, die de draad weer oppakte. 'Er is bovendien geen ander schooltje. Ik heb overal geïnformeerd. Dit is het enige schooltje waar hij voor twee ochtenden in de week terecht kan.'

'En de montessorischool?'

'Dan zou hij elke dag moeten.'

'Wat mankeert daaraan?'

'Hij is nog een beetje te klein, Victor. Hij is pas twee. Hoeveel jaar wil jij hem nog naar school laten gaan?'

'Je zult hem toch eens moeten loslaten,' waarschuwde hij en hij stak de sleutel in het contact.

'Het is geen kwestie van loslaten...'

'Begin je weer?'

Donna zweeg onmiddellijk. 'Neem me niet kwalijk,' zei ze snel. 'Ik probeerde echt geen ruzie te beginnen.'

'Daar is niet veel proberen voor nodig,' zei hij en hij voegde er meteen aan toe: 'Rij jij maar. Als ik word aangehouden, kom ik nooit zonder kleerscheuren door de blaastest.'

'Dat wordt dan weer brommen,' zei ze in een poging iets op te rakelen dat voor haar nu nog slechts een dierbare herinnering was.

'Dat zou je wel leuk vinden, hè?' antwoordde hij. Ze wisselden van plaats. Ze startte de auto. De radio begon onmiddellijk te spelen, zodat de muziek als een barrière tussen hen in stond. Donna zette de radio uit. Victor deed hem vlug weer aan. Ze zeiden geen van beiden iets. Ze reed achteruit onder het afdak vandaan.

'Zwaai even naar mevrouw Adilman,' instrueerde hij haar. Ze zwaaiden allebei naar de zware, grijzende vrouw die hen in de deuropening stond na te zwaaien, zoals ze dat jaren geleden wel met haar eigen kinderen gedaan zou hebben.

'Denk je dat ze boos is als we na twaalven thuiskomen?' vroeg Donna, in een poging een grapje te maken.

'Pas op, je reed bijna tegen die vuilnisemmer aan.'

Donna keek in de achteruitkijkspiegel. 'Ik ben niet eens in de buurt van die vuilnisemmer.'

'Gaan we nu nog? We zijn al bijna een halfuur te laat.'

'Het is een feestje, Victor. Niemand komt precies op tijd.'

'Als het jouw vrienden waren, zouden we wel op tijd zijn. Daar kun je vergif op innemen.'

'Dat is niet eerlijk, Victor. En het is niet waar.'

'O nee?'

'Bovendien heb ik geen vrienden.'

'Dat zal dan wel weer mijn schuld zijn.'

'Nee,' zei ze, maar naar haar gevoel had hij daar toch wel een beetje gelijk in. 'Jij kunt er niets aan doen, wanneer je je geen van hen op je gemak voelt.'

'Je zou toch in je eentje weleens naar hen toe kunnen gaan?'

'Dat is een beetje moeilijk. Zij werken de hele dag en ik zit thuis met Adam.'

'Wil je daarmee zeggen dat je weer wilt gaan werken?' vroeg hij.

'Nee. Nog niet.'

'Wat bedoel je daarmee: nog niet?'

'Misschien ga ik volgend jaar parttime werken, wanneer Adam iedere dag naar het peuterklasje gaat,' zei Donna, die haar gedachten hierover voor het eerst uitsprak.

'O, ik snap het al. Wanneer het jou uitkomt, dan is Adam ineens niet meer te klein.'

'Volgend jaar is hij drie! Met drie gaan alle kinderen iedere dag naar de peuterklas!'

'Je schreeuwt.'

Verbaasd realiseerde Donna zich dat hij gelijk had. 'Neem me niet kwalijk. Hoe kwamen we hier eigenlijk op? Ik wilde alleen maar zeggen dat het een beetje moeilijk is om de paar vrienden die ik heb, te zien omdat zij de hele dag werken en jij 's avonds geen zin in ze hebt.'

'Dus het is toch allemaal mijn schuld,' concludeerde Victor.

'Dat zeg ik niet.'

'Wat zei je dan?'

'Laat maar.'

'Weet je trouwens wel waar je heen gaat? We zijn al drie straten te ver.'

'O, waarom zeg je dan niets?' Ze nam gas terug.

'Je had het veel te druk met tegen me te schreeuwen.' Ze
keerde, vond de goede straat en sloeg die in.

'Ga je altijd zo hard de bocht om?' vroeg hij beschuldigend.

'Ik reed niet hard.'

'Je reed tegen de trottoirband. Hoe hard rijd je eigenlijk?'

'Victor, wie rijdt er hier, jij of ik?'

'Ik vroeg alleen, hoe hard je reed. Kan ik je niet eens een simpele vraag stellen? Jezus! Nu begin je alweer te katten. Dat
kun je ook gewoon niet laten, hè? Je zou erin blijven als we
eens een gewone, gezellige avond hadden.'

'Het is niet te geloven,' mompelde Donna en ze voelde tranen
in haar ogen komen.

'Christus, Donna,' schreeuwde hij toen ze met kracht voor een
stopbord remde. 'Waar zit jij met je ogen? Je reed bijna door
bij dat stopbord.'

'Maar ik ben niet doorgereden, of wel soms?'

'Probeer je ons soms te vermoorden?'

'Ik stopte toch,' zei ze en ze trok weer op.

'Waar zat je met je gedachten?'

'Victor, je maakt me doodzenuwachtig. Wil je alsjeblieft je kop
dicht houden!'

'O, het is mijn schuld dat je bijna doorreed bij dat stopbord!'

'Dat heb ik helemaal niet gezegd!'

'Je schreeuwt.'

'Je maakt me gek! Wil je me gewoon laten rijden?'

'Wat...? Zodat jij ons bij de volgende gelegenheid kunt dood-
rijden?'

'Als jij je kop dichthield, dan zou ik geen enkel probleem met
rijden hebben.'

'Schei uit met tegen me te schreeuwen!' schreeuwde hij.

'Hou je bek!' schreeuwde ze terug, en het was alsof binnen in
haar de stoppen doorsloegen. 'Hou je bek! Hou je bek! Hou je
bek!'

Ze reed door een rood licht.

'Jezus christus, ben je gek geworden?! Je probeert *echt* om ons dood te rijden,' brulde hij. 'Zet die auto aan de kant. Heb je me gehoord? Zet die auto aan de kant!'

'Ik had het niet gezien! Ik had het niet gezien!'

Victor reikte over haar heen, greep het stuur en manoeuvreerde de auto naar de kant van de weg. 'Stap uit.'

'Victor,' huilde ze. De tranen die ze steeds had weggeslikt, stroomden nu met dubbele hevigheid over haar wangen. 'Ik had dat stoplicht niet gezien!'

'Dat weet ik. En dat stopbord van daarnet had je evenmin gezien. En het is allemaal mijn schuld.'

Hij trok haar achter het stuur vandaan. Ze rukte haar arm los. 'Raak me niet aan,' zei ze en ze probeerde haar tranen te drogen.

Hij keek haar aan, plotseling kalm. 'O, dus *dat* zit erachter?'

'Waar heb je het over?'

'Je had ons niet bijna dood hoeven te rijden om vanavond niet met me naar bed te hoeven. Ik begin eraan gewend te raken nul op het rekest te krijgen.'

Donna kon haar oren niet geloven. In gedachten herhaalde ze steeds opnieuw wat hij gezegd had. Maar ze kon er geen touw aan vastknopen.

'Ik heb dat rode licht niet gezien!' riep ze wanhopig. 'Jij zat tegen me te schreeuwen over dat stopbord en je wilde er maar niet over ophouden en ik begon te schreeuwen en ik raakte er zo door van streek dat ik dat stoplicht niet gezien heb! Dat had niets te maken met naar bed gaan met jou!'

'Het is allemaal mijn schuld,' zei hij sarcastisch en hij schudde het hoofd. '*Ik* ben door dat stopbord en dat rode licht gereden.'

'Dat heb ik niet gezegd.'

'O nee? Dus je bent bereid toe te geven, dat *jij* reed. Interessant.'

'Ik probeerde althans te rijden.'

'En ik gaf je de kans niet. Is dat het? Stap in de auto, Donna. Of wil je dat iedereen die langsrijdt denkt dat ik me aan je vergrijp? Maakt dat ook deel uit van het plan?'

Ze liepen in tegengestelde richting om de auto heen en stapten in. Victor nu achter het stuur en Donna trillend naast hem.

'Je vergrijpt je ook aan me,' zei ze, terwijl hij de auto startte. 'De blauwe plekken zijn alleen niet te zien.'

'Je bent gek,' antwoordde hij. 'Soms maak ik me echt zorgen over de veiligheid van mijn zoon.'

'Wat?'

Het was niet meer dan een schor gefluister. Donna's stem bezweek eindelijk aan al het geschreeuw en geruzie. Ze begon te hoesten en bleef dat doen, toen Victor de auto met een ruk tot stilstand liet komen.

'Waarom stop je?' vroeg ze door haar tranen heen.

'We zijn er.'

'We zijn er? Bedoel je dat we nog steeds naar dat feestje gaan?'

'Ik weet niet wat jij doet, maar ik ga erheen. Al zijn we dan ook nog zo laat.'

'Maar ik zie er vreselijk uit.'

'Ik ben niet anders gewend tegenwoordig.'

'Victor...'

'Begin nu niet weer tegen me te katten. Ik heb genoeg gehad voor vanavond. Nou,' hij zweeg even en koos zijn woorden zorgvuldig, 'ik ga naar binnen. Je kunt kiezen. Je kunt met me meegaan en proberen er een gezellige avond van te maken, ook al weet ik hoezeer jij gezelligheid verafschuwt; of je blijft hier zitten mokken als een klein kind. Daarmee breng je mij natuurlijk in verlegenheid, maar ik red me wel. Hoe dan ook,' voegde hij eraan toe, terwijl hij uit de auto stapte, 'ik ga naar binnen.'

Het was alleen aan de haar plotseling overmeesterende paniek te danken dat Donna de kracht opbracht om uit de auto te stappen. Misschien had ze inderdaad geprobeerd hem te vermoorden. Wie weet? Ze wist in ieder geval zeker dat alles beter zou zijn dan dit. Ze wist zeker dat ze op dit moment dood wilde. Maar toen dacht ze aan Adam. Haar lieve, kleine jongetje. En ze wist dat ze eigenlijk niet dood wilde. Ze wilde dat Victor dood was.

Dat besef deed haar naar adem snakken.

'Wat is er nu weer?' vroeg hij.

Nee, alsjeblieft, alsjeblieft, ik meende het niet. Ik meende het niet. 'Victor, kunnen we alsjeblieft even praten?'

'Je hebt genoeg gezegd.' De bekende reactie.

'Alsjeblieft.'

'Droog je tranen.' Ze kwamen bij de voordeur en Victor belde aan. Danny Vogel deed open, zijn veertig jaren waren hem stuk voor stuk aan te zien. Hij had een borrel in de hand en zijn bierbuik hing over zijn blijkbaar nieuwe leren riem.

'Ik moet afvallen,' zei hij in plaats van hen te begroeten. 'Jullie zijn laat. We begonnen al te denken dat jullie niet meer zouden komen.'

'We zouden het voor geen goud willen missen.'

Donna liep met gebogen hoofd naar binnen. Ze bleef achter Victor lopen, want ze wilde haar gezicht niet laten zien. Ze had het gevoel dat het opgezwollen was en onder de vegen zat. Pas toen ze zichzelf in een van de spiegels in de hal zag en constateerde dat ze er ondanks haar opgezette ogen en ondanks de rode plekken, die nu weer zichtbaar waren geworden op haar neus, toch redelijk uitzag, hief ze het hoofd op.

'Hartelijk gefeliciteerd met je verjaardag,' zei ze schor en ze schraapte haar keel.

'Weer verkouden?'

Donna knikte. Victor deed een greep in zijn zak en gaf haar een paar papieren zakdoeken.

'Kan ik iets voor jullie inschenken?'

'Een gin-tonic graag,' antwoordde Victor.

'Ik een whisky met water,' zei Donna en ze vroeg zich af waarom ze dat bestelde. Dat dronk ze zelden.

'Komt eraan,' zei Danny glimlachend. 'Stort je in de feestvreugde, jongens.'

Victor gaf onmiddellijk gehoor aan zijn verzoek en ging op in een groepje vrienden. Donna keek om zich heen. Er waren een stuk of dertig mensen, schatte ze in de gauwigheid, en er was niemand met wie ze weleens een praatje zou willen maken. Ze kende tenminste de helft van de aanwezigen niet en alles wat ze tegen de andere helft te zeggen had, had ze op het vorige feestje al gezegd.

Wat was er toch geworden van die heerlijke tienerfeestjes? dacht ze, terwijl ze tussen de mensen doorliep en uiteindelijk een plekje koos, niet te ver van de bar, waar ze de mensen kon gadeslaan zonder zelf echt mee te hoeven doen. Het soort feestjes waar platen gedraaid werden en waar gedanst werd.

Dan ging het licht uit en zoende je wie er toevallig het dichtst bij je in de buurt was, vurig hopend dat zijn beugel niet aan de jouwe bleef haken. Dan vertelde altijd iemand het verhaal van de twee honden die 'het deden' en vast kwamen te zitten, totdat uiteindelijk iemand een emmer koud water over ze heen gooide. Wat was er toch van die feestjes geworden? Waarom werden het bij het volwassen worden toch van die feestjes waar iedereen met zijn borrel bleef staan en met een gemaakte glimlach op zijn gezicht klaagde over zijn werk, zijn kinderen en zijn bestaan? Was iedereen net zo ongelukkig als zij? Was dat nu alles, was dat het leven wanneer je getrouwd was?

'Whisky met water,' zei Danny Vogel. Hij stond ineens naast haar. Ze pakte het glas aan zonder iets te zeggen. 'Je moet eens kijken naar de cake die Renee voor me gebakken heeft,' zei hij trots. 'In de vorm van een gigantische penis.' Hij wachtte op haar reactie, maar toen die uitbleef, voelde hij zich geroepen haar uit te leggen: 'Het was niet als grapje bedoeld. Ze zei dat ze die voor me gemaakt had, omdat ik zo'n grote lul ben!' Hij lachte, toch gevleid.

'Waarom voelen mannen zich toch altijd gevleid als vrouwen hen een lul noemen? Dat snap ik niet. Vinden jullie het soms leuk om vrouwen te kwetsen?'

'O, misschien wil je me nu verontschuldigen,' zei Danny Vogel en hij verdween haastig.

Donna keek lang om zich heen. De kamer deed haar denken aan het vertrek waarin Anne Bancroft probeerde een aarzelende Dustin Hoffman te verleiden in *The Graduate*. Die film had ze drie keer gezien. Anne Bancroft zat op een barkruk, die erg veel leek op de kruk links van haar, en ze had uitdagend haar rok tot boven de knie opgeschoven. Dustin Hoffman had nogal verlegen op veilige afstand staan toekijken. Dit was net zo'n kamer. De meeste meubels waren weggehaald om ruimte te maken voor de gasten; overgebleven was een zwart-wit geblokt kunststoffen 'woongebeuren', modern en kil. Het gevoel voor kunst van de Vogels bleef beperkt tot watervallen en kinderen met grote ogen. Op de een of andere manier leek hun keus van gasten volmaakt in het vertrek te passen.

Ze nam een slokje van haar borrel en vond die onmiddellijk afschuwelijk smaken. Ze vroeg zich af waarom ze zich hier zo boven iedereen verheven zou moeten voelen. Was verdriet altijd superieur aan plezier? Was ze echt een martelaar voor haar zaak geworden? En als dat zo was, wat was die zaak dan precies?

Ze keek naar de gezichten om zich heen. Sommige waren diepbruin, de meeste niet. Wie in Florida woonde was voorzichtiger met de zon dan de mensen die er alleen hun vakantie doorbrachten. De meeste gezichten glimlachten; sommige keken openlijk verliefd. Er waren armen verstrengeld, handen raakten elkaar, hier en daar werd er een kus op een wang gedrukt. Er was hier blijkbaar toch wel ruimte voor warmte. Maar niet bij Victor.

Een enkele keer kwam er weleens iemand naar haar toe. Ze zei niets op al het onbeduidende gebabbel. En uiteindelijk ging hij of zij dan weer weg. Danny Vogel deed nog een poging. Hij mompelde iets over zijn kind en montessori-onderwijs en toen ze niet reageerde, verontschuldigde hij zich ten slotte weer.

Wat was er met hen gebeurd? Langzaam nam ze nog een slok en ze dacht terug aan die eerste fles Dom Perignon die ze samen hadden gedronken. Ze dacht aan hun bliksemvlucht naar New York. Aan de kreeft die precies zeveneneenhalve minuut gekookt was. Ze had hem toen zelfs voor haar laten bestellen.

Wat was het allemaal opwindend geweest. Wat had ze hem aantrekkelijk gevonden. Zo opwindend, zo aantrekkelijk dat ze ondanks haar groeiende twijfels met hem getrouwd was; ondanks het feit dat hij tegen haar gelogen had over zijn moeder.

Haar eigen moeder had haar eens de raad gegeven om te kijken hoe een man zijn moeder behandelde; daaruit kon je een heleboel afleiden omtrent zijn houding tegenover zijn vrouw. Ze huiverde en schudde langzaam het hoofd, toen ze zich realiseerde hoelang ze al niet meer aan haar moeder gedacht had; hoelang ze al niet eens meer de tijd had om ergens anders aan te denken dan aan Victor. Ze was altijd zo op haar hoede. Bij alles wat ze zei, bij alles wat ze deed. Maar wat zei ze? Wat deed ze? Ze las niets meer, althans niets met meer diepgang dan een tijdschrift – wegwerplectuur noemde Victor dat. Maar ze kon zich eenvoudig niet voldoende concentreren om zich op een simpele roman te storten, laat staan op een boek van een auteur als Albert Camus.

Ze ging nooit meer naar de film. Victor had daar een vreselijke hekel aan. Hij beweerde vaak trots dat de laatste film die hij gezien had High Noon was geweest. Maar wanneer The Magnificent Seven op de televisie kwam, keek hij steevast. Er was een periode in haar leven geweest dat Donna ten minste vier keer per week naar de film ging. Nu had ze er geen tijd meer voor.

Ze had haar baan opgegeven, maar dat was helemaal haar beslissing geweest. Ze wilde niet dat iemand anders haar kind zou grootbrengen. Ze wilde die eerste drie jaar thuis zijn met haar kind, daarna zou ze weer gaan werken. Nee, over Adams bestaan mopperde ze in geen enkel opzicht. Hij was haar redding. Ze mocht hem dan af en toe weleens erg veeleisend vinden en zijn gejengel zat zijn, genoeg hebben van alle routine, van het feit dat ze niet eens naar de wc kon gaan zonder hem op schoot te hebben, maar ze genoot van hem. Er was geen moment dat ze niet dolveel van hem hield.

Maar ze hield niet meer van Victor. Zo simpel was het.

Ze had zichzelf heel lang wijsgemaakt dat ze – als ze niet heel diep in haar hart (waarom moest dat trouwens zo diep zitten?) van hem hield – ook niet zo woedend op hem kon worden; dat liefde en haat twee kanten van een en dezelfde medaille waren. Dat ze – als ze af en toe in staat was zo'n intense weerzin jegens hem te voelen – toch ook liefde voor hem moest kunnen voelen. Dat was echter een voor de hand liggende manier om haar gevoelens te rationaliseren, dat was een gemakkelijke smoes.

Wanneer hadden ze voor het laatst met elkaar gepraat zonder ruzie te krijgen? Wanneer hadden ze het voor het laatst over haiku's gehad? Waarschijnlijk toen ze daarover voor het eerst praatten. Wanneer hadden ze elkaar nog met vertrouwen bejegend? Wanneer hadden ze ook nog maar iets tegen elkaar durven zeggen zonder met argusogen alert te zijn op de geringste aanwijzing mogelijk verkeerd begrepen te worden?

Hij was waarschijnlijk net zo ongelukkig als zij.

Ze waren er allebei ellendig aan toe en ze bezorgden hun zoon Adam ook louter ellende, dacht ze. Victor had zich geweldig geweerd bij de geboorte van hun zoon.

Natuurlijk had hij zich geweldig geweerd, beet ze zichzelf toe. Iedereen kon zich geweldig weren, wanneer dat maar vierentwintig uur duurde op een heel leven! Ze wist dat het niet eerlijk was wat ze nu dacht, maar dat kon haar niet schelen. Ze had er genoeg van om eerlijk te zijn. Goed, Victor was dan geen monster – hij had zijn leuke momenten, hij was aardig tegen oude dametjes en zwerfhonden – en meestal gedroeg hij zich ook wel fatsoenlijk. Maar er zat gewoon iets verkeerd tussen hen beiden. Het ging niet tussen hen. Misschien was het met zijn eerste vrouw precies zo gegaan, dat wist ze niet. En dat deed er ook eigenlijk niets toe. Wat er wel toe deed, was hoe hij tegen haar was. En hoe je het ook probeerde te beoordelen, hoezeer je ook je best deed een eerlijk oordeel te geven, een feit was dat hun huwelijk een ramp was. Als dat zijn schuld was, dan was ze gek wanneer ze bij hem bleef. En als het haar schuld was, dan gold hetzelfde. Wiens schuld het ook was, van hem of van haar, de simpele waarheid was dat ze elkaars leven verpestten. En ze was te jong om de rest van haar leven weg te gooien, omdat ze niet wist wat ze er anders mee moest. Ze wist wél wat ze ermee moest.

Ze moest bij Victor weggaan.

Er viel een enorme last van haar schouders. Voor het eerst die avond kreeg ze weer lucht door haar neus en zat haar keel niet meer dicht.

Victor kwam naar haar toelopen.

'Blijf je hier de hele avond staan? Bemoei je je met niemand?'

'Ik heb staan nadenken,' zei ze.

'Waarover?'

Ze schudde haar hoofd. 'Dat vertel ik je later wel. Dit is niet het juiste moment.'

'Ik zou niet weten waarom een ander moment beter zou zijn.'

Ze keek hem in zijn ogen. Ze waren erg blauw en keken verrassend mild. Misschien was dit toch wel het juiste moment. Hij was nu ontspannen en kon haar er niet van beschuldigen dat wat ze zei veroorzaakt werd door een depressie. Ze wist het niet. En tot haar verbazing kon het haar ook niet schelen. Hij had erom gevraagd, erop aangedrongen dat ze het hem zou zeggen. Dat zou ze dan doen.

'Ik vind dat we moeten scheiden.' Ze had het zacht, maar vol overtuiging gezegd. Krachtig, zonder hard te praten. Ze straalde het soort kalme vastberadenheid uit, die je vervult, wanneer je er absoluut zeker van bent dat wat je doet goed is. Hij onderkende die klank in haar stem meteen en vroeg haar dan ook niet het te herhalen of zich nader te verklaren.

Het was enkele ogenblikken doodstil tussen hen.

'Ik hou van je,' zei hij ten slotte.

'Dat is niet waar,' antwoordde ze.

'Jij hoeft me niet te vertellen wat ik voel,' zei hij en zijn stem klonk licht geprikkeld.

'Neem me niet kwalijk,' zei ze. De vierde zin en zij was zich alweer aan het verontschuldigen. Hij had natuurlijk gelijk. Zij vond het ook afschuwelijk wanneer hij haar vertelde wat ze precies voelde. Dus moest ze dat bij hem ook niet doen. O, verdomme, moest ze zichzelf nu elke keer als ze iets zei, die hele ellende voorhouden? 'Neem me niet kwalijk, Victor. Dit is ook niet het juiste moment om erover te praten.'

'Waarom begin je er dan over? Je zoekt wel een leuk moment uit om me met zoiets rauw op mijn dak te vallen!'

'Je hebt er zelf om gevraagd.'

Onbehaaglijk verplaatste hij zijn gewicht van de ene voet naar de andere, terwijl hij zowel haar als de andere gasten in de gaten hield. 'Je wilt me echt in verlegenheid brengen, hè?'

'Nee,' zei ze slechts.

'Het doet er niet toe wat ik voor je voel?'

'Wat je voor me voelt? Victor, nog geen twee minuten geleden zei je dat je van me hield en nu hebben we alweer ruzie. De beschuldigingen vliegen over en weer. Misschien hou je inderdaad van me, misschien ook niet. Maar het doet er eigenlijk niet meer toe wat we voor elkaar voelen. Waar het om gaat, is dat we niet samen kunnen leven. Dat kunnen we niet – en dat weet je.'

'Dat weet ik helemaal niet.'

Ze haalde de schouders op en stond op het punt om 'neem me niet kwalijk' te zeggen, maar ze hield zich in en zei niets.

'En Adam?' vroeg hij.

Onmiddellijk zat er weer een steen in haar maag; in haar hoofd begon een alarmbel onophoudelijk te rinkelen. Zoals een paard het voelt wanneer zijn berijder bang is, zo had Victor haar angst intuïtief aangevoeld, wist ze. Haar stem bleef kalm, maar had zijn kracht verloren. Ze probeerde nu krampachtig er overtuiging in te leggen.

'Hoe bedoel je: *en Adam?*' vroeg ze op haar beurt.

'Wil je hem ook in tweeën delen?'

'Natuurlijk niet. Ik neem Adam mee.'

'O?'

Ze keek Victor doordringend aan. Dit was niet meer dan tactiek van hem, zei ze tegen zichzelf. Hij gebruikte haar angst haar zoon te verliezen om haar bij zich te houden. Maar dat zou hij niet volhouden.

'Ik ga niet weg zonder mijn zoon,' zei ze.

'Waarom denk je dat *ik* dat wel zou doen?'

Donna voelde dat ze in paniek begon te raken. Ze spande zich tot het uiterste in om zich te beheersen.

'We hebben het er later wel over,' zei ze, maar ze wist dat het vergeefs was.

'Nee, jij stond erop er nu over te praten. Dus praten we het nu uit.

'We hebben het er thuis wel over.'

'O? Dus ik mag nog wel binnenkomen? Dat is erg aardig van je, zeker omdat het oorspronkelijk mijn huis is.'

'Victor, toe...'

'Ik zal je één ding zeggen, dame, en ik zou maar goed luisteren. Niemand, jij niet, een of andere slimme advocaat niet, de rechtbank niet, niemand neemt mij ooit mijn zoon af. Ik zal tegen je vechten tot er geen spaan meer van je heel is. En mocht je ook maar enigszins twijfelen aan wat ik zeg, dan moet je je maar eens bedenken dat ik liever twee dagen de gevangenis inging dan mijn parkeerbon betaalde...'

'Die bon had je gekregen, omdat je niet gestopt was voor een stopbord,' zei ze dof.

'Wat?'

'Je had die bon gekregen, omdat je niet gestopt was voor een stopbord.' De ironie van de hele avond drong ineens verpletterend duidelijk tot haar door. Ze hoestte en ineens stroomden de tranen haar over de wangen.

'Jezus,' zei Victor en hij probeerde haar uit het gezicht te houden door voor haar te gaan staan.

'Is er iets?' Een van de dames haastte zich naar hen toe.

'Mijn vrouw is verkouden,' zei Victor haastig. 'Hier, veeg je ogen af.' Hij gaf haar een papieren zakdoekje. Donna sloeg er geen acht op en snikte maar door.

'Donna, liefje,' suste Victor met het oog op de gasten die zich om hen heen verzamelden. 'Toe nou, schatje. Het gaat wel over. Ze is gewoon verschrikkelijk verkouden,' legde hij uit. Er stonden zo'n stuk of vijf mensen om hen heen. Donna snikte luidkeels. Het groepje mensen om hen heen begon alweer te slinken. Victor hield een Kleenex onder Donna's neus. 'Snuiten,' commandeerde hij.

Donna had het wel willen uitschreeuwen en verwachtte van zichzelf ook eigenlijk niet anders. In plaats daarvan vloog tot haar eigen verrassing haar rechterarm omhoog. Blindelings sloeg ze met zo'n kracht in Victors richting dat zijn glas uit zijn uitgestoken hand vloog en de inhoud daarvan terechtkwam op de rug van een van de dames die zo-even nog zo bezorgd waren geweest.

Het was alsof Victor acht armen had: hij veegde snel de inhoud van het glas op, bracht de jurk weer in orde, raapte zijn glas op en verzekerde de gasten dat een hevige nies de boosdoener was geweest. Donna zag aan het gezicht van diverse gasten dat die zich niet voor de gek lieten houden. Vanwaar ze stonden hadden ze maar al te goed gezien wat er werkelijk gebeurd was. Ze hadden Victors uitgestoken hand gezien, hadden hem zijn altijd ziekelijke vrouw een Kleenex zien geven, hadden haar hand zien uitschieten met de bedoeling hem te slaan en hadden gezien wat het resultaat was. Ze hadden niets gehoord. Victors vrouw had weer een van haar buien. Arme Victor. Och, als zij dat nu wilden...

Victor boog zich naar haar toe. 'Als je nu niet glimlacht en actief aan dit feestje meedoet, zet ik je op een verschrikkelijke manier voor schut,' zei hij en zijn stem klonk net zo rustig en krachtig als de hare daarstraks.

Hij kon het krijgen zoals hij het hebben wilde.

Donna pakte de Kleenex aan, snoot luidruchtig haar neus en ging toen brutaal midden in een groepje staan dat zich haastig gevormd had, toen de affaire met het gevallen glas was afgesloten.

'We hadden het net over een van onze buren,' vertelde een van de vrouwen haar. Ze maakte plaats om Donna in de kring op te nemen. Een aardig gebaar, maar Donna was niet langer in de stemming voor aardige gebaren. In plaats daarvan bekeek ze de gasten om zich heen kritisch. De vrouw was misschien tien jaar ouder dan Donna en haar kapsel verried verschillende blonde spoelingen. Maar ondanks haar kritiek realiseerde Donna zich dat ze onmiskenbaar een aantrekkelijke vrouw was. 'Een paar jaar geleden kreeg hij een zenuwinzinking. De dokters zeiden dat hij een sadomasochist was en neigde naar homofilie. Naar verluidt slaagden ze er heel snel in hem van zijn masochisme af te helpen en zijn seksuele voorkeur anders te richten, maar hij is nog geruime tijd sadistisch gebleven.'

'Volgens mij is sadisme heel wat gezonder dan masochisme, vindt u ook niet?' vroeg Donna en ze wist niet eens zeker of ze het meende of niet.

En dat wist het groepje evenmin. Er werd met ongemakkelijk gelach op haar vraag gereageerd.

'In elk geval,' vervolgde de vrouw, 'is hij nu weer thuis en heeft hij een respectabele baan. Het lijkt erop dat hij helemaal genezen is.'

'Wat voor werk doet hij?' vroeg iemand.

'Hij ontwerpt ondergrondse parkeergarages,' riep Donna. Deze keer wachtte ze niet tot iemand anders zou lachen, maar barstte ze zelf meteen in een schaterend gelach uit.

Langzaam maar zeker maakten andere gasten zich uit hun groepjes los en verplaatsten hun aandacht naar Donna, op haar tocht door het vertrek.

Donna vervolgde: 'Ik hoorde hier iemand zeggen dat we dit jaar zoveel bijen hebben. Dat is inderdaad waar, zeg! Ik heb nog nooit zoveel bijen gezien.'

'Ik heb ook nog nooit zoveel bloemen gezien,' zei een andere vrouw enigszins uit de hoogte.

'O, jezus, wat een kutopmerking!' gilde Donna. Als er al iemand was, die nog niet naar haar keek, dan deed hij dat nu beslist wel. 'Ik kan wel kotsen als mensen dat soort opmerkingen maken.' Ze keek naar de vrouw. Die had van schrik haar hautaine houding helemaal laten varen. 'Ik bedoelde het niet als een belediging,' voegde Donna er nog aan toe.

Ze zag Victor naar de deur lopen. Uitstekend, als hij haar dan toch voor schut ging zetten, kon ze maar beter triomferend ten onder gaan. 'Heeft een van jullie gisteren naar Sesamstraat gekeken? Er zijn hier vast wel zulke jonge mensen dat ze nog kleine kinderen hebben. Heeft niemand Sesamstraat gezien?' Als iemand het al gezien had, dan zei hij of zij dat in ieder geval niet. 'Nou, bij ons thuis is dat bijna een soort godsdienstoefening. Adam en ik kijken er elke dag naar.' Victor stond met zijn sleutels te rammelen, iets dat hij altijd deed om haar duidelijk te maken dat hij weg wilde. Ze sloeg geen acht op hem. 'Enfin, gisteren – en ik vertel jullie dit met gevaar voor eigen leven, want Victor vindt het afschuwelijk om over kinderen te praten; hij zegt, dat je daar anderen mee verveelt, ha! Ik zie dat jullie je in ieder geval op dit moment niet vervelen – enfin, ze deden een klucht in de trant van die serie *Beroemde toneelstukken.*Weet je, ze doen er altijd dingetjes tussendoor waar de kinderen niets van begrijpen, maar die leuk zijn voor de ouders. Nou, ze noemden die *Met Sesamstraat naar de schouwburg*. De gastheer was Allister Koekie, dat was natuurlijk een imitatie van Allister Cooke. De klucht die ze opvoerden was *Upstairs, downstairs*. Het enige dat dat stuk inhield, was dat Grover de trap op afrende, om de kinderen het begrip boven en beneden duidelijk te maken. Jullie weten natuurlijk allemaal wie Grover is...'

'Donna,' riep Victor, nu ze niet gevoelig was gebleken voor sleutelgerammel. 'Ik geloof dat we maar eens moeten opstappen.'

'Mijn "master's voice",' zei Donna en het sarcasme droop eraf. Hij liep naar haar toe. 'Je zou toch echt niet moeten drinken als je antibiotica slikt.'

'O, Victor, hallo. Gefeliciteerd. Ik wist niet dat je doktersbul vandaag bij de post was.' Ze wendde zich tot de gasten. 'Na inzending van twee spaarzegels, die u kunt vinden op de pakken...' Wat ze verder uitkraamde, was allemaal tamelijk vaag.

Pas na minutenlang soebatten, praten en bulderen slaagde Victor erin haar het huis uit te krijgen. Ze wist nog dat ze wat onduidelijke obscene opmerkingen had geschreeuwd (ze had zich niet zo recht voor zijn raap kunnen uiten als ze wel gewild had), dat ze zich afvroeg waarom ze zich zo gedroeg en ook dat ze vervolgens bedacht dat het er eigenlijk niet toe deed – en dat gold voor alles. Toen zat ze algauw in de auto naast een zo doodstille Victor dat ze letterlijk voelde hoe woedend hij was, steeds woedender werd en ieder moment kon ontploffen. Ze deed haar ogen dicht. Tot haar verrassing ontdekte ze dat de auto onder het afdak bij hun huis tot stilstand kwam. Ze had de hele weg naar huis geslapen, echt geslapen.

Bijna als in een droom liep ze langs mevrouw Adilman heen. Voordat ze bij Adams deur was, hoorde ze Victor haar al bedanken, betalen en uitlaten. Als altijd ging ze Adams kamer binnen en keek ze even naar haar slapende zoon. Daarna liep ze de hal door naar de slaapkamer die ze met Victor deelde. Ze wilde alleen nog maar slapen. Ze had zich haar leven lang nog niet zo uitgeput gevoeld. Voor het eerst voelde ze zich weer een beetje zoals in de nacht waarin haar moeder was gestorven. Die nacht waarin ze bij de telefoon had gezeten, wetend dat die zou gaan rinkelen, biddend dat dat niet zou gebeuren. En toen hij om ongeveer drie uur 's nachts inderdaad begon te rinkelen, was ze toch erg geschrokken. O god, nee! 'U spreekt met het ziekenhuis,' had de verpleegster gezegd. 'U kunt maar beter komen. Het gaat erg slecht met uw moeder.' 'Is ze...?' 'Het gaat erg slecht met haar.' Donna had een taxi gebeld, omdat ze zichzelf niet vertrouwde achter het stuur. Haar vader was al in het ziekenhuis en haar zusje was bij hem. Alleen Donna was naar huis gegaan, in de misschien irrationele hoop dat de dood – als niemand bij de zieke waakte – een deur verder zou gaan, waar er meer aandacht aan hem besteed werd. Ze bedacht hoe vreemd het was dat de personificatie van de dood altijd mannelijk was, terwijl het leven altijd vrouwelijk werd voorgesteld. Haar moeder.
Donna ging op het bed zitten en deed de rits van haar groene jurk los. Voor zich zag ze de rug van de taxichauffeur, zijn zwarte haar glom van de brillantine. Ze had hem gezegd waar

ze heen moest en hem gevraagd alsjeblieft op te schieten. 'Bent u verpleegster?' had hij gevraagd in een poging een praatje te maken. 'Nee,' had ze geantwoord 'mijn moeder ligt op sterven.'

Donna stond op en stapte uit haar jurk, die ze afwezig opraapte en over een stoel gooide. Ze hadden verder geen woord gewisseld. De taxichauffeur had zijn gaspedaal diep ingetrapt en haar in een recordtijd bij het ziekenhuis afgeleverd. Ze liep naar binnen, vond de lift die ze moest hebben en slaagde er op de een of andere manier in op de elfde verdieping te komen. Zodra ze de hoek omsloeg, zag ze haar zusje. Joans gezicht was opgezwollen en rood, en zo te zien kon ze ieder moment door haar knieën zakken. Ze stond alleen, midden in de gang. Verpleegsters liepen langs haar heen; geen van allen zagen ze dat ze op het punt stond in te storten. Donna holde naar haar toe, sloeg haar armen om haar zusje heen en terwijl ze dat deed, drong het tot haar door dat je niemands kleine meisje meer bent, als je moeder doodgaat. Onmiddellijk begaven Joans knieën het en ze zakte in elkaar. Ze klampte zich aan Donna vast als aan een rots. Wie houdt *mij* overeind? vroeg Donna zich af, terwijl de twee zusjes midden in de steriele gang stonden te snikken.

Donna liep de badkamer in en gooide wat water tegen haar gezicht. Het had nauwelijks effect. Ze deed wat tandpasta op haar tandenborstel en poetste haar tanden. Daarna spoelde ze haar mond en liep ze terug naar de slaapkamer, terwijl ze haar beha, nylons en schoenen onderweg liet vallen. Ze trok de sprei weg en kroop onder de dekens.

Het eerste dat ze voelde toen ze de kamer was binnengelaten, was de stilte. Haar vader zat als verdoofd ineengedoken en onbeweeglijk bij het bed. Hij deed meer denken aan een beeld van George Segal dan aan een mens van vlees en bloed. Het leek wel alsof hij van wit papier-maché was; zo volkomen overweldigd door zijn gevoelens dat het was alsof hij niets meer voelde. Alsof zijn gevoelens dood waren.

Donna sloot haar ogen. Victor was de kamer binnengekomen. En ze wilde hem niet zien.

Haar blik dwaalde van haar vader, aan het voeteneinde van het ziekenhuisbed, naar het lichaam van haar moeder. Merkwaardig hoe snel het een 'lichaam' werd, dacht ze. Maar dat was precies wat het was, vond ze. Het was haar moeder niet. Het was haar moeder absoluut niet. Haar gezicht was zo ingevallen, het lichaam onder het witte laken was niet meer dan een skelet, haar heupen en ledematen tekenden zich zo pijnlijk duidelijk af. Ze hield haar ogen dicht, haar mond open. Iemand had haar haastig haar pruik opgezet, maar die zat een beetje scheef, als het ware boven op haar hoofd. Die was haar te groot geworden. Donna was langs haar vader gelopen en bij haar moeders gezicht gaan staan. Ze keek ernaar zonder naar antwoorden te zoeken, wetend dat hier nog slechts feiten golden.

Ze had zich voorovergebogen en haar moeders voorhoofd gekust, dat was warm noch koud. Wat haar verbaasde was het totaal ontbreken van een ademhaling. Van leven. Dat wat haar moeder geweest was, wat het wezen van haar moeder had uitgemaakt, was verdwenen. En dus kuste ze helemaal haar moeder niet, realiseerde ze zich. Ze kuste een herinnering; de herinnering aan haar moeders rug, wanneer ze in het trappenhuis omhoogklommen; aan die keer dat ze kippenpastei had gemaakt en vergeten had er kip door te doen; aan het plezier dat ze samen hadden gehad, toen Donna op haar achtste uit school was thuisgekomen met haar eerste vieze mop (meneer, hebt u zoiets ook gezien? nee, zoiets heb ik nog nooit gezien); aan haar zo gezonde en oprechte woede; aan haar armen, haar ogen, haar geur, zo zacht en geruststellend. Als ze je vasthield en je haar armen om je heen voelde, haar geur je omringde, en je wist dat je veilig was – je bent niemands kleine meisje meer...

Donna probeerde zich te bewegen.

Maar ze kon het niet.

Die geur.

Een andere geur. Donna probeerde zich te bewegen.

Maar ze kon het niet.

Ze sloeg de ogen op.

Hij lag boven op haar en leek een vreemde. Ze deed haar mond open om iets te zeggen, maar hij legde er vlug zijn hand op. 'Hou toch eens één keer je bek, Donna,' zei hij. Hij trok aan haar benen in een poging om ze uit elkaar te doen. Hij leunde met zijn volle gewicht op haar. Ze kon zich niet bewegen. Ze kon amper ademhalen. 'Doe je benen wijd, verdomme,' schreeuwde hij, ook al was het in werkelijkheid niet meer dan een gefluister. Ze probeerde zich onder hem uit te wringen, maar hij drukte haar armen op het bed. Hij sjorde woedend aan haar. Angstig gluurde ze naar hem, banger dan ze ooit voor iets of iemand geweest was. God, laat me doodgaan, wenste ze, terwijl hij haar lichaam in de juiste houding legde en zich als een boor een weg naar binnen baande en haar het gevoel gaf dat hij haar openscheurde. Meer pijn dan nu kon hij haar niet doen. Ze was droog en werkte absoluut niet mee; toen hij in haar was gedrongen en op haar lag te rammen, dacht ze slechts aan de zoon die ze op de een of andere manier samen tot leven hàdden gebracht, met deze zelfde daad. Nee, niet deze zelfde daad. Er was geen enkele overeenkomst.

Toen hij klaar was, liet hij zich zonder verontschuldiging van haar afrollen en liep hij naar de badkamer. Ze bleef onbeweeglijk liggen, haar ogen dicht, haar mond open, haar haren als een slecht passende pruik. Ze wist slechts een paar dingen, maar die wist ze dan ook heel zeker. In gedachten maakte ze een lijst in zwarte blokletters, die boven een wit, dood lichaam hing.

1. Ze kon nooit bij Victor weg. Daar zou hij haar de kans niet voor geven. Dat had hij vanavond bewezen.
2. Ze zou hem nooit meer toestaan haar aan te raken. En als hij dat wel deed, zou ze hem vermoorden.
3. Ze zou nooit meer tegen hem schreeuwen. Ze zou alles doen wat hij wilde, zolang hij er maar in toestemde haar nooit meer aan te raken. Ze zou hem nooit meer de kans geven ruzie met haar te maken. Niets was belangrijk genoeg om ruzie over te maken. Nu niet meer.
4. Ze zou nooit meer autorijden.
5. Ze was dood. En ze zou nooit meer tot leven komen.

10

Mevrouw Adilman was grijzer en logger dan Donna zich herinnerde. Anders dan de meeste getuigen, die zorgvuldig vermeden hadden ook maar enigszins Donna's richting uit te kijken, had mevrouw Adilman tegen haar geglimlacht en haar
gedag gezegd toen ze langs Donna kwam om haar plaats in
de getuigenbank in te nemen. Donna hoorde tot haar verrassing dat mevrouw Adilmans voornaam Arlene was. Ze was
nooit op de gedachte gekomen haar daarnaar te vragen. Ook
was ze verbaasd dat mevrouw Adilman pas zesenvijftig was,
iets dat dan ook grondig verhuld werd dankzij de katoenen
jasschorten en gemakkelijke wandelschoenen die ze altijd
droeg. Vroeger had mevrouw Adilman Donna altijd het proto-
type geleken van de vriendelijke oma, zo'n oma die koekjes
voor je meebracht en die zich altijd liet overhalen om nóg een
verhaaltje voor te lezen voor het slapengaan. En daar deed
ze nog aan denken. De vriendelijke grootmoeder, die op het
punt stond om haar masker af te zetten, en de wolf die daar-
onder schuilging, te onthullen. Maar grootmoeder, wat hebt u
een grote mond!
Het concrete feitenmateriaal werd snel afgehandeld: ze had
Donna ontmoet toen die met Victor trouwde en in zijn huis
trok (met de nadruk op dat 'zijn'); naarmate de tijd verstreek
hadden ze elkaar beter leren kennen en vooral na de geboorte van Victors zoon (wat een interessante woordkeus,
dacht Donna). Donna was een erg lief meisje (dank u wel,
mevrouw), maar erg gevoelig voor koutjes en griepbacillen.
(Moeten we dit nu allemaal weer behandelen?) Vooral sinds
de geboorte van Sharon. Als je mevrouw Adilman mocht geloven, was ze ten minste twee dagen per week bij Donna,
terwijl die in bed lag. Donna's gedrag werd hoe langer hoe
vreemder (weer dat woord). Protest. Niet toegewezen. Het
terrein van de feiten werd in snel tempo verlaten. Mevrouw
Adilman vertelde dat ze vaak op alle uren van de nacht licht
zag branden. Toen ze eens 's nachts naar het toilet was ge-

gaan, had ze gemerkt dat er licht brandde in het huis van de Cressy's en had ze gezien dat Donna de muren van de woonkamer een schoonmaakbeurt gaf. Dat was om bijna vier uur 's nachts en Donna had de hele dag ziek in bed gelegen. Dat wist ze, omdat ze voor de kinderen had gezorgd. Sindsdien keek ze altijd of er licht brandde bij de Cressy's, als ze uit bed moest. En dat moest ze vaak, want haar nieren waren nogal eens ontstoken. Er brandde altijd licht. Donna was altijd op. Aan de schoonmaak.

En als moeder?

Donna hield haar adem in. Mevrouw Adilmans getuigenis zou haar kunnen schaden.

'Met Adam ging het heel goed,' begon mevrouw Adilman. Hier kwam ze niet zonder kleerscheuren doorheen. 'Maar ik herinner me een eigenaardig voorval.' Ze keek verontschuldigend naar Donna.

'Vertelt u ons eens iets daarover,' moedigde de advocaat haar aan.

'Nou,' zei ze, 'ik was de bloemen aan het besproeien – ik had die nacht niet kunnen slapen en dus was ik vroeg op – en toen zag ik Donna in haar keuken zitten. Ze zat aan de koffie en ik ging naar haar toe. Victor was de stad uit voor zaken en ik vroeg haar of de baby sliep. Adam had als baby nogal eens last van buikpijn. Hij huilde veel en die ochtend was het allemaal zo vredig.'

'En wat antwoordde ze toen?'

'Volgens haar was hij dood, zei ze.' Terwijl Donna naar het gezicht van de rechter keek, miste ze de volgende opmerkingen. De rechter keek diep geschokt. Toe, vertel ze maar alles wat je weet, Arlene, dacht Donna. 'Ze zei dat ze nooit aan haar koffie toe zou komen, als ze bij hem zou gaan kijken en zou ontdekken dat hij dood was.'

Ed Gerber deed enkele minuten alsof hij nadacht. Donna wist inmiddels wanneer hij echt nadacht en wanneer hij deed alsof. Want in het laatste geval legde hij zijn linker middelvinger op zijn neus en ondertussen keek hij scheel. En het is erg moeilijk om na te denken, als je het zo druk hebt met scheel kijken. Dit alles had tot doel om het publiek de kans te geven de getuigenverklaring goed tot zich door te laten dringen.

Deze komedie duurde slechts even; wanneer hij die langer zou rekken, zou ondanks de afschuwelijke situatie het zotte van het geheel boven komen.

'U moet me niet verkeerd begrijpen,' voegde mevrouw Adilman eraan toe (hoe zouden we je in 's hemelsnaam verkeerd kunnen begrijpen? dacht Donna). 'Volgens mij hield Donna van haar kleine jongen. Volgens mij hield ze van hem.'

Dank je wel, Arlene. Sterker nog: ik hou nog altijd van hem.

'Vertelde mevrouw Cressy het u, toen ze in verwachting was van haar tweede kind?'

'Ja.'

Donna sloot de ogen.

'Kunt u ons daarover iets vertellen?' Het was meer een opdracht dan een verzoek.

'Ik protesteer.'

'Op welke gronden, meneer Stamler?' vroeg de rechter.

'Ik zie het belang hiervan niet in, edelachtbare.'

'Ik kan u verzekeren dat we u dat belang zullen aantonen,' viel Gerber hem in de rede.

'Protest afgewezen.'

'Wilt u ons vertellen hoe dat gesprek verliep, mevrouw Adilman.'

Donna wenste vurig dat mevrouw Adilman door de bliksem getroffen zou worden en ter plekke dood zou blijven. Maar de bliksem kwam niet. Haar advocaat keek haar aan. 'Tja, ik heb het geprobeerd,' zei hij en hij klopte haar op de hand.

'Ik was in de tuin bezig, zoals gebruikelijk,' begon Arlene Adilman en het was haar aan te zien dat ze de hele scène weer vóór zich zag. 'Donna kwam thuis. Ja, ze was weg geweest. Adam was naar zijn peuterklasje. Ik herinner me dat ze door een taxi werd thuisgebracht...'

'Door een taxi?'

'Ja, ik had haar al een paar maanden niet meer zien rijden. Als ze ergens heen moest, nam ze altijd een taxi. Ik nam aan dat er iets niet in orde was met de auto.'

'Enfin, ze werd door een taxi thuisgebracht,' herhaalde Gerber om de getuige weer op het juiste spoor te zetten en hij legde daarbij de nadruk op het woord 'taxi'.

'Ja. Ze leek me erg van streek...'

'Ik protesteer.'

'Ja, ze had gehuild,' zei mevrouw Adilman, die haar eigen verdediging ter hand nam. 'Dat was duidelijk te zien.'

'Protest afgewezen. De getuige kan doorgaan.'

'Ze kwam naar me toe. Ik zei haar gedag en vroeg of ze zich goed voelde. Ze vertelde me dat ze net bij de dokter was geweest en dat ze zwanger was.'

'En wat zei u toen?'

'Dat dat geweldig was. Dat er niets treurigers was dan een enig kind.'

'En wat zei zij daarop?' vroeg Gerber.

'Ze antwoordde dat ze die baby niet wilde.'

'Dat ze die baby niet wilde?'

'Ze zei dat het een gruwelijke speling van het lot was en dat ze dit kind niet ter wereld kon laten komen.'

'Niet ter wereld kon laten komen?'

Waarom herhaalde hij toch alles? Was hij soms hardhorend?

'Verklaarde ze zich nog nader?'

'Ze bleef maar zeggen dat ze de baby niet kon krijgen, dat ze hem niet wilde, en toen smeekte ze me niet tegen Victor te zeggen dat ze zwanger was. Ik zei haar dat hij dat toch wel gauw zou merken.'

'En wat antwoordde ze daarop?'

'Ze zei dat hij er misschien nooit achter zou hoeven te komen.' Ze zweeg en keek Donna recht aan. 'Toen ik me realiseerde wat ze van plan was...'

'Ik protesteer. De getuige kan absoluut niet weten wat mevrouw Cressy van plan was.'

'Toegewezen.'

'Beperkt u zich maar tot wat er gezegd werd, mevrouw Adilman,' adviseerde de advocaat haar.

'Toen ze dat zei, dat Victor er misschien nooit achter zou komen, zei ik: "O, Donna, dat meen je toch niet? Je wilt die hulpeloze baby toch niets doen?" Ik bedoel: ik kon gewoon niet geloven dat ze echt zo iets zou doen; moord op haar eigen...'

'Ik protesteer, edelachtbare.'

'Toegewezen.'

Er kwamen tranen in Donna's ogen. Ik heb toch niets gedaan? schreeuwde ze de vrouw in de getuigenbank in stilte toe. Voor het eerst wekte die de indruk dat ze zich niet op haar gemak voelde en ze wendde haar blik af. Ik heb geen abortus laten plegen. Ik heb het allemaal weer doorgemaakt, de hele ellende. Ik werd weer dik. Ik ging opnieuw op zwangerschapsgymnastiek, hoewel het ernaar uitzag dat het weer een keizersnee zou worden. Ik heb de operatie ook ditmaal doorstaan met Victor naast me. Ik heb mijn kleine meisje gekregen. En jij, jij, ouwe heks, je had gelijk. Ik kon mijn eigen kind niet vermoorden, hoe het ook verwekt was; ook al wilde ik het op dat moment nog zo graag. Net zo graag als ik haar nu wil behouden. Want dat leventje is mijn leven, en ook al heb ik het mijne dan nog zo verknoeid, dat meisje is een gelukkig, geweldig, evenwichtig engeltje – en dat is voor een heel groot deel aan mij te danken. Jij zit de mensen hier nu wel verhalen op te hangen over mijn wisselende stemmingen en haarkleuren, over al mijn genies, mijn schoonmaken en huilen, maar zou er alsjeblieft ook eens iemand op kunnen wijzen dat ik er ondertussen toch maar in geslaagd ben om twee schitterend mooie, evenwichtige kinderen op de wereld te zetten? Joost mag weten hoe me dat gelukt is. Zou er alsjeblieft iemand een goed woordje voor me willen doen? Nee, beantwoordde Donna in gedachten haar eigen vraag. Je bent nog niet aan de beurt.

De volgende getuige maakte zich bekend als Jack Bassett. Hij was lang, slank en blond en zag er uit als een net iets overjarige strandheld. Hij had een sportwinkel en kende Victor al vrij lang, zij het nogal oppervlakkig, vertelde hij. Victor had hem namelijk eens een verzekering verkocht, toen hij met zijn zoontje in de zaak was om naar werphengels te kijken. Enkele weken later was hij Victor met vrouw en zoon tegen het lijf gelopen op de Mall in Palm Beach. Donna was toen zwanger, zei hij.
Donna herinnerde zich die ontmoeting en deze man niet.
Daar stond hij – of zat hij, verbeterde ze zichzelf – op het punt om haar te vonnissen met zijn antwoorden en ze had er geen idee van waarom – of van wat hij te zeggen had. Had ze hem soms op de tenen getrapt toen ze aan elkaar werden voorgesteld? Had ze onbeschaamd gegiecheld of om een Kleenex gevraagd?

'Hebt u mevrouw Cressy nog bij andere gelegenheden ont-moet?' vroeg Ed Gerber.

'Nog maar één keer.'

'Wilt u ons daarover alstublieft vertellen?'

Jack Bassett glimlachte. Hij had een wit, regelmatig gebit. Donna vroeg zich af bij welke gedenkwaardige gelegenheid ze elkaar nog meer ontmoet hadden. 'Ik was met mijn kat naar de dierenarts geweest, een zekere dokter Ein, aan South Dixie, vlak bij Forest Hill.' Donna voelde zich een beetje mis-selijk worden. Hoewel ze zich deze getuige nog altijd niet herinnerde, wist ze nu welke kant ze uitgingen. Gerber was eindelijk teruggekeerd naar het kruispunt. Hij begon nu het andere spoor te volgen. Donna keek vlug achterom. Mel glim-lachte geruststellend. Jack Bassetts oer-Amerikaanse stemge-luid trok haar blik weer naar de getuigenbank. 'Ik parkeerde mijn auto en ging met Charlie naar binnen.'

'Is dat een parkeerterrein voor cliënten van de dierenarts?'

'Ja, voor de dierenkliniek en voor diverse andere medische voorzieningen aan de andere kant van het terrein.'

'En wat gebeurde er toen u weer uit de kliniek kwam?'

'Nou, ik was een beetje van de kaart. Dokter Ein had gezegd dat hij Charlie een nachtje moest houden en ik hou van die kat als van mijn kinderen...'

Iedereen glimlachte goedkeurend. En *zij* werd verondersteld gek te zijn?

'Hoe dan ook,' ging hij verder.

Hoe het ook zij, zei Donna bij zichzelf.

'Ik liep terug naar het parkeerterrein. Daar stonden inmiddels veel meer auto's. Ik was ongeveer een uur bij de dierenarts ge-weest. En ik wist niet meer waar ik die verdomde brik van me gelaten had – o, sorry, excuseert u mij voor mijn grove taal.'

De getuige werd vriendelijk verontschuldigd en er werd hem verzocht verder te gaan. Schiet op met je verhaal, spoorde Donna hem in stilte aan. Kom op met je onthullingen. We we-ten allemaal dat er iets moet komen. Je hebt iets gezien, hè? Toen je naar je auto liep te zoeken. Iets dat je niet verwacht had. Vertel ons het hele verhaal maar. Waarom vonden de getuigen toch allemaal dat ze een soort spanning moesten opbouwen? Waarom bemoeide iedereen zich toch met andermans zaken? Hoe zat dat nu met al die geweldige verhalen over privacy, die ze overal las?

'Hoe dan ook...'

Hoe het ook zij.

'Ik keek om me heen en toen zag ik die kleine witte MG. U weet wel, een van die heel oude modellen. Een prachtig autootje. Ik besloot het eens van dichterbij te bekijken. Ik wist echt niet dat er iemand in zat.' Hij keek verlegen. 'Ik bukte me en gluurde door het raampje.'

'Zat er iemand in?'

'Ja, er zat iemand in.'

'Zag u wie het was?'

'Nee, aanvankelijk niet. Ik dacht eerst dat er een stelletje vrijende tieners in zat.'

'U zag twee mensen die elkaar kusten?'

'Inderdaad. Heel hartstochtelijk.'

'En?'

'Meer deden ze volgens mij niet. Ik kon het echt niet zo goed zien.'

'Ik protesteer.'

'Daar is geen reden toe,' wierp Gerber snel tussenbeide. 'De vraag werd verkeerd opgevat. Ik bedoelde niet: En wat deden ze nog meer? Ik bedoelde gewoon: En wat gebeurde er toen?'

'Dit laatste antwoord moet uit het verslag geschrapt worden,' zei de rechter.

'En wat gebeurde er toen?' herhaalde Ed Gerber duidelijk.

'Volgens mij ontdekten ze me en toen lieten ze elkaar los.'

'Herkende u hen toen?'

'Niet echt. Zij kwam me wel een beetje bekend voor, maar pas toen ze enkele minuten later uit de auto stapten, wist ik wie ze was. Ze had haar haar heel anders dan de laatste keer dat ik haar gezien had.'

'En wie was ze?'

'Mevrouw Donna Cressy,' zei hij, ten onrechte glimlachend keek hij in Donna's richting.

Wat een verrassing! wilde ze roepen.

'En de man die ze kuste?'

'Dat was dokter Mel Segal.'

'Waarom duurt het toch allemaal zo lang?'

Donna zat naast Mel in de 'antieke' witte MG, die eerder die middag genoemd was. Ze stonden voor het huis dat ze op dat moment gehuurd had.

'Victor heeft een heleboel getuigen,' zei Mel bij wijze van verklaring.

'Eén voor ieder punt dat hij tegen me heeft.'

'Daar lijkt het wel op.'

'Ze zeggen allemaal hetzelfde.' Hij knikte. Ze draaide zich met een ruk naar hem toe. 'Denk jij dat ik gek ben?' Hij legde zijn arm om haar heen. 'Ik weet gewoon niet meer wat ik moet denken,' vervolgde ze hoofdschuddend. 'Ik luister naar al die getuigen. Zitten ze er dan echt *allemaal* naast?'

Mel glimlachte teder naar haar. 'Ze zitten er allemaal naast,' zei hij.

Ze legde haar wang tegen de zijne. 'Dank je wel.'

'Wat ga je vanavond doen?'

Ze keek naar het huis. 'Ik wil met de kinderen naar McDonald's. God, wat zou Victor daar niet allemaal van te zeggen hebben! De troep die ik mijn kinderen laat eten!'

'Victor zou nooit zo dom zijn om daar een punt van te maken. Een aanval op McDonald's is een aanval op een puur Amerikaanse verworvenheid!'

Ze lachte. 'Heb je geen zin om Annie te gaan halen en met ons mee te gaan?'

Hij schudde het hoofd. 'Nee. Ga jij maar alleen. Met je kindertjes.'

Ze klopte met haar hand op de zijne en maakte glimlachend haar veiligheidsriem los. 'Wie laat er nu veiligheidsriemen zetten in een "antieke" oude sportwagen?'

Mel lachte. 'Dat doen alleen lage verleiders van zwangere gekken, zoals ik,' antwoordde hij en hij boog zich naar voren en kuste haar.

Donna legde haar hand op de kruk van het portier, maar stapte nog niet uit. 'Weet je dat ik er gewoon tegen opzie om naar binnen te gaan?' Mel keek haar vragend aan. 'Dat komt doordat Adam gisteravond een diepgravende discussie begon over leven en dood,' legde ze uit. 'Ik weet niet of ik daar vanavond wel tegen opgewassen ben. Het was heel vreemd,' vervolgde ze, 'ik wilde hem vertellen dat mijn moeder naar de hemel was gegaan, maar ik kon het gewoon niet over mijn lippen krijgen.'

'Waarom niet?'

'Ik weet het niet precies. Ik denk, omdat ik niet echt in een hemel geloof.'

Mels stem klonk zacht en bemoedigend toen hij vroeg: 'Moet je dan alles geloven wat je hem vertelt?'

Ze was verrast door Mels onverwachte vraag en realiseerde zich dat hij gelijk had. Plotseling moest ze lachen. 'Natuurlijk niet,' antwoordde ze en meteen zag ze in gedachten de kerstman, het Koekiemonster en de lange rij producten van Adams levendige verbeelding – die ze trouwens van harte stimuleerde. 'Dank je wel,' knikte ze instemmend en ze merkte hoe ze alles weer in de juiste verhoudingen begon te zien. Ze deed het portier open. 'Jij zult er altijd zijn, hè?' vroeg ze en ze keek hem aan. Toen stapte ze uit de auto. 'Als ik mezelf te ernstig ga nemen en als...'

'Als wat?'

Ze glimlachte. 'Ik hou van je.'

'Ach, dat zeg je tegen alle lage verleiders.'

Ze deed het portier dicht en leunde door het open raampje naar binnen. 'Reken daar maar op.' Toen draaide ze zich om en liep snel het pad op naar de voordeur.

11

Hij stond al bijna een uur naar haar te staren.

Aanvankelijk had ze gedacht dat hij naar iemand anders stond te kijken; toen was ze van gedachten veranderd en tot de conclusie gekomen dat hij naar de muur achter haar keek. Nu had ze definitief besloten dat hij naar haar staarde. Ze haalde een denkbeeldig haartje van haar rechterwang, boog het hoofd en sloeg tegelijkertijd de ogen op, op de manier die ze Lauren Bacall had horen beschrijven als 'De Blik' die door haar beroemd was geworden. Donna vroeg zich af of de baardige man aan de andere kant van de kamer vond dat ze op de jonge Lauren Bacall leek. Ze sloeg de ogen neer.

Dat kon heel goed, maar niet heus, zei ze tegen zichzelf, toen ze oog in oog (oog in buik?) kwam te staan met de realiteit. Ze was acht maanden zwanger. Met al die mensen tussen hen in was het natuurlijk heel goed mogelijk dat hij niet haar hele lichaam kon zien. Boven haar borsten zag ze er helemaal niet zwanger uit. Sterker nog: ze was over haar hele lichaam erg afgevallen, behalve bij haar buik. De meeste mensen op het feestje waren oprecht verrast over het feit dat ze de afgelopen jaren zo was afgevallen. Zij op haar beurt stond weer verbaasd over hun verrassing. Want ze had zich niet gerealiseerd hoe mager ze geworden was. Terwijl ze aan haar haren stond te plukken, bedacht ze plotseling dat het misschien daardoor kwam. Misschien moest ze iets doen met haar haar – het laten behandelen, knippen of misschien zelfs verven. Door haar haar leek ze veel te mager, ze zag er echt slecht uit, terwijl ze juist zou moeten stralen. Stralen – het mocht wat.

Hij stond nog altijd naar haar te staren.

Donna kende hem niet. De meeste mensen op het feestje kende ze, hoewel ze hen in geen jaren gezien had. Het waren tenslotte toch voornamelijk haar vrienden geweest en Victor en zij hadden de laatste tijd het contact met de meesten van haar vrienden bijna helemaal (zo niet volkomen) verloren. Ze keek de kamer rond; er waren vroegere vrienden van McFaddons reclamebureau ('Wat zijn die mensen saai,' had Victor gezegd. 'Ze praten alleen maar over hun campagnes.'); een paar vriendinnen met wie ze vaak lunchte ('Ik snap niet hoe je met die meisjes kunt omgaan, Donna. Ze praten alleen maar over de laatste films. Echt van die vlinderachtige types. Jij hebt meer intellectuele diepgang.'); wat oude liefdes ('Ik wil niets weten over je verleden. Dat gaat mij niet aan.'); en haar dikke vriendin, vroeger haar boezemvriendin en vertrouwelinge Susan Reid. Zij was vanavond de gastvrouw. ('Die praat alleen maar over mannen en wilde feesten. Ze heeft beslist geen goede invloed op je, Donna.') Er waren ook wat vrienden van Susan, die Donna wel van gezicht kende, maar verder niet. En sommigen kende ze zelfs helemaal niet. Zoals de man met de blonde snor en de baard, die bij de openslaande deuren naar haar stond te kijken.

'Wie is die man daar?' vroeg Donna aan de gastvrouw, toen Susan kwam langslopen. 'Die man met die baard.'

Susan deed alsof ze de kamer rondkeek. Ze hief haar glas naar haar mond en gebruikte dat als beschermend schild om achter te praten. Haar blik dwaalde afwezig rond zonder met iemand onnodig oogcontact te maken. 'O, die. Dat is Mel Segal. Hij is arts. Hij is gescheiden, geloof ik. Hij heeft een dochtertje. Wel een leuke vent, hè?'

Donna haalde de schouders op. 'Niet mijn type!' Toen moest ze lachen. 'Moet je mij horen! Niet mijn type. Ik ben verdorie acht maanden zwanger.'

'Waar is Victor trouwens?' Donna was nu al twee uur op het feestje en voor het eerst vroeg er iemand naar hem.

'Hij is de stad uit voor zaken. Naar Sarasota.'

'Is alles goed tussen jullie?'

'O, natuurlijk. Prima. Hoezo?'

Susan haalde de schouders op. 'Ach, ik weet het niet. Je ziet er alleen een beetje... tja, ik weet het niet.'

'Zeg het maar.'

'Je bent jezelf niet!' gooide ze eruit.

Instinctief weigerde Donna te begrijpen wat Susan met die opmerking wilde zeggen. 'Och, ik ben tenslotte zwanger,' antwoordde ze.

'Tja,' zei haar vriendin instemmend. 'Dat zal het wel zijn.'

De twee vrouwen keken elkaar aan. Op hun gezicht stond te lezen, hoe intens graag ze elkaar mochten. Donna dacht aan al hun telefoontjes, aan al het plezier en alle ellende die ze om hun diverse liefdes hadden gehad, aan alle films waar ze samen heen geweest waren, aan alle roddels die ze hadden uitgewisseld. Totdat ze getrouwd was. Susan en Victor hadden gewoon nooit met elkaar kunnen opschieten; hun karakters stonden lijnrecht tegenover elkaar. Niemand zei er ooit iets van, maar naarmate de tijd verstreek, kwam Susan steeds minder vaak en Victor vond altijd wel een excuus om niet naar Susans vele feestjes of partijtjes te hoeven. (De enige keer in de afgelopen paar jaar dat hij geen smoes meer wist te verzinnen, had hij het grootste gedeelte van de avond verveeld heen en weer gedrenteld en uiteindelijk had hij om tien uur met zijn sleutels in Donna's richting gerammeld.) Donna besefte dat de enige reden waarom ze hier vanavond was, lag in het feit dat Victor de stad uit was. Lang leve Sarasota, dacht ze.

'Kan ik nog iets te drinken voor u halen?' Een mannenstem. Donna keek op en ontdekte tot haar verrassing dat Susan verdwenen was en dat dokter Mel Segal haar plaats had ingenomen. Ze gaf hem haar glas.

'Tonic graag,' want ze wist niet wat ze anders moest zeggen. Ze keek hoe hij zich een weg baande door de drukte. Ze kwam tot de slotsom dat hij er aantrekkelijk uitzag. Hij had een lichte huid en een flinke bos blond haar. Hij had een gespierd lijf, maar zo te zien kostte het hem wel moeite om in vorm te blijven. Hij zag er eigenlijk uit als een wat groot uitgevallen jongen, bedacht Donna toen hij weer naar haar toe kwam, in elke hand een glas. Hij had bruine ogen en als hij lachte, kwamen er kuiltjes in zijn wangen.

'Een tonic voor de aanstaande moeder,' zei hij, terwijl hij haar het glas overhandigde.

'Dank u wel.'

'Hebt u zin om het terras op te gaan?'

Donna was verbijsterd. Waarom wilde hij met haar het terras op? Viel hij soms op zwangere vrouwen? Ze had weleens gelezen dat er zulke mannen bestonden.

'Is daar dan iets speciaals te doen?' vroeg ze.

'Ik zou graag eens met u willen praten,' antwoordde hij.

Ze wilde hem vragen waarover, maar besloot dat het antwoord haar misschien niet zou bevallen. En ze was inmiddels tot de slotsom gekomen, dat ze maar al te graag met hem naar het terras wilde. Met een gebaar liet hij haar voorgaan.

'Hebben we elkaar al eens ontmoet?' vroeg ze, terwijl ze langs de andere gasten over het betonnen terras naar een hoek van het grasveld liepen waar verder niemand stond.

'Nee.'

Ze stonden stil.

'Ik ben één en al oor,' zei ze.

'Ik hoopte dat u iets zou willen zeggen.'

'Ik? Maar u zei dat u wilde praten.'

Er viel een lange stilte. Ten slotte zei hij na lang nadenken: 'Het gaat me eigenlijk niets aan.'

'Wat? Of wat niet?' verbeterde ze zichzelf.

'U.'

'Waar hebt u het over?'

Opnieuw een lange stilte.

'Kijk, dit is eigenlijk niets voor mij. Ik bemoei me over het algemeen nooit met iemands privé-leven. Wat dat betreft ben ik erg gemakzuchtig. Ik ben er een voorstander van om geen slapende honden wakker te maken en zo...'

'Wat wilt u me nu zeggen?'

'Dat ik nog nooit een vrouw heb gezien die me zo ongelukkig leek als u.'

Donna was te verbaasd om iets te zeggen.

'Neem me niet kwalijk. Dat is nogal wat tegenover iemand die je helemaal niet kent, ik weet het. Maar ik heb naar u staan kijken en ik hoorde steeds zeggen: "Wat is er toch met Donna gebeurd? Ze was altijd zo knap," en – eerlijk gezegd – ik vind u nog steeds knap om te zien, maar het is duidelijk dat u hopeloos ongelukkig bent...'

'Die woorden zijn geheel voor uw rekening.' Donna begon uit haar verbijstering te ontwaken. Ze voelde tranen in haar ogen komen.

'O, ga nu alstublieft niet huilen. Ik weet me absoluut geen raad met huilende vrouwen.' Hij legde zijn arm om haar heen en liep met haar naar het achterste gedeelte van de tuin. De tranen bleven stromen, ze begon nu echt te snikken, haar schouders schokten. Even later waren alle andere gasten van het terras verdwenen en ging Donna achter in de tuin op het gras zitten. Ze lag in de armen van de dokter en huilde, huilde zoals ze niet meer gehuild had sinds die nacht, nu bijna negen maanden geleden. Mel zat naast haar. Hij bleef haar stevig vasthouden, tot de laatste krampachtige snik.

'Ik zou niet moeten huilen,' zei ze ten slotte, 'dat is niet goed voor de baby.'

'Daarover zou ik me maar geen zorgen maken. U kunt zich beter zorgen maken over wat goed is voor moeder. En wat goed is voor moeder, is goed voor het kind.'

Donna probeerde te glimlachen. 'Ik was even vergeten, dat u dokter bent.' Ze zweeg en veegde achteloos haar neus af met het servetje, dat om haar glas had gezeten. 'Waar doet u praktijk?'

'Aan South Dixie. Vlak bij Forest Hill Boulevard.'

Ze knikte. 'In een van de klinieken daar?' Hij knikte op zijn beurt. 'Bent u huisarts?' Hij knikte weer. 'Doet u dat werk graag?'

'Heel graag.'

'Susan vertelde me dat u een dochter heeft...'

'Ja, Annie. Ze is zeven. Maar hard op weg om volwassen te worden.' Donna slaagde erin een zwakke glimlach te produceren.

'Het kind heeft de laatste paar jaar erg veel doorgemaakt.' Hij keek haar in de ogen. De tranen hingen nog aan haar wimpers. Er was niet veel voor nodig om ze weer te laten stromen. 'Susan zal u ook wel verteld hebben dat ik gescheiden ben.'

'Ja.'

'Verbazingwekkende meid, die Susan. Ze heeft zich de kunst eigen gemaakt je rechtstreeks aan te staren en ondertussen allerlei akeligs over je te zeggen, terwijl ze naar je blijft glimlachen en je haar mond zelfs niet ziet bewegen. Daar is ze echt heel goed in.'

'Ze heeft niets akeligs over u gezegd.'

'Scheiden is altijd akelig. Vooral als er kinderen bij betrokken zijn.'

'Waarom bent u dan gescheiden?'

'Dat was niet mijn beslissing, maar die van Kate. Ik denk dat die zich belazerd voelde...'

'Belazerd?'

Ze maakten zich los uit elkaars armen en zaten nu naast elkaar, allebei apart, de knieën opgetrokken, voorovergebogen, terwijl hun handen bijna in de maat grasjes plukten.

'Het is het gebruikelijke verhaal,' zei hij en hij haalde de schouders op. 'Direct na de middelbare school zijn we getrouwd; zij ging werken om mij medicijnen te laten studeren. Zodra ik klaar was, gaf ze haar werk op. We kregen een kind. Ik werkte hard. Ik was nooit thuis, zij altijd. Ze had een hekel aan thuis zitten. En zo kreeg ze ook een hekel aan mij. Ze ging bij een paar vrouwengroepen. En de volgende stap was de aankondiging dat ze wegging om een nieuw leven op te bouwen. Om carrière te maken. Ze wil advocate worden. En dat was dat.'

'En Annie?'

'Annie is bij mij. Kate heeft haar in de vakanties en 's zomers.' Donna's hele lichaam spande zich. Waarom bij u? wilde ze vragen. Waarom hebt u de voogdij gekregen? In plaats daarvan zei ze: 'En Kate?'

'Die is over een jaar klaar met haar studie. Eerlijk gezegd denk ik dat ze een goede advocate wordt.'

'Bent u niet verbitterd?'

Hij schudde het hoofd. 'Nee. Weet u, ik had minstens zoveel schuld als zij. Het komt er eigenlijk op neer dat ze me negen jaar niet gezien heeft. En als je dan negen jaar getrouwd bent, blijft er van je huwelijk niet veel over.' Hij zweeg en gooide een lange grasspriet de lucht in. 'Toch is het grappig om te zien hoe het nu gelopen is. Want sinds zij is weggegaan, ben ik opgehouden zo hard te werken. Ik realiseerde me plotseling dat ik een kind moest grootbrengen. Dus ben ik nu nooit later dan zes uur thuis en 's morgens wacht ik altijd tot de schoolbus er is. De weekends werk ik nooit, behalve als er een spoedgeval is. Allemaal dingen die Kate zo graag wilde, toen we nog getrouwd waren.'

Hij keek naar Donna. 'Waarom komen we toch altijd pas zo laat tot inzicht?'

'Waarom hebt u de voogdij gekregen?' vroeg Donna plotse-
ling. Ze kon die vraag niet langer voor zich houden.
'Volgens Kate was dat beter voor Annie. Een kind van vier
hoort niet op een universiteit. En zelfs die wijsneus van zeven
die ze nu is, hoort daar niet.'
Ze keken recht voor zich uit, naar het huis.
'Wilt u nu praten?' vroeg hij.
'Nee,' antwoordde ze.
'Waarom niet? Vertrouwt u me niet?'
'Als ik begin te praten, ga ik huilen.'
Ze bleven strak voor zich uit staren, bijna bang om elkaar aan
te kijken.
'Wat hoopt u dat het wordt, een jongen of een meisje?'
'Een meisje. Ik heb al een zoontje, Adam.'
'Hebt u al een naam bedacht?'
'Als het een meisje wordt, noem ik haar Sharon. Mijn moeder
heette Sharon.'
'Mijn moeder heette Tinka.'
'Tinka?'
Hij lachte. 'Stelt u zich eens voor: drie meisjes, vijf, zeven en
negen jaar oud, die per boot uit Polen arriveren. Ze heten
Manya, Tinka en Funka.'
'Funka?'
'Ziet u nu wel? Dan klinkt Tinka ineens niet zo gek meer, hè?'
Ze lachte. 'Hoe is het die meisjes vergaan?'
'Het gebruikelijke verhaal. Ze werden groot, trouwden, kre-
gen kinderen en gingen dood. Behalve Manya. Die leeft nog.
Volgens mij is ze inmiddels zesentachtig. Ze liegt altijd over
haar leeftijd.' Hij lachte. 'In de tussentijd hebben ze hun neus
en hun namen veranderd. Manya werd Mary en Funka werd
Fanny. Alleen Tinka bleef Tinka.' Hij glimlachte en schudde
het hoofd.
'Een fantastische vrouw.'
'Bent u enig kind?'
Hij schaterde het uit. 'Ben je mal! Ik heb vier zussen en twee
broers. We zijn over het hele land verspreid. Van Vermont tot
Hawai.'
'Ik heb één zus,' vertelde Donna. 'Die woont in Engeland.'
'En uw man? Wat doet die?'

Donna stond op en klopte het gras van haar jurk. Tot haar verbazing bleef Mel zitten.

'Ik ben een beetje moe,' zei ze, terwijl ze op hem neerkeek. 'Ik kan maar beter eens naar huis gaan.'

'Oké,' zei hij en hij bewoog zich nog altijd niet.

'Zou u me een lift kunnen geven?' vroeg ze tot haar eigen verbazing.

Hij krabbelde vlug overeind. 'Neem me niet kwalijk,' verontschuldigde hij zich. 'Ik nam gewoon aan dat u zelf met de auto was.'

'Ik rij niet.'

'O nee? Dat komt niet vaak voor.'

'Vroeger wel.'

Hij zei niets.

'Als u ooit tot de conclusie komt dat u met me wilt praten, dan weet u waar ik zit,' begon hij na een stille rit naar huis. 'Kom dan alstublieft bij me langs.'

Ze glimlachte, deed het portier open en worstelde zich uit de kleine witte sportwagen. 'Bedankt,' zei ze.

Hij wachtte tot ze veilig en wel binnen was, voordat hij wegreed.

Sharon was al drie maanden, toen Donna dokter Segals spreekkamer binnenwandelde.

'Ik herkende u even niet,' zei hij en hij stond op om haar te begroeten. 'Uw haar zit anders.'

Donna's hand schoot automatisch naar haar bijna peenrode haar. 'Vindt u het leuk?'

Hij lachte. 'Ja,' zei hij. 'Het staat lief.'

'Dat klinkt, alsof u het meent.'

'Dat is ook zo.'

'Victor vindt het afschuwelijk.'

'Victor?'

'Mijn man.'

'Moet u daarom lachen?'

'Hoe bedoelt u?'

'Dit is voor het eerst dat u lacht sinds u hier bent binnengekomen. Nu u zegt dat Victor uw haar afschuwelijk vindt.'

'Ben ik zo doorzichtig?'

'Alleen wanneer u dat wilt zijn.'

Ze glimlachte opnieuw. 'Het enige probleem is dat ik het ook afschuwelijk vind.'

'Het enige probleem?'

'En ik vind Victor ook afschuwelijk, ik haat hem.' Ze begon plotseling te lachen en lachte minutenlang net zo uitbundig als ze vijf maanden geleden gesnikt had. 'Goh, ik heb het hardop gezegd. Ik haat hem.' Abrupt hield ze op met lachen en ze begon te huilen. 'Mijn god, ik haat mijn man. En ik haat mezelf.' Al had hij een prop in haar mond gestopt en haar mond dichtgeplakt, dan nog had Mel haar niet tot zwijgen kunnen brengen. Ze gooide het er allemaal uit, een ware stortvloed van woorden. Ze gunde zich nauwelijks de tijd een verhaal helemaal uit te vertellen, want dan begon ze alweer aan het volgende. Ze vertelde alles. Haar bijna zes jaar met Victor. De hele geschiedenis, inclusief het verhaal van de nacht waarin Sharon verwekt was.

'Volgens mij probeert hij het voortdurend goed te maken,' zei Donna. 'Hij is erg attent. Hij besteedt altijd erg veel aandacht aan Sharon. Hij kan heel goed met haar overweg. Hij helpt me veel in huis. Hij koopt voortdurend cadeautjes voor me, gaat met me uiteten in de gezelligste restaurantjes. Hij probeert nooit...' Ze keek Mel aan om te zien of die begreep wat ze wilde zeggen – zodat ze het niet meer hoefde uit te spreken. Hij begreep het. En ze vervolgde: 'Maar ook al steekt hij een hand naar me uit om me uit de auto te helpen, dan krijg ik al het gevoel dat ik moet kotsen.'

'Misschien omdat u geen hulp nodig hebt bij het uitstappen.' Donna keek in Mels donkerbruine ogen. Hij zat op de rand van zijn bureau. Zij zat zo'n dertig centimeter van hem af. Ze slikte krampachtig, alsof ze probeerde te verwerken wat Mel zojuist gezegd had. 'Hij geeft me het gevoel dat ik helemaal niets kan,' zei ze, terwijl ze het vertrek rondkeek. 'In het begin vond ik het wel leuk om me helemaal aan hem toe te vertrouwen, om alles voor me te laten regelen. Maar na een tijdje... weet u wat er met je gebeurt?' vroeg ze en voor het eerst slaagde ze erin hierop zelf een exact antwoord te formuleren. 'Het maakt weer een klein kind van je. Je bent niet meer volwassen. En na een poosje ga je net zo doen als je behandeld wordt... als een kind! Je wordt volkomen afhankelijk. Ik ben tweeëndertig! Ik heb twee kinderen. Ik zou van niemand afhankelijk moeten zijn, behalve van mezelf! Ik begrijp niet hoe dit allemaal heeft kunnen gebeuren!'

Ze zocht naar woorden en legde haar handen om haar hals. 'Ik krijg gewoon geen lucht! Hij verstikt me. Hij neemt alle beslissingen; hij trekt alles in twijfel – de nietigste, stomste, onbelangrijkste dingetjes. Hij moet zich overal mee bemoeien.' Ze hief de handen op. 'En weet u wat me de laatste tijd echt bang maakt?'

Mel liep naar de andere kant van zijn bureau. 'Nou?' Hij ging in zijn stoel zitten.

'Hij denkt dat het beter gaat tussen ons. Hij denkt dat er nog hoop voor ons is! Dat zei hij vanmorgen. "We hebben geen ruzie meer," zei hij. "Je hebt geleerd compromissen te sluiten. Ik geloof echt dat je volwassen begint te worden. Behalve dan natuurlijk als het om je haar gaat!"' Ze schreeuwde. Ze moest gewoon even hard gillen. 'Compromissen sluiten! Ik haat dat woord! Weet u wat het betekent als je compromissen sluit, dokter Segal? Het betekent dat je toegeeft. De reden dat we geen ruzie meer hebben, is dat ik een jaar geleden besloten heb nooit meer ruzie met hem te maken. Ik schik me gewoon in alles wat hij beslist. Dat is zijn opvatting van een compromis. Als ik blauw zeg en hij zegt groen, dan zeg ik ook groen. Dan hebben we een compromis gesloten.' Ze stond op en begon de kamer op en neer te lopen. '"Je wordt volwassen," zei hij. Ik begin volwassen te worden! Ik begin dood te gaan! Ik dat hetzelfde? Zijn opvatting van een volwassene is een gehoorzaam kind. En dat ben ik geworden, meer niet. Behalve dan dat ik, net zoals de meeste kinderen die de hele dag gehoorzaam naar hun ouders luisteren, boosaardig ben geworden, wrok ben gaan koesteren. Ik ben slecht geworden. Als ik maar kan sarren, dan weet ik dat ik nog leef. Zoiets is het. Is het nog een beetje zinnig wat ik allemaal zeg?' Ze liep niet langer heen en weer.

'Het is waarschijnlijk het zinnigste dat je de afgelopen zes jaar gezegd hebt.' Hij stond op en liep naar haar toe.

'Ik heb gewoon het gevoel dat ik mijn leven uit mijn vingers laat glijden. Ik ben altijd ziek. Ik durf niets meer, omdat ik bang ben het verkeerd te doen of fouten te maken. Ik ben bang om iets te zeggen, om mijn mening te geven, omdat dat weleens de verkeerde mening zou kunnen zijn.' Ze schudde het hoofd. 'Ik ben bang om mezelf te zijn, want ik heb geen idee meer wie ik eigenlijk ben.' Ze zweeg even en keek naar Mels vriendelijke gezicht. 'Alleen een paar uur, midden in de nacht, heb ik het gevoel dat ik weet wat ik doe.' Mel keek haar verbijsterd aan. 'Dan bind ik een theedoek om mijn kop, pak mijn emmer en dweil en poets dat klotehuis tot het glimt.'

Dokter Mel Segal schaterde het uit.

'Bent u niet beledigd?'

'Waarom zou ik beledigd moeten zijn?'

'Omdat ik zo'n schuttingwoord gebruikte. Dat had ik eigenlijk niet willen doen.'

Het was duidelijk dat Mel even in zijn geheugen moest duiken om te begrijpen waarop ze doelde. 'Bedoelt u dat "klote"?' vroeg hij. 'Noemt u dat een schuttingwoord? Mijn dochter van zeven gebruikt wel lelijker woorden.'

'Vindt u dat dan niet vervelend?'

Mel haalde de schouders op om aan te geven dat hij dat niet vervelend vond.

'Victor zou het afschuwelijk vinden. Hij wil niet eens dat ik lelijke woorden gebruik.'

'Dan kan ik u een kort en bondig advies geven. Zes woorden, meer niet,' zei hij, terwijl hij de woorden zwijgend op zijn vingers aftelde.

'En hoe luidt dat?'

'Ga weg bij die verdomde klootzak.'

Het was doodstil in het vertrek.

'Dat kan ik niet.'

'Waarom zou dat in 's hemelsnaam niet kunnen? Kunt u me dan één positief aspect van die man noemen?'

Donna liep van Mel weg en begon opnieuw rusteloos te ijsberen. Toen stond ze stil. Weifelend probeerde ze: 'Hij is erg goed op kritieke momenten?'

'En hoeveel kritieke momenten hebben zich de laatste tijd voorgedaan?' Mel leunde weer tegen zijn bureau. 'Donna, iedereen kan zich in een kritieke situatie groothouden. Het

moeilijkste zijn juist de gewone dingetjes, het leven van alle-
dag. Hij is je aan het vermoorden.'

Donna schudde het hoofd. Nu er eindelijk iemand haar kant
had gekozen, nu er eindelijk iemand hardop zei wat zij zo
lang in stilte tegen zichzelf had gezegd – nu merkte ze dat ze
diezelfde man die ze had aangeklaagd, probeerde te verdedigen. En dat was een griezelige ontdekking.

'Het is niet allemaal zijn schuld. Ik weet wel dat ik het allemaal heb laten klinken alsof het zijn schuld was, maar u moet
bedenken dat u alleen mijn kant van het verhaal hoort. Ik
ben nu ook niet bepaald een engel geweest. Ik heb vreselijke
dingen tegen hem gezegd waar andere mensen bij waren. Ik
heb hem beledigd, gekwetst. U moet bedenken dat ik al zijn
zwakke plekken ken. Ik weet precies waar ik hem kan raken!'

'Waarom zit u nu uitvluchten te verzinnen?'

'Uitvluchten?'

'Ja, uitvluchten om niet bij hem weg te gaan?'

'We hebben twee kinderen!'

'Dacht u dat die baat hadden bij uw voorbeeld? Wilt u dat
Sharon opgroeit tot een soort Barbie-pop? Wilt u dat Adam
zijn opvattingen over de liefde ontleent aan wat hij bij u beiden ziet?' Er kwamen tranen in Donna's ogen. 'Ik ben bang
dat hij me hen zal afnemen! Begrijpt u dat dan niet? Ik ken
Victor. Als ik probeer bij hem weg te gaan, neemt hij me mijn
kleintjes af.'

Mel liep naar Donna toe. Hij sloeg zijn armen om haar heen
en trok haar tegen zich aan, ze was veilig tegen zijn sterke
lichaam. Teder zei hij: 'Je kunt best tegen hem vechten, Donna. Dat deed je vroeger ook. En dat kun je nu weer. Als je dat
niet doet, verlies je veel meer dan alleen je kinderen.'

'Mijn kinderen zijn alles voor me.'

'Nee,' zei hij. Hij drukte haar niet tegen zich aan, maar zijn
armen bleven stevig om haar heen. 'Ze zijn heel belangrijk
voor je, maar ze zijn niet je hele leven. Binnen in jou zit nog
altijd iemand die Donna heet, en die bestaat – los van al het
andere.'

Donna schudde het hoofd. 'Nee,' zei ze. 'Ik heb je al gezegd
dat ik haar al lang geleden ben kwijtgeraakt.'

'Nee, dat is niet waar,' antwoordde hij en zijn blik gleed omhoog naar haar haren. 'Iemand die haar haren hartstikke peenrood verft, probeert nog altijd om zichzelf te zijn, heeft haar eigen identiteit nog niet helemaal opgegeven.' Ze probeerden allebei te glimlachen.

'Doe ik het daarom?'

'Ik ben geen psychiater.'

'Wat ben je dan?'

'Je vriend.'

Ze boog haar hoofd en liet zich nog eens door hem knuffelen.

'Dank je wel,' zei ze. 'Volgens mij is dat wat ik nodig heb.'

12

Donna zat met haar ene arm om Adam en haar andere hand op Sharons buikje op de bank in de achterste slaapkamer, die overdag gebruikt werd als extra kamertje voor wie zich wilde terugtrekken en die sinds ongeveer een jaar diende als Donna's slaapkamer. De blauwe bank kon worden omgebouwd tot een bed. Donna zat in het midden, met links van haar Adam en rechts Sharon, die op haar rug geluidjes lag te maken. Af en toe deed Adam een greep over Donna's schoot heen en kneep hij zijn zusje in haar teentjes.

'Adam, niet doen.'

'Ik vind haar niet lief.'

'Oké, maar je moet haar geen pijn doen.'

'Je moet tegen haar zeggen dat ze stil moet zijn.'

'Ze maakt geen lawaai. Jij bent de enige die praat. Vooruit, wil je naar *Sesamstraat* kijken of niet?'

'Ja.'

'Prima. Kijk dan.'

Even was Adams blik weer op de televisie voor hem gericht. 'Ik vind haar niet lief,' zei hij nog eens, terwijl hij een steelse blik op de baby wierp. 'Ik wil haar niet zien.'

'Kijk dan ook niet naar haar.'

Hij stond op en liep naar de baby toe. Sharon volgde haar oudere broertje met haar ogen. Donna zat klaar om te reageren op een plotselinge beweging. 'Ik vind je niet lief,' zei hij hard. 'En ik zal je ook nooit lief vinden. Ik hou niet van je. En ik zal ook nooit van je houden.'

'Goed, Adam, zo is het wel genoeg.'

Maar de opsomming ging door.

'Niet als je groter bent. Niet als je ouder bent. Nooit, helemaal nooit.'

'Goed, Adam. Volgens mij heeft ze het nu wel begrepen.'

Adam draaide zich om teneinde weer te gaan zitten. Maar terwijl hij dat deed slaagde hij erin de palm van zijn hand hard op het voorhoofd van de baby te drukken. Sharon keek verbijsterd, maar ze huilde niet.

'Dat doet de deur dicht,' zei Donna en via de afstandsbediening schakelde ze de kleurentelevisie uit. Pino verdween van het scherm. Ze pakte Sharon op en bracht haar naar haar kamertje, waar ze haar in het ledikantje legde en het muziekmobiel boven haar hoofdje aanzette. Sharon wiebelde en kirde van plezier. 'Wat ben je toch een lieverdje,' zei Donna en ze klopte haar dochtertje op haar buikje. Het kind huilde nooit. Ze had zich geen zoetere baby kunnen wensen.

'En nu moet ik eens even met jou praten,' zei ze, toen ze terugkwam in de kamer waar Adam stond te krijsen en als een dolleman probeerde Sesamstraat terug te krijgen. 'Geef mij de afstandsbediening. Vooruit, Adam, straks maak je hem stuk. Keurig. Ik wil eens met je praten.' Ze zette het huilende kind op haar schoot. 'Hou eens op met huilen. Toe, lieverd. Ik wil met je praten.' Adam staakte zijn pogingen zich los te werken en keek haar aan; zijn doordringende blauwe ogen waren exact die van zijn vader. 'Ik hou van je,' begon ze. 'Dat weet je toch wel. Ik hou meer van je dan van wie ook op de wereld.'

'Je moet niet van Sharon houden,' zei hij smekend.

'Maar ik hou wél van Sharon.'

'Nee!'

'Ja, ik hou wel van haar, lieverd. Daaraan zul je moeten wennen. Ze is je zusje en ze blijft hier. Ik weet dat dat niet zo makkelijk is als je pas drie bent. Maar zo is het nu eenmaal.'

'Maar ik vind haar niet lief.'

'Dat is prima. Je hoeft haar niet lief te vinden. Maar je mag haar geen pijn doen. Begrijp je dat? Ze is een baby en ze kan zichzelf niet verdedigen. Zou jij het leuk vinden als iemand die groter was dan jij jou op je hoofd sloeg?'

Hij voelde aan zijn hoofd. 'Nee,' antwoordde hij.

'Kijk, Sharon vindt dat ook niet leuk. Dus niet meer slaan. Begrepen?'

'Ja. Mag ik dan nu naar *Sesamstraat* kijken?'

'Op één voorwaarde.'

'Wat is een voorwaarde?'

'Een voorwaarde is de basis voor een overeenkomst.' Ze zweeg. Wat een fantastische uitleg aan een kind van drie. Daardoor werd het hem vast helemaal duidelijk. 'Laat ik het zo zeggen...

Jij mag kijken, als je het goedvindt dat ik Sharon weer hier breng en als je haar dan niet slaat.'

Adam dacht er eens ernstig over na. 'Goed,' zei hij. Donna tilde de jongen van haar schoot en zette hem terug op zijn oorspronkelijke plaats op de bank. Toen stond ze op en liep naar de deur, terwijl ze ondertussen de televisie weer aanzette. In de deuropening hoorde ze Adam nog mopperen, terwijl Pino weer in beeld kwam: 'En toch vind ik haar niet lief.'

Donna glimlachte om haar zoontje. Je kunt je er maar beter niet zo druk om maken, had ze hem wel willen zeggen. Dat maakt het er toch niet gemakkelijker op.

Victor had meer dan een uur geprobeerd om niets over haar haren te zeggen. Donna voelde gewoon hoeveel inspanning hem dat kostte. Ze merkte dat ze genoot van iedere minuut, wetend dat hij bijna stierf van verlangen om haar te zeggen wat hij ervan vond. Ze kon de vragen die in zijn hoofd opkwamen, gewoon op zijn voorhoofd lezen: 'Wat heb je in godsnaam nu weer met je haar gedaan, Donna? Je weet dat ik zwart haar altijd al afschuwelijk heb gevonden, behalve wanneer dat iemands natuurlijke kleur is. Anders ziet het er zo kunstmatig uit. Wat probeer je toch te doen met jezelf? Probeer je eruit te zien als "Wonder Woman"?' Wat was er toch met haar aan de hand? Wat gebeurde er met haar? Donna voelde een begin van paniek opkomen. Wat had ze toch laten gebeuren met zichzelf? Lag echt haar enige genot in het zien van pijn bij een ander? Was ze echt zo'n monster geworden? Beter een ander pijn dan ik, hoorde ze zichzelf al zeggen. 'Volgens mij is sadisme toch heel wat gezonder dan masochisme, vindt u ook niet?' Jezus, wanneer had ze dat gezegd? Op dat feestje. Die avond bij Danny Vogel. Die avond...

Ze keek naar Victor. Hij glimlachte naar haar en liet zijn boek zakken. Ze wist dat hij alleen maar deed alsof hij las.

'Heb je een prettige dag gehad?' vroeg hij.

'Ja, prima.'

Hij had haar diezelfde vraag tijdens het avondeten ook al gesteld. En toen had ze hem hetzelfde antwoord gegeven.

'Wat heb je gedaan?'

'Ik ben naar de kapper geweest. Dat lijkt me nogal duidelijk.'

'Ja, dat zie ik.'

'Vind je het leuk?' vroeg ze recht op de man af en er klonk enige zelfvoldaanheid in haar stem door.

'Nee. Je weet dat ik niet van zwart geverfd haar hou.'

'Jij hebt anders ook zwart haar.'

'Dat is puur natuur.'

'Mijn haar is ook puur natuur. Alleen de kleur niet.'

'Moet dat grappig zijn?'

'Ik vond het wel grappig, ja.'

Nee, dat vond ze niet. Niet echt. Ze hadden geen van beiden nog enig gevoel voor humor.

'Wat heb je vandaag nog meer gedaan?'

Ze wist hoe moeilijk het hem moest vallen om een beleefd gesprek te voeren. In werkelijkheid zou hij haar het liefst aan haar pas geverfde, van dorheid gespleten haar terugslepen naar de kapper en althans wat er *boven op* haar hoofd zat weer in normale conditie laten brengen. Maar hij bleef zitten. Hij bleef waar hij was en luisterde naar wat ze antwoordde.

'Ik ben met Sharon naar de dokter geweest voor de halfjaarcontrole. Daarna heb ik met Adam naar *Sesamstraat* gekeken. Sharon keek ook op haar manier.'

'Ben je bij dokter Wellington geweest?'

'Hè? O nee, bij dokter Segal. Ik heb je toch verteld dat ik een andere dokter heb genomen.'

'Dokter Wellington is de beste kinderarts in Palm Beach.'

'Hij heeft ook de drukste praktijk. Hij weet niet eens of mijn kinderen zwart of wit zijn, of ze jongens of meisjes zijn. Bovendien is dokter Segal ook *mijn* dokter en dat maakt het allemaal een stuk gemakkelijker.'

'Wat is hij nu helemaal? Zomaar een gewone huisarts.'

'Ik vind hem aardig.'

'Dat wil nog niet zeggen dat hij ook een goede dokter is.'

Donna had alles gezegd wat ze over dit onderwerp had willen zeggen. Ze stond op.

'Ga je koffie zetten?'

'Ik ga naar bed.'

Victor keek op zijn horloge. 'Het is pas negen uur.'

'Ik ben moe.'

Hij stond op. 'Toe, Donna,' zei hij en hij strekte aarzelend zijn

153

handen uit naar de hare. Onmiddellijk spande haar lichaam zich en deed ze een stap achteruit. Hij liet zijn handen zakken. 'Kunnen we niet gewoon even gezellig samen praten?'
'Ik ben echt moe, Victor.'
'Wil je niet horen hoe mijn dag verlopen is?' Ze hoorde hoe smekend zijn stem klonk.

Donna stond daar alsof ze zenuwgas had ingeademd, niet in staat zich te bewegen. Ze wist niet wat ze met haar benen moest doen. Ze had het gevoel dat die verlamd waren. Ze had wel willen wegrennen; maar op de een of andere manier slaagde ze er niet in die boodschap aan haar voeten door te geven. Victor vatte dit op als een teken dat ze wel naar hem wilde luisteren. 'Ik heb vandaag iemand een fantastische levensverzekering verkocht. Wil je weten aan wie?'

Nee, dacht ze. 'Nou?' vroeg ze.

'Aan een van de mensen uit het Mayflower-woonproject.'

Donna keek hem wezenloos aan. Waar had hij het in godsnaam over? 'Hij was op dat feestje waar we elkaar ontmoet hebben.'

O, dat Mayflower-project. Een origineel ontwerp voor originele Amerikanen. Ze wenste dat ze nooit van dat rotproject gehoord had.

'Ik ga naar bed, Victor.'

'Ga je naar je eigen kamer?' vroeg hij plotseling.

Donna hoopte dat haar verbijstering niet van haar gezicht was af te lezen.

'Natuurlijk,' zei ze en ze probeerde haar stem kalm te laten klinken.

'Ik dacht dat je misschien...'

'Welterusten, Victor.' Ze liep langs hem heen de kamer uit.

Het was bijna middernacht, toen ze hem uit de badkamer hoorde komen en hoorde dat hij bij Adam en Sharon ging kijken. Dat deed hij elke avond. Daarna draaide hij zich altijd om en liep hij terug naar zijn kamer om te gaan slapen. Maar deze keer hoorde ze zijn voetstappen niet verdwijnen. Ze hoorde ze dichterbij komen. Onmiddellijk kroop ze heel diep onder de dekens.

Ze hoefde niet te kijken om te weten dat hij in de deuropening stond. Ze voelde hoe hij zachtjes naar haar toeliep.

'Donna?' Ze zei niets. 'Donna, ik weet dat je niet slaapt.' Ga weg, schreeuwde ze in stilte. Ik ben er niet. Ik ben er niet. 'Goed dan. Je hoeft niets te zeggen. Maar je zult wel moeten luisteren. Als je daar de voorkeur aan geeft, doe ik het wel op deze manier.'

Ik geef hier helemaal de voorkeur niet aan! Ik wil dat je weg-gaat en me met rust laat. Ik wil helemaal niet naar je luiste-ren. Als we deden wat ik zou willen, dan was je hier niet. Dan zou ik hier helemaal niet naar hoeven te luisteren.

Hij praatte zacht. 'Ik hou van je, Donna. Ik heb altijd van je gehouden. En dat weet je. Ik heb een paar fouten gemaakt, dat geef ik toe. Ik heb sommige dingen verkeerd aangepakt. Maar dat deed ik uit liefde.' Moet ik hiernaar luisteren? Moet ik dit aanhoren? 'Ik heb geprobeerd geduld te hebben, Don-na. Ik heb je hier al die tijd alleen, ongestoord, laten slapen. Terwijl je zwanger was, wilde ik niets doen dat de baby zou kunnen schaden, en daarna heb ik gewacht tot het allemaal wat beter ging tussen ons. Even leek het erop dat we wel weer met elkaar overweg konden. Ik bleef hopen dat je op een avond bij de deur van onze slaapkamer zou staan, maar...' Ik ben er niet. Ik ben er niet. Ik hoor niets van dit alles. 'Don-na, aan die nacht kan ik niets meer doen. Dat is gebeurd. En het is inmiddels een hele tijd geleden. Het spijt me echt dat het zo gegaan is. Maar je moet begrip hebben voor wat je me aandeed. Je bleef maar op me inhakken; je vernederde me op dat feestje; je realiseert je niet eens wat je soms doet, maar je...' Moet dit een verontschuldiging voorstellen? Victor, ge-loof je echt dat dit een verontschuldiging is? Het spijt me, maar je bracht me ertoe? Het spijt me, maar wees nu redelijk, Donna. Het was allemaal jouw schuld. Ik ben er niet. Ik hoor niets. 'Luister nu eens, het is toch achteraf allemaal niet zo slecht uitgepakt? Ik bedoel: we hebben Sharon nu toch. En ik hou van je, Donna. We zijn een gezin. Ik wilde je geen pijn doen, Donna. Kom, wees nu toch redelijk. Ik heb je toch niet echt pijn gedaan, hè?' Je hebt gelijk, Victor. Je hebt me geen pijn gedaan. Je hebt alleen vijf jaar huwelijk aan je lul ge-spietst en die zo goed als je daar maar in slaagde bij me naar binnen geramd. Dat heb ik nooit meer uit mijn gedachten kunnen zetten.

'Toe, Donna, ik kan niet méér doen dan zeggen dat het me spijt. Ik kan die nacht niet ongedaan maken. Het is gebeurd. Maar we kunnen niet toestaan dat we daaraan ten onder gaan. Het heeft al lang genoeg doorgewerkt. Het wordt tijd dat we weer in het heden gaan leven, dat we weer gaan genieten van wat we hebben.' Volgens mij heb ik deze preek al eens eerder gehoord. Zo iets van dat jij nu aan zet bent. Spelen we door of lopen we gewoon weg? 'Ik wil gewoon dat alles weer wordt zoals het voor die nacht tussen ons was.' Terug naar zoals het vroeger tussen ons was? Realiseer je je dan niet dat die nacht model staat voor hoe het vroeger was? Je benadering was alleen anders! 'Toe, Donna, ik wil mijn kleine meisje terug.'

Donna voelde dat haar lichaam begon te schokken. Ze gooide haastig de dekens van zich af en rende naar de dichtstbijzijnde wc, waar ze haar avondeten in het toilet deponeerde. Toen ging ze op de koele tegelvloer zitten; haar haren zaten op haar voorhoofd gekleefd, de tranen stroomden haar over de wangen. Ze bleef tegen de zijkant van de wc geleund zitten, tot ze hem de gang door hoorde lopen en de deur van zijn slaapkamer achter zich hoorde sluiten.

Ze werd om precies drie uur 's nachts wakker, zoals iedere nacht. Ze stapte uit bed en liep naar de keuken. Tijdens het koken had ze gezien dat het aanrecht en de buitenkant van de huishoudelijke apparatuur smerig waren. Er zaten overal vingers van Adam op. Ze zou alles eens goed schoonmaken. Alles weer laten glimmen.

Ze liep naar de keuken en deed het licht aan. Toen zette ze het transistorradiootje heel zachtjes aan, pakte haar schoonmaakmiddelen en werkdoeken en ging aan de slag. Ze werkte altijd met muziek. *The beat goes on*, dacht ze, terwijl ze het witte aanrecht behandelde met *Fantastic*. Victor had haar eens betrapt toen ze Ajax gebruikte – weet je niet dat dat slecht is voor de lak? – en daarop hadden ze uren besteed aan een grondige bespreking van dat belangwekkende onderwerp. Jazeker, in dit huwelijk was niets te onbelangrijk om niet tot kotsens toe besproken te worden.

Ze merkte dat het ritme veranderde. Blijkbaar een andere plaat. En dus paste ze haar tempo aan.

'...eerst was ik alleen maar bang,
toen werd ik panisch...'
Ze herkende het liedje. Het was Gloria Gaynor, zei ze trots tegen zichzelf.
'Ik bleef maar denken dat ik zonder jou niet zou kunnen leven...'
Zo meteen wordt het tempo sneller, dacht ze. Ze stond klaar om aan het poetsen te gaan. Het kon nu elk moment gebeuren. Nog een paar maten...
'... en ik leerde me te handhaven...'
Nu.
De muziek brandde nu pas goed los. Donna's hand danste over het aanrecht.
'Maar nu ben je terug...'
Poetsen. Poetsen. Wrijven. Tot het glimt. Ik zal het laten glimmen.
'... als ik ook maar één moment geweten had
dat je weer een blok aan mijn been zou zijn.'
De muziek zwol aan. Bleef aanzwellen. Poetsen, Donna, poetsen!
'Ga weg, ga weg! Verdwijn!'
Donna hield plotseling op.
'Draai je nu maar om,
want je bent hier niet langer welkom.'
Ze staarde naar de kleine radio. Toen dwaalden haar ogen naar de keukendeur.
'... dacht je dat ik eraan kapot zou gaan? Dacht je dat ik me
gewonnen zou geven?
O nee, zo ben ik niet... Ik zal me staande houden.'
De spons viel uit Donna's hand op de grond.
'Zolang ik weet wat liefde is,
zolang ik weet dat ik leef...'
Ze liep naar de telefoon. Victor bewaarde zijn autosleuteltjes altijd op een schoteltje onder de telefoon.
'Ik heb nog een heel leven voor me,
ik heb nog een heleboel liefde te geven
en ik zal me staande houden. Ik zal me staande houden...'
Ze pakte de sleuteltjes en liep de keuken uit naar de voordeur.
'Hey... hey...'

De kille nachtlucht verraste Donna en ze realiseerde zich dat ze alleen een dunne nachtjapon aanhad. Het deed er niet toe. Ze ging alleen de auto starten. Als ze de kinderen gehaald had, zou ze wel iets omslaan. Maar eerst moest ze de auto starten. Dat had ze niet meer gedaan sinds...

Ze wilde er niet aan denken. Ze zou gewoon in de auto stappen en wegrijden. Ze had altijd goed kunnen rijden. Voordat Victor... Ze dacht niet verder. Had ze ooit iets zelfstandig ondernomen, voordat ze Victor ontmoet had?

Ze deed het portier open en ging achter het stuur zitten. Het was alsof Victor in levenden lijve naast haar zat. 'Pas op die vuilnisemmer,' zei hij. 'Ik luister niet naar je. Je bent er niet,' zei ze hardop. De radio vulde de kleine ruimte meteen met een heleboel lawaai. Ze had vergeten dat Victor die nooit uitzette. Die ging altijd meteen aan, als je het contact omdraaide.

De radio stond op dezelfde zender als haar transistorradiootje. Gloria Gaynor was net aan het tweede couplet begonnen. Prima, dacht Donna. Blijf maar op me inpraten.

'... ik zal er niet aan kapotgaan.'

Ik zal er niet aan kapotgaan. Ik zet de auto in de achteruit en rijd de straat op. Dan ga ik binnen mijn kinderen halen.

'Zoveel nachten heb ik medelijden
liggen hebben met mezelf...
Dan huilde ik
Maar nu hou ik m'n hoofd rechtop...'

Donna voelde, dat ze haar hoofd ophief. Ze wilde de auto in de achteruit zetten. Maar haar hand bewoog zich niet. Ze voelde Victors onzichtbare hand letterlijk op de hare.

'Weet je trouwens wel waar je heen gaat, Donna? We zijn al drie straten te ver.'

Ga mijn auto uit, Victor. Je bent er niet.

'Je gaat over de middenstreep.'

Niet waar.

'... En je ziet nu een nieuwe mens voor je,
ik ben die nieuwe mens.
Ik ben niet meer dat geketende, nietige wezen
dat nog altijd van je houdt...'

'Je reed bijna door dat stopbord.'

Ik heb het toch niet gedaan.

'*Ga weg, ga weg.*
Verdwijn.
Draai je nu maar om...'
'Jezus christus, Donna, probeer je ons te vermoorden!'
Dat wilde ik niet. Ik had het niet gezien...
'*... jij hebt geprobeerd me kapot te maken...*'
'Hou toch eens één keer je bek, Donna.'
Laat dat! Laat dat! Ga van me af. Hoor je me! Ik wil het niet.
Ik wil niet op deze manier genomen worden, met geweld!
'Probeer je ons te vermoorden?'
Stoute meid. Je bent een heel stout meisje.
'Hou toch eens één keer je bek, Donna.'
Ik zal je eens een lesje geven. Ik zal je eens een lesje geven.
'O, *ga weg, ga weg.*
Verdwijn...'
Donna voelde dat haar handen begonnen te trillen. En daarna
haar hele lichaam.
'*Dacht je dat ik eraan kapot zou gaan?*
Dat ik me gewonnen zou geven?'
Ze kon niet meer ophouden met trillen.
Ze kon er gewoon niet meer mee ophouden.
'*... Ik zal me staande houden, ik zal me staande houden...*'
Donna schakelde het contact uit. Toen liet ze het hoofd op het
stuur zakken en begon ze te huilen.
Hoe kon ze zich staande houden? vroeg ze zich spijtig af. Ze
was vergeten dat ze allang was bezweken.

13

'Mijn god, wat is er met jou gebeurd?'

'Dus jij vindt het ook niet mooi?'

Dokter Mel Segal stond op vanachter zijn grote houten bureau en liep naar Donna toe.

'Victor noemt het mijn vroege Auschwitz-periode.'

Mel glimlachte. 'Hij weet het toch altijd zo aardig te formuleren.'

'Maar jij vindt het evenmin mooi?'

Mel zweeg lange tijd. 'Ik ben er niet kapot van, nee.'

Donna slaakte een diepe zucht. 'Ik heb het zelf gedaan,' zei ze, terwijl ze haar hand haalde door wat er nog van haar haar was overgebleven. 'Gisteravond.'

'Hoe kwam dat zo?'

'Victor zei dat ik weer een beetje op de oude Donna begon te lijken. Als ik het lef had gehad, had ik me helemaal kaalgeschoren.'

'Het scheelt anders niet veel.'

'Victor zegt dat ik eruitzie als Peter Pan in doodsnood.'

'Laat Victor toch lullen.'

'Ga je me nu vertellen dat ik bij hem moet weggaan?'

'Nee.'

'Waarom niet?'

'Dat heb ik je gezegd bij je eerste bezoek hier. Je bent een volwassen vrouw. Ik geloof niet dat ik je iets vaker dan één keer hoef te zeggen. En dan moet je verder zelf maar weten wat je ermee doet.'

'Ach, toe nou,' zei ze plagend, 'zeg nou dat ik bij hem moet weggaan.'

Zijn gezicht stond plotseling heel ernstig. 'Dat kan ik niet.'

Donna draaide zich om naar de deur. 'Verdomme,' zei ze. 'Waarom zijn de mannen met wie ik iets heb toch altijd zo integer?'

'Met wie ik iets heb?'

Donna draaide zich weer om en keek Mel aan. Ze was van

haar stuk gebracht door haar eigen woordkeus. 'Nu ja, je weet wel wat ik bedoel.'

Hij zei dat hij het begreep, maar ze kon aan zijn gezicht zien dat hij er niets van snapte. Zijzelf trouwens evenmin.

'Ik vind het echt erg aardig van je dat je me zonder afspraak wilde ontvangen.'

'Sinds wanneer moet jij een afspraak hebben om me te kunnen spreken?'

'Je hebt een wachtkamer vol mensen.'

'Waarom ben je gekomen?'

'Dat weet ik eigenlijk niet precies.'

'Alles goed met de kinderen?'

'Prima.'

'En met jou?'

'Prima. Ik voel me... prima. Ik voel me net zo goed als ik eruitzie.' Ze lachte. 'Denk je dat er in het dichtstbijzijnde ziekenhuis een bed voor me vrij is?'

'Zo slecht zie je er nu ook weer niet uit.'

'Jawel.'

'Persoonlijk heb ik Peter Pan eigenlijk altijd wel schattig gevonden.'

Donna glimlachte en liep naar hem toe. 'Hij heeft ook altijd erg hoog van jou opgegeven,' zei ze. Ze strekte haar hand uit naar Mels gezicht en voelde zijn baard langs haar hand strijken.

'Hoe is het met Annie?' vroeg ze en ze trok haar hand terug.

'Geweldig. Die is tegenwoordig druk aan het masturberen.'

Ze lachten allebei.

'En wat doe je eraan?' vroeg Donna.

'Wat ik eraan doe? Niets. Laat het kind maar genieten.'

Donna en Mel staarden elkaar secondenlang zwijgend aan. Toen hoorde Donna dat de stilte door een stem werd verbroken.

'Ik kan maar beter gaan,' zei de stem zacht.

'Oké,' antwoordde Mel, nog zachter.

'Ik wil zo vreselijk graag dat je me kust dat ik het gewoon niet verdraag...' vervolgde de stem. 'O, mijn god,' zei Donna luidkeels. Ze draaide zich snel om en liep de kamer uit.

Hij kwam meteen achter haar aan. Ze hoorde hoe hij zich ge-

haast verontschuldigde tegenover zijn wachtende patiënten
– hij was zó terug, een spoedgeval – en enkele tellen later
hoorde ze zijn voetstappen op de trap. Toen ze beneden was
aangekomen, had hij haar ingehaald.

'Mijn auto staat op het parkeerterrein,' zei hij. Hij pakte haar
bij de elleboog en trok haar mee naar zijn auto. Ze herkende
de kleine witte MG. 'Verdomme, hij zit op slot,' zei hij en hij
rommelde in zijn zak naar de sleutels. 'Hier zijn ze.' Na wat
gemorrel vond hij de juiste en deed hij de beide portieren
open. Donna stapte in en Mel ging achter het stuur zitten. Ze
deden de portieren dicht.

'Waar gaan we heen?' vroeg ze.

'Nergens,' antwoordde hij en meteen waren zijn armen om
haar heen en lagen zijn lippen op de hare. Donna had nog
nooit een man met een baard gekust. Ze vond het heerlijk. Ze
vond alles aan hem heerlijk.

'Dit is ongelooflijk onprofessioneel,' zei hij, terwijl zijn lippen
van haar mond naar haar ogen dwaalden.

'Ik zou me geen betere behandeling kunnen wensen.'

Hun lippen keerden terug bij hun beginpunt. Zo bleven ze
minutenlang in innige omhelzing zitten, hartstochtelijk kus-
send, elkaar betastend en elkaars wangen strelend. Totdat ze
zich uiteindelijk uit hun omarming losmaakten en elkaar in
de ogen staarden, alsof ze elkaar voor het eerst zagen. Hij
bracht zijn rechterhand naar haar hoofd en streelde haar kort-
geknipte haar.

'Hoe kun je een vrouw met zo'n legerkapsel kussen?' vroeg ze.

'Dat zal ik je laten zien,' zei hij. En hij kuste haar.

'Ik snap wel wat mij in je aantrekt. Maar ik zal nooit begrijpen, wat jij in mij aantrekkelijk vindt.'

'Je ogen,' zei hij teder. 'Je neus, je mond.' Hij kuste ze stuk
voor stuk. 'Je oren.' Ze lachten allebei toen hij een kus op elk
oor drukte. 'Je nek.' Hij boog zich vooraver.

'Voorzichtig, volgens mij biedt deze auto niet voldoende ruimte om nog meer aan me te waarderen.'

'Waar zijn je kinderen?'

'Adam is naar het peuterklasje. En Sharon is bij mevrouw Adilman.'

'Kun je hier wachten, terwijl ik boven mijn spreekuur afmaak?'

'Ja.'

Hij boog zich weer naar haar toe. 'Ik wil je al kussen sinds ik je op dat feestje van Susan heb leren kennen,' zei hij. 'Toen zag je eruit als een zwangere wandelstok.'

Ze moest lachen. 'O, ja. Dat was mijn Biafraanse periode. Een van mijn favoriete.' Ze keek hem ernstig aan. 'Ik vraag me af hoe je me zou vinden wanneer je ooit mijn ware ik leert kennen.'

'Laat me eens zien,' zei hij en hij trok een onzichtbare lijn over haar wang. 'Ik hield van je toen je zwanger was, toen je je haar half geblondeerd, helemaal geblondeerd en blond geverfd had. Mager en met huilogen. Zelfs mager en vrolijk vond ik je lief. Ik vond je lief met rood, met worteltjesrood en pikzwart haar. Ik vond zelfs je eigen kleur mooi, wat daar dan nog van over is tenminste. Ik heb zo'n vermoeden dat ik ook nog van je zal houden wanneer je oud en grijs bent; als ik tenminste het geluk heb dan nog bij je te zijn.'

'Dan ben *ik* de gelukkige,' zei ze en er kwamen tranen in haar ogen. Hij kuste ze prompt weg en drukte toen zijn mond opnieuw op de hare. 'Mijn god,' zei ze plotseling en ze schoof van hem weg. 'Wie is dat in godsnaam?'

Mel deed vlug het portier open. Donna keek en verwachtte half en half Victor te zien, maar in plaats daarvan keek ze in het gezicht van een lange, blonde, enigszins slordig uitziende man, die bijna met zijn neus tegen het raampje naar hen stond te gluren.

'Neem me niet kwalijk,' zei de man, terwijl hij een stap achteruit deed, zijn blik op Donna gevestigd. 'Ik stond alleen de auto maar te bewonderen. Ik realiseerde me niet dat er iemand in zat.'

Donna deed het portier open en stapte uit. Mel deed hetzelfde. Mel wachtte tot Donna om de auto heen was gelopen en nam haar bij de arm. Donna zag dat de blonde man nog altijd naar haar keek, terwijl Mel en zij wegliepen. Toen ze op het punt stonden de kliniek binnen te gaan, keek ze nog één keer om. Hij stond hen nog altijd na te staren.

In bed werd het een ramp. Dat kwam misschien omdat ze zo nerveus waren. Misschien doordat ze zo vurig hun best deden om de ander te laten genieten. Wat de reden ook was, ze slaagden er gewoon niet in om de vonk te doen overslaan. Ze zweetten meer van inspanning dan van hartstocht. En hoewel ze er alle moderne technieken bij haalden, leek alles wat ze deden geforceerd, alsof ze nog met één oog in het boek keken. Er werd veel gekreund, veel bewogen, maar ze beleefden er erg weinig plezier aan.

Hij kreeg met moeite een erectie en toen dat eenmaal gelukt was, slaagde hij er niet in die te handhaven. Ze was te droog, te gevoelig, te bang. Ze waren allebei erg gespannen. Ze rommelden aan elkaars lichaam als spelers van twee strijdende rugbyteams. Uiteindelijk lieten ze de bal vallen. 'Sorry. Maar ik ben zo droog,' zei ze en ze probeerde niet te huilen. 'Het komt gewoon, omdat ik al bijna anderhalf jaar niet meer met Victor naar bed ben geweest. En volgens mij ben ik daar vanbinnen erg gevoelig sinds Sharons geboorte. Door gebrek aan oefening.'

'Ik heb het gevoel dat ik spastisch ben,' zei hij. 'Je weet wel wat ik bedoel. Net als toen je het voor het eerst deed en doodsbang was dat je niet zou weten waar je 'm in moest steken.' Hij keek naar zijn slappe lid. 'Niet, dat ik op dit moment iets heb om ook maar ergens in te steken.'

Plotseling moesten ze allebei lachen.

'God, wat een vreselijke vertoning,' zei ze.

'Waardeloos,' zei hij instemmend.

Ze begonnen steeds harder te lachen en uiteindelijk schaterden ze het uit.

'Denk je dat het ooit beter zal gaan?' vroeg ze.

'Och, slechter kan het niet worden.'

'Wanneer komt Annie thuis?'

Mel keek naar de klok op het tafeltje aan het voeteneind van het bed. 'Over een uur. Ze heeft vandaag balletles na school.'

'Denk je dat we er tegen die tijd iets van gemaakt kunnen hebben?'

'Ik zou het in ieder geval wel willen proberen.'

Donna keek naar zijn kruis. 'Volgens mij begint er verbetering in de toestand te komen,' zei ze en ze voelde zich erg verdorven, omdat ze zoiets zei. (Victor had het nooit prettig gevonden, wanneer ze probeerde een oordeel te geven over hun seksleven, en dit soort opmerkingen had hij ook nooit kunnen waarderen.) Donna glimlachte naar Mel, die boven op haar kwam liggen. En terwijl de vertrouwde prikkels zich naar alle lekkere plekjes verspreidden, rijpte in Donna het gevoel dat er uiteindelijk misschien toch nog hoop voor haar was.

Met haar koffers gepakt zat ze op de bank te wachten tot Victor thuiskwam. Hij keek de woonkamer rond, zag haar koffers en liep naar de bar om zich een borrel in te schenken.
'Wil jij er ook één?' vroeg hij.
'Nee, dank je wel.'
Hij schonk zich een groot glas whisky in en liep terug naar de bank waar Donna zat. 'Ik veronderstel dat dit een soort afscheidsscène moet verbeelden,' zei hij.
Donna's stem klonk kalm toen ze zei: 'Ik ga bij je weg.'
'Ik dacht al dat je dat zou gaan zeggen.' Hij nam een flinke slok.
'En de kinderen?'
'Die zijn bij Susan.'
'Susan?' Hij schudde het hoofd. 'Ik had kunnen weten dat die hierachter zat.'
'Susan heeft er niets mee te maken gehad. Ik heb haar vanmiddag gebeld, toen ze uit haar werk kwam, en haar gevraagd om een paar uur op de kinderen te passen tot ik met jou gesproken had.' Ze zweeg even. 'Ze was erg verbaasd.'
'Maar vast en zeker dolblij.'
'Ik heb geen zin om ruzie te maken over Susan, Victor.'
'Ik wil helemaal geen ruzie maken.'
'Prima.' Donna stond op.
'Ik bel een taxi.'
'Nee.'
Hij zette zijn glas op de glazen salontafel. 'Mag ik dan niets meer voor je doen?'
Je hebt al genoeg gedaan, wilde ze zeggen, maar ze deed het niet. 'Ik kan mijn eigen boontjes wel doppen.'
'Dat heb ik ook helemaal niet ontkend.'
Je begrijpt er ook helemaal niets van, hè, Victor? Je hebt er geen idee van waarom jou dit overkomt.
'Kunnen we er niet over praten?' vroeg hij.

'Ik heb niets meer te zeggen.'

'Vind je jezelf nu wel eerlijk?'

'Ja, volgens mij wel.'

'Na zes jaar huwelijk beweer jij dat je niets meer te zeggen hebt?'

'Ik weet zeker dat we alles wat er te zeggen viel al gezegd hebben, Victor.'

Ze liep naar de telefoon. Hij greep haar hand.

'Donna, toe nou. Wat moet ik zeggen?'

'Niets, Victor, je kunt niets zeggen.'

'Ik heb je gezegd dat het me speet. Jezus, hoe vaak heb ik niet gezegd dat het me speet? Ik zou alles willen doen om die nacht ongedaan te maken...'

'Het gaat niet om die nacht, Victor.' Hij keek verrast. 'Ik heb heel lang gedacht dat dat het was. Maar die nacht is maar een onderdeeltje van alles. En misschien nog wel het minst belangrijke, ik weet het niet.'

Het was duidelijk, dat hij er geen idee van had waar ze over praatte. 'Heb je een ander?'

Donna keek Victor in zijn blauwe ogen en zag daar Mel. 'Nee,' zei ze. Mel en zij hadden elkaar al maanden niet meer gezien. Ze waren samen tot de slotsom gekomen dat ze, als zij een einde aan haar huwelijk wilde maken, dat moest doen omdat dat huwelijk geen bestaansrecht meer had, en om geen andere reden. Mel had de zaken wel in een stroomversnelling gebracht, maar hij was beslist niet de oorzaak.

Ze keerde haar huwelijk de rug toe, omdat er sinds die eerste middag met Mel in haar een nieuwe hoop ontwaakt was, die zich eenvoudig niet meer liet begraven onder Sisyphus' machtige rotsblok. Als Sisyphus de hem resterende eeuwigheid zinvol meende te besteden aan een nooit eindigende, hopeloze opgave, dan vond ze dat prima. Ieder zijn meug. Maar ze was tot het besef gekomen dat zij bij lange na nog niet dood was. En dus liet ze de hel voor wat die was.

'Ik zal het je laten weten, zodra ik ergens woonruimte heb,' zei ze. 'Dan kun je de kinderen komen opzoeken. We moeten proberen er voor ons allemaal het beste van te maken.'

'Het is het beste voor ons allemaal dat we bij elkaar blijven.'

'Nee. Dat is niet het beste.'

Ze belde een taxi. Victor was verrassend kalm.

'Je zult het niet gemakkelijk krijgen, wanneer je helemaal op jezelf bent aangewezen,' zei hij ten slotte.

'Dat weet ik.'

'Volgens mij weet je het niet.'

Donna haalde de schouders op.

'Je kunt nog op je besluit terugkomen,' zei hij. 'Denk er nog maar eens over na. En als je besluit dat je terug wilt...'

Donna knikte, maar zei niets.

'Bel je me gauw?' vroeg hij.

'Ik zal je morgen bellen.'

'Ik hou van mijn kinderen, Donna.'

Ze voelde tranen in haar ogen komen. 'Dat weet ik.'

'Ik vind gewoon dat we niets overhaasts of ondoordachts moeten doen...'

'Dat doe ik ook niet.'

'Je belt me.'

'Ja.'

Ze hoorden dat er buiten een auto stopte en toeterde.

'Ik hou van je, Donna,' zei Victor snel.

Donna boog het hoofd. 'Dat weet ik, Victor.' Ze haalde diep adem. Hij liep naar haar koffers. 'Nee, toe,' zei ze en bij de klank van haar stem hield hij de pas in. 'Ik doe het wel.'

'Ze zijn zwaar,' waarschuwde hij.

Ze liep naar de twee koffers en pakte ze op. 'Nee, hoor,' antwoordde ze. Een minuut later was ze weg.

14

Donna vroeg om een glas koud water en ze kreeg dat. Haar keel was erg droog. Ze had de hele dag al getuigd. De hele morgen en vanmiddag al ruim drie uur. Eindelijk was het er dan uit, alles. Het huwelijk van Victor en Donna Cressy. Volgens de lezing van Donna Cressy natuurlijk. Ze had haar zaak bepleit, langzaam en bedachtzaam gesproken. Meestal keek ze naar haar advocaat, terwijl ze zijn vragen beantwoordde; af en toe richtte ze zich rechtstreeks tot de rechter. En tot haar eigen verbazing keek ze af en toe ook naar Victor, in de hoop een glimpje begrip op zijn gezicht te ontdekken, alsof hij dacht: O, ja, nu begrijp ik wat je bedoelt. Ik snap het. Edelachtbare, ik trek mijn eis om de voogdij over de kinderen te krijgen in. Het is duidelijk dat deze vrouw uitstekend in staat is op zichzelf te passen. Maar ze zag hem alleen maar het hoofd schudden als duidelijk bewijs dat hij zijn versie van het gebeuren als de enig juiste beschouwde.

Ed Gerber wachtte tot ze haar glas had leeggedronken. De afgelopen anderhalf uur had hij haar met vragen bestookt. Heel anders dan haar eigen advocaat, die haar vriendelijk had bejegend en steeds had geprobeerd haar te helpen. Gerber was scherp en boos in zijn vraagstelling. Het leek wel alsof hij zich persoonlijk diep gekwetst voelde. Wat had zij het instituut huwelijk, de basis van het gezin, aangedaan! Goeie god, zou het Moederschap zich hier ooit voldoende van herstellen om verder te kunnen?

Tijdens zijn kruisverhoor bleef Donna's stem vlak. Ondanks de pogingen van haar ondervrager haar in de mal te persen die hij reeds voor haar had klaarstaan, bleef ze overeind. Ze hoestte of niesde niet, haar neus liep niet, ze krabde niet aan haar hand en ze hoefde zelfs niet één keer om een Kleenex te vragen. Ze had *wel* om een glas water gevraagd, maar dat scheen niemand uitzonderlijk te vinden.

'En uw man heeft verscheidene, talrijke pogingen gedaan om tot een verzoening te komen?'

'Ja.'

'En u reageerde telkens afwijzend?'

'Ja.'

'Wanneer staakte de heer Cressy zijn pogingen?'

'Toen ik hem zei dat ik van iemand anders hield.'

'Van dokter Mel Segal?'

'Ja.'

Waarom begon hij hier nu weer over? Ze had haar ontrouw al bekend.

'Waar woont u momenteel, mevrouw Cressy?'

'Ik heb een huis gehuurd in Lake Worth.'

'En dokter Segal?'

'Die woont in Palm Beach.'

'Dus u woont niet samen?'

'Nee.'

'Waarom niet? Vindt u dat soms niet in overeenstemming met uw principes?' Hij stikte bijna in zijn eigen woorden.

'We wonen niet samen, omdat ik tijd nodig had om alleen te zijn met mijn twee kinderen,' zei Donna koeltjes. 'Ik ben niet uit mijn huwelijk gestapt om me meteen in een andere relatie te kunnen storten. Ik had tijd nodig om op eigen benen te staan.'

'Maar u ziet dokter Segal nog wel regelmatig, is dat juist?'

Donna keek naar Mel en zei: 'Ja.'

'En u bent van plan deze relatie door te zetten?'

'Ja.'

'Tot u daar ook weer genoeg van krijgt, neem ik aan. Net zoals van de kleur van uw haar...'

'Ik protesteer, edelachtbare.'

'Toegewezen.'

Donna keek van de beide advocaten naar de rechter en toen weer naar Gerber.

'Vertelt u me eens, mevrouw Cressy,' vervolgde hij, 'wat voor vader is Victor Cressy?'

Donna keek naar Victor. 'Hij is een goede vader,' zei ze zachtjes.

'Neemt u me niet kwalijk. Ik heb u niet verstaan, mevrouw Cressy. Zou u dat nog eens kunnen herhalen?'

'Ik zei dat Victor een goede vader is,' herhaalde ze luid.

'Bezorgd?'

'Ja.'

'Attent?'

'Ja.'

'Heeft hij echt belangstelling voor zijn kinderen?'

'Ja.'

'Heeft hij hen ooit onheus bejegend?'

'Nee.'

'Heeft hij hen ooit geslagen?'

'Nee.'

'Sterker nog, heeft hij ooit ook maar een hand tegen een van beide kinderen opgeheven?'

'Nee.'

'Zou hij – volgens u – goed voor hen zorgen, wanneer de rechtbank de kinderen aan hem toewees?'

Donna voelde haar mond droog worden. Wat zou ze graag willen liegen, enorme verhalen willen ophangen over een perverse en opzettelijk wrede man, zodat ze Victor kon voorstellen als de duivel, die ze de anderen in hem wilde laten zien. Maar er viel niets te vertellen. Hij was geen duivel. Ze realiseerde zich dat Victor geen monster was geweest, nooit. Hij was gewoon een man. De verkeerde man.

'Victor zou altijd goed voor zijn kinderen zorgen,' zei ze.

'Is de heer Cressy u ooit ontrouw geweest?' vroeg Ed Gerber plotseling.

'Niet dat ik weet.'

'Hij heeft u altijd goed onderhouden?'

'Ja.'

'Voor een goed huis gezorgd voor u en zijn kinderen?'

'Voor *onze* kinderen, ja.'

'O, natuurlijk, neemt u me niet kwalijk. Dank u wel, mevrouw Cressy. Dat was alles.'

Het was voorbij.

Donna bleef minutenlang onbeweeglijk zitten, bijna onwillig om op te staan van de stoel waarop ze al die uren gezeten had. Ze voelde zich een beetje de Koningin voor Eén Dag, die nu haar troon moest afstaan. Ze keek naar de rechter. Ik ben een goede moeder, wilde ze zeggen. Het feit dat ik toegeef dat Victor een goede vader is, doet helemaal niets af aan mijn eigen inbreng. Het feit dat hij bezorgd, attent en liefdevol is, betekent niet dat ik dat minder zou zijn. Ik heb hen bij me gedragen, ik heb hen ter wereld gebracht, hen gevoed, in bad gedaan, gewiegd, verschoond, hun rommel opgeruimd, eindeloos met hen gespeeld. Van hen gehouden. En ik hou nog steeds van hen. O, wat hou ik veel van die kinderen. Alsjeblieft, alsjeblieft, neem ze me niet af. Volgens mij zou ik zonder hen niet kunnen leven. Neem me mijn kleintjes niet af.

In plaats daarvan zei ze niets anders dan een simpel 'Dank u wel' en stapte ze uit de getuigenbank, waarna ze snel naar haar advocaat liep.

Zodra ze zat, nam de rechter het woord. 'Het is nu vrijdagmiddag,' begon hij, zo plechtig dat Donna moeite had om te begrijpen wat hij precies zei. Pas toen hij was uitgesproken en de rechtszaal al had verlaten, drong het tot haar door wat hij gezegd had. 'Dus verdagen we de zitting tot maandagochtend. Dan zal ik u mijn beslissing laten weten. Ik wens u een plezierig weekend toe.'

Donna wachtte tot iedereen de rechtszaal had verlaten. Mel zat in zijn auto op haar te wachten; haar kinderen waren bij Annie en Mels huishoudster. Zo meteen zou ze opstaan en naar buiten lopen, ze zou zich door Mel thuis laten brengen, naar misschien haar laatste weekend als fulltime moeder. Een plezierig weekend had de rechter hun toegewenst. De enige manier om dit weekend niet één voortdurende kwelling te laten zijn was om dit hele weekend te verslapen. Maar ze wist nu al dat ze geen oog dicht zou doen.

Donna keek om zich heen in de inmiddels lege rechtszaal. Drie dagen lang had ze hier geluisterd naar het verhaal van Donna Cressy. Verteld aan... een rechtszaal vol vreemden. Verteld door... Victor Cressy, zijn vrienden, buren en allerlei vertrouwelingen. Ten slotte had zij háár visie op de gebeurtenissen verteld – de enige geautoriseerde versie. Allemaal hadden ze hun verslag gedaan van de Mythe van Donna Cressy, en net zoals de ooggetuigen bij een ongeluk hadden ze stuk voor stuk een ander verhaal verteld. Maar er was hier niet gelogen.

Donna keek op naar de inmiddels lege stoel van de rechter. Hij leek haar een vriendelijk man, iemand die zijn best zou doen een eerlijke beslissing te nemen. Eerlijk – wat was eerlijk? Donna boog het hoofd naar de lange tafel voor haar en begon te huilen.

Donna zat in de volle zitkamer, ingericht met veel riet en veel oranje. Sharon zat rusteloos op haar schoot te draaien. Donna luisterde naar het gieten van de regen buiten. Gieten kon je het nauwelijks noemen, dacht ze. Stortvloed was een toepasselijker term. De zondvloed, terug op veler verzoek. Donna zette haar dochtertje vermoeid in een wat gemakkelijker houding. Maar het kind schoof onmiddellijk terug. Het was duidelijk dat het weekend niet zou verlopen zoals Donna het zich had voorgesteld.

Het begon er al mee dat de regen een dikke streep had gehaald door plannen om eventueel naar het park of naar het strand te gaan. Ze waren gedwongen om binnen te blijven en bij Adam betekende dit dat hij dus rusteloos en bijna vijandig werd. Bovendien was al haar hoop om dan maar een rustige, volmaakte dag alleen met haar kinderen te hebben de bodem ingeslagen toen ze zich bedacht dat haar kinderen rustig noch volmaakt waren. Lawaaiige, normale kinderen lieten geen ruimte voor een rustige, volmaakte dag. En om hun geluk te completeren voorspelde het weerbericht voor de volgende dag eenzelfde weertype. Donna zuchtte vermoeid – ze had haar boek met creatieve spelletjes voor peuters al uitgeplozen op zoek naar ideeën; ze had de kinderen al langer naar de televisie laten kijken en meer snoep gegeven dan hun eigenlijk per dag was toegestaan; Sharon had haar middagdutje al gedaan; Donna was doodmoe van het kleuren, plakken, verven en knippen; en ze was bijna schor, omdat ze alles wat er in huis te lezen viel al had voorgelezen, op het laatste nummer van Playboy na, dat door de vorige bewoners was achtergelaten.

Adam kwam weer binnen, met een pruillip – zijn weekendpruil zei ze altijd. Als ik hem nu maar alsjeblieft dat verhaal niet nog eens hoef te vertellen, dacht ze, denkend aan het verhaal over het jongetje dat Roger en het meisje dat Bethanny heette. Dat had ze in alle mogelijke variaties die dag al ten minste twintig keer verteld. En ze had geen zin het nog eens te doen.

'Vertel je me een verhaaltje?' jengelde hij, alsof hij haar gedachten kon lezen.

'Nu niet, Adam.' Sharon begon weer te draaien en drukte daarbij hard op een zenuw in Donna's been. Donna verschoof haar, maar Sharon schoof prompt terug.

'Vertel je me een verhaaltje over Roger en Bethanny? Dat ze naar de dierentuin gingen om naar de giraffen te kijken. Vertel je me dat verhaaltje?'

Donna keek haar zoon ongeduldig aan. 'Dat kan nu niet, Adam. Nu zit ik Sharon voor te lezen. Als je dat wilt, kun je meeluisteren.'

Adam greep het boek. 'Dat is *mijn* boek,' zei hij.

'Ja, het is van jou,' antwoordde Donna toegeeflijk.

'Ze mag het niet lezen!' schreeuwde hij.

'Ik lees het haar voor.'

'Nee!' Hij begon het boek uit Donna's handen te trekken.

'Adam, straks scheur je het...'

'Ze mag het niet lezen. Je mag het haar niet voorlezen!'

'Adam, hou op !'

'Het is mijn boek! Ze mag het niet lezen!'

Sharon begon ook naar het boek te graaien. 'Nee!' schreeuwde Adam en hij begon aan Sharons vingers te draaien in een poging ze van het boek los te maken. 'Blijf met je vingers van mijn boek!'

'Adam!'

'Ze mag er niet aankomen!'

'Laten we nu niet zo mal doen...'

'Ze mag er niet aankomen!' Hij begon tegen Sharons schouder te duwen.

'Adam, straks valt ze nog!' riep Donna met stemverheffing.

'Dat wil ik ook. Ik wil dat ze van je schoot afgaat. Ik wil mijn boek!'

'Je hebt al twee jaar niet meer naar dat boek omgekeken!'

'Nu wil ik het lezen.'

'Natuurlijk.'

'Ik wil het hebben!' Hij gaf Sharon een harde duw. Sharon, die tot op dat moment vrij rustig was gebleven, begon te gillen.

'Hier heb je je boek!' schreeuwde Donna. Ze stond met een ruk op en hoorde het boek op de grond vallen. Sharon spartelde zich los en Donna keek toe hoe haar twee kinderen boven op elkaar over de grond rolden, schoppend en krijsend. Toen er vijf minuten later op de deur werd geklopt, zaten ze alledrie huilend hun kwetsuren te koesteren.

'Wie is daar?' vroeg Donna, terwijl ze langzaam naar de voordeur liep.

'Terry Randolph,' riep de vrouw aan de andere kant van de deur. Donna deed meteen open. Terry Randolph en haar zoontje Bobby sprongen haastig naar binnen, want buiten hoosde het. Adam kwam naar de deur hollen. 'Neem me niet kwalijk, kom ik erg ongelegen?' vroeg Terry toen ze Donna's verstoorde gezicht en betraande ogen zag.

'Hier hangt de gebruikelijke rotstemming van regenachtige zaterdagen,' antwoordde Donna.

'Dat is nu precies waarvoor ik kwam,' zei Terry vrolijk en ze glimlachte stralend.

'Wil je een kop koffie?'

'O, nee, nee,' zei de buurvrouw. 'We blijven niet. Ik had je waarschijnlijk net zo goed kunnen bellen, maar Bobby wordt zo ongedurig van dat binnen zitten de hele dag, dus ik dacht: een klein beetje regen zal ons geen kwaad doen. Het is tenslotte maar twee huizen verder.'

Wat wilde ze dan?

'We zaten een beetje te spelen en verhaaltjes te vertellen,' vervolgde Terry Randolph, 'en toen riep Bobby opeens dat hij het zo leuk zou vinden als Adam bij hem kwam spelen...'

O nee, dacht Donna. Niet dit weekend.

'O! Mag het, mammie?' juichte Adam enthousiast.

'We hadden gedacht dat hij misschien zou kunnen blijven eten en slapen. De voorspelling voor morgen is weer de hele dag regen.'

'O, leuk! Mag het, mammie?'

'Lieverdje,' zei Donna en ze probeerde haar gedachten te ordenen. Ze dacht aan haar volmaakte weekend, mogelijk haar laatste weekend met haar kinderen, maar ze zag het de mist ingaan dank zij de stortvloed buiten en Terry Randolph met haar konijnentanden. 'Lieverdje, ik dacht dat we misschien...'

'Ik wil naar Bobby! Ik wil naar Bobby! Toe nou.' Zijn gezicht begon te betrekken.

Geef je nu maar gewonnen, zei ze tegen zichzelf, terwijl ze voelde dat een lichte paniek zich van haar meester dreigde te maken.

'Toe.'

Ze slikte krampachtig en verdrong de paniek. De wereld verging niet, zei ze tegen zichzelf. Stel je nu toch niet zo aan. Nauwelijks hoorbaar zei ze: 'Vooruit dan maar.'

'Geweldig!' piepte Terry Randolph, die net zo verrukt keek als de twee kleuters.

'Ik ga mijn pyjama halen,' riep Adam.

'Ik loop wel even met je mee,' bood Donna aan en vlug liep ze de hal door achter haar zoontje aan. Toen zij bij de deur van zijn kamertje kwam, had hij zijn pyjama al gepakt. 'Vergeet je tandenborstel niet,' zei ze.

'Die ligt in de badkamer,' antwoordde hij en hij wilde langs haar heen glippen.

'Adam, weet je zeker, dat je wel naar Bobby toe wilt? Ik zou je ook verhaaltjes kunnen vertellen. Over dat jongetje Roger en dat meisje Bethanny, die op een dag naar de giraffen gingen in de dierentuin...'

'Ik wil naar Bobby toe,' jammerde hij dwars door haar heen.

Donna rechtte haar rug. 'Goed, goed. Je mag naar Bobby toe.' Maar laat ik niet merken dat je daar een braaf jongetje bent, wilde ze hem naroepen. Denk erom dat je je flink misdraagt! Dat je heel vervelend bent! Dan sturen ze je misschien wel weer naar huis.

Toen de deur achter hen was dichtgevallen, nam Donna haar dochtertje weer op schoot en pakte het ineens niet meer belangrijke en allang weer vergeten boek met dieren van de boerderij.

'Nou, het ziet ernaar uit dat wij het samen zullen moeten zien te redden, meisje,' zei ze.

Sharon legde teder haar handje tegen haar moeders wang en keek Donna met haar grote ogen aan. Toen kroop ze lekker tegen Donna aan, weer precies boven op de pijnlijke zenuw in Donna's been, en liet haar volle gewicht erop rusten. Donna verschoof haar dochtertje, zodat ze wat gemakkelijker zat. Maar het kind schoof meteen weer terug.

De rechter maakte een vermoeide indruk, alsof hij het hele weekend door Salomons geest achtervolgd was. Zou hij voorstellen de kinderen maar in tweeën te delen? vroeg ze zich af, terwijl de zaal het verzoek kreeg op te staan en weer te gaan zitten. Donna voelde haar knieën knikken bij elke beweging die ze maakte. O, Heer, alsjeblieft, alsjeblieft, mompelde ze zachtjes. Haar advocaat legde zijn handen op de hare. De rechter nam bijna onmiddellijk het woord.

'In de zaak Cressy versus Cressy heb ik zowel de eis tot echtscheiding als de voogdij-eis zorgvuldig overwogen. Bij beide gevallen heb ik alle getuigenverklaringen nog eens doorgenomen en pas daarna ben ik tot mijn beslissing gekomen. Wat de eis tot echtscheiding, ingediend door de heer Victor Cressy tegen zijn vrouw, Donna Cressy, betreft, heb ik ten gunste van Victor Cressy besloten. De scheiding wordt uitgesproken op basis van het door mevrouw Cressy toegegeven overspel.'

Donna voelde hoe de moed haar in de schoenen zonk. Ondanks het feit dat ze van tevoren had geweten dat Victor dit eerste gedeelte bijna zeker zou winnen. Maar alleen al de woorden 'heb ik ten gunste van Victor Cressy besloten' maakten dat ze zich vaag ziek voelde. Ze wist niet anders te doen dan met gebogen hoofd nietsziend voor zich uit te staren, krampachtig proberend ook werkelijk niets te zien.

'Wat de voogdij-eis aangaat,' vervolgde de rechter, 'moet ik zeggen dat deze zaak geenszins zo duidelijk lag. De rechtbank heeft drie dagen lang naar een bewijsvoering geluisterd, die er voornamelijk op gericht was om de bewering van de heer Cressy te staven dat zijn vrouw niet stabiel is en dus niet geschikt om de moederrol te vervullen. Mevrouw Cressy heeft geen poging gedaan om hetzij haar verhouding met dokter Mel Segal, hetzij haar vaak – we zullen maar zeggen – merkwaardige gedrag te ontkennen.' Donna hield de adem in. 'Maar ik vind dat uit het bewijsmateriaal een diep ongelukkige vrouw naar voren komt, zonder dat de bewering van de heer Cressy, dat zijn vrouw labiel zou zijn of in enig opzicht niet geschikt zou zijn om de moederrol te vervullen, gestaafd wordt.' Donna sloeg de ogen op en keek de rechter in het gezicht. Hij vervolgde: 'Het is de rechtbank duidelijk geworden dat beide ouders van hun kinderen houden, maar we moeten hier in de eerste plaats kijken naar het welzijn van de kinderen. In de eerste plaats gezien hun jeugdige leeftijd en in de tweede plaats gelet op het feit dat mevrouw Cressy thuis zou blijven om voor de kinderen te zorgen terwijl de heer Cressy voor hele dagen hulp van buitenaf zou moeten aantrekken, heeft de rechtbank besloten dat het in het belang van de kinderen is wanneer ze bij hun moeder blijven.' Donna voelde tranen in haar ogen komen. 'Daarom geef ik de voogdij over Adam en Sharon Cressy aan hun moeder, Donna Cressy.' De rest hoorde Donna niet meer. De rechter had het over Victors bezoekrechten, wist ze. Daar had ze geen moeite mee. Victor kon zijn kinderen zien wanneer hij maar wilde. En zo vaak hij maar wilde. Lieve hemel, ze had gewonnen.

Ze had Victors naam in gedachten nog niet genoemd of ze voelde dat hij naar haar keek. Zonder woorden dwong hij haar zijn richting uit te kijken. Ze draaide zich om en keek in een paar harde, kille ogen. Het leek wel alsof die ogen zeiden: Zoveel als ik vroeger van je heb gehouden, zo intens haat ik je nu. Ze dacht aan zijn vroegere waarschuwing: 'Ook al zou je winnen, dan nog verlies je van me, dat kan ik je verzekeren,' en ze huiverde.

'Wat zou je doen als het tussen ons niet zou gaan?' had ze hem op hun trouwdag gevraagd. Donna had het gevoel dat ze door een kil, scherp mes van onder tot boven werd opengesneden, toen ze zich zijn antwoord herinnerde: 'Ik zou je kapotmaken, niets van je heel laten,' had hij gezegd. Meer niet. Donna wendde vlug haar blik af, maar toen ze enkele seconden later opnieuw naar hem keek, zat hij nog steeds naar haar te staren. En hij glimlachte.

Deel 2

Het heden

15

'Vooruit jongens, opschieten. Pappie is er.'

Donna liep terug naar Victor, die in het halletje stond. Zo ontspannen als nu had ze hem waarschijnlijk sinds hun scheiding, vijf maanden geleden, nog niet gezien. Hij was geheel in het wit gekleed. In combinatie met zijn donkere huid en zwarte haar maakte dat hem aantrekkelijker dan ze hem, naar ze zich herinnerde, ooit gezien had. Toch sloegen er geen vonken meer tussen hen over. Wanneer Donna in zijn mysterieuze, diepblauwe ogen keek, voelde ze slechts opluchting. Laat een ander maar proberen uit te vissen wat er in dat hoofd omgaat, dacht ze en vervolgens vroeg ze zich heel even af of er een ander zou zijn.

'Sharon zit op het potje,' legde Donna glimlachend uit. 'En Adam houdt toezicht.' Tot haar opluchting had ze geconstateerd dat haar maag niet langer opstandig werd, wanneer Victor opbelde of bij haar aan de deur kwam. 'Wil je iets fris drinken of wat anders? Het is behoorlijk heet.'

'Volgens de radio is het de laatste vierenveertig jaar op zestien april niet meer zo warm geweest,' zei Victor luchtig en hij volgde Donna naar de keuken. 'Geef me maar een glas tonic.'

Donna deed de deur van de koelkast open, haalde er een grote fles tonic uit en zette die op het aanrecht, terwijl ze ondertussen handig de deur dichtschopte. Het was een erg kleine keuken, nog niet de helft van de keuken die ze bij Victor had gehad. Maar voor haar gevoel was de ruimte groter. Ze had er zoveel meer lucht, dacht ze, terwijl ze een glas uit de kast pakte en voor Victor inschonk.

Toen Victor het huis voor het eerst had gezien, had hij weinig gezegd. Bijna niets. Donna veronderstelde dat het hem goed had gedaan te zien dat zijn kinderen niet in armoede leefden en hij had, om welke reden dan ook, de negatieve indruk – die hij volgens haar toch van het huis moest hebben – voor zich gehouden.

Het huis was inderdaad klein, moest Donna toegeven. Alles

wat een gezin nodig had was er, maar ook niets meer. Een ge-
combineerde zit-/eetkamer, drie kleine slaapkamers; de grootste slaapkamer onderscheidde zich slechts van de andere
twee doordat die een halve meter langer was. Verder was er
nog een badkamer en het piepkleine keukentje waar ze nu
stonden. Het huis leek altijd zoveel kleiner, wanneer Victor er
was. Het is echt niet zo klein als het lijkt, wilde ze elke keer
zeggen. Aanvankelijk had ze zich echter weten in te houden
en nu had ze er niet meer zo'n behoefte aan om het te zeggen.
Het was duidelijk dat Victor meer op zijn gemak begon te raken met de hele situatie. Met haar.

'Alsjeblieft,' zei ze en ze gaf hem het glas. Ze ontdekte een
paar druppels op de vloer, vlak bij zijn voeten. Victor had er
niets van gezegd, maar ze merkte dat hij opzettelijk om de
steeds meer in het oog springende natte vlekken heen liep,
toen ze de keuken uitgingen.

'Ik dacht dat ik het allemaal had opgedweild,' zei ze en ze
wenste meteen dat ze zich niet altijd gedwongen voelde Victor overal een verklaring voor te geven. Mel gaf haar in ieder
geval nooit dat gevoel.

'Dat je *wat* had opgedweild?' vroeg Victor.

'Adam had wat appelsap gemorst,' legde ze uit. Ze liepen de
woonkamer in.

'Ik had het niet eens gezien.'

Donna wist dat hij loog, maar waardeerde het dat hij zo zijn
best deed. Hij had de laatste paar maanden een heleboel geleerd.

'Ik zal eens kijken hoe het met Sharon is.' Donna gebaarde
Victor dat hij het zich gemakkelijk moest maken in een van
de goedkope rieten stoelen die bij het meubilair van het huis
hoorden. Ze liep door het smalle gangetje naar de badkamer,
waar Sharon met haar kin op haar knieën op het piepkleine
witte, Plastic potje zat. Adam zat inmiddels op de echte wc.
Hij zag er uit als een echt heertje, zelfs met zijn broek op zijn
enkels.

'Nu zitten ze allebei op de wc,' zei ze toen ze de woonkamer
weer binnenkwam.

'Ik heb geen haast,' zei Victor en hij dronk langzaam van zijn
tonic, waarbij hij zijn uiterste best deed om te doen alsof hij

zich op zijn gemak voelde. Donna ging tegenover hem zitten en probeerde hem niet aan te kijken. Hij was beslist een gecompliceerd mens, dacht ze, terwijl ze in gedachten vlug de afgelopen vijf maanden de revue liet passeren. Hij maakte het iedereen altijd zo moeilijk – en vooral zichzelf. In het begin, in de maanden vlak na hun scheiding, had ze gedacht dat ze tot in eeuwigheid zo moeizaam met elkaar zouden blijven omgaan. Maar de laatste paar maanden was hij milder geworden. Waar hij vroeger echt boos had gekeken, fronste hij later nog slechts de wenkbrauwen en nu slaagde hij er al in te glimlachen. Of probeerde het althans. Waar hij vroeger kritiek had geuit, zweeg hij nu. Misschien zou er in de toekomst nog weleens ruimte zijn voor een complimentje. Waar eens ijzige stilte had geheerst, werd nu beleefd, zelfs hartelijk gepraat. Misschien was hij in de loop der tijd wat kalmer geworden, dacht Donna. Misschien was hij minder gespannen, nu hij zag dat Donna helemaal niet van plan was om hem het contact met zijn kinderen te ontzeggen, wanneer hij te kennen gaf dat hij daar behoefte aan had. Misschien was hun scheiding ook voor hem een bevrijding geweest. De laatste paar jaar met haar konden niet erg aangenaam geweest zijn, voor niemand – en zeker niet voor een man als Victor, moest Donna toegeven.

'Waar denk je aan?' vroeg hij plotseling.

Donna werd door die vraag zo overvallen, dat ze er de waarheid uitflapte. 'Aan ons,' zei ze en toen voegde ze er vlug aan toe. 'Aan de afgelopen maanden.'

Hij zette zijn nu lege glas op de ronde glazen tafel naast zijn stoel. Het tafeltje zat vol vingerafdrukken. 'Het begint allemaal wat gemakkelijker te worden, hè?' vroeg hij. Ze knikte. 'Ik voel het ook,' vervolgde hij. 'Het zit me allemaal niet meer zo vreselijk hoog, denk ik.' Ze sloeg de ogen neer.

'Daar ben ik blij om.'

'Maar ik heb me ertegen verzet, dat kan ik je wel vertellen,' vervolgde hij en hij keek Donna aan. 'Ik wilde echt de kwaaie pier blijven uithangen.'

Donna lachte. 'Ik ben blij dat je daarvan hebt afgezien.'

'Ach, er komt een moment waarop je jezelf eens goed onder handen moet nemen. Jij zei altijd dat ik er geweldige theorieën op nahield, maar dat ik ze zelf nooit ten uitvoer bracht. Daar heb ik eens over nagedacht – ik denk namelijk heel veel na over sommige dingen die jij tegen me gezegd hebt – en ik ben tot de conclusie gekomen dat je gelijk had. Het had geen zin om te blijven mokken over het verleden, over wat al afgesloten was. Ik moest ermee leren leven, daar ging het om.' Hij zweeg en keek haar recht in de ogen. 'Ik vind het nog steeds ellendig wat er met ons allemaal gebeurd is. Maar ik zal moeten accepteren dat het gebeurd is. Ik moet ermee leven.'

'Heb je soms iemand?' waagde ze, een beetje schuchter.

Hij glimlachte. 'O, ja. Een paar contacten... niets serieus.' Hij zweeg even. 'Met jou en Mel gaat het zeker nog allemaal geweldig? Hoorde je dat? Ik heb zijn naam gezegd, zonder er bijna in te blijven.'

Ze lachten allebei. 'Het gaat allemaal prima,' zei ze.

Hij keek om zich heen in de voornamelijk oranje en witte kamer. Donna herinnerde zich dat hij oranje nooit een mooie kleur had gevonden. 'Denk je dat jullie uiteindelijk zullen trouwen?' vroeg hij. Ze realiseerde zich dat die vraag hem moeilijk viel en wist dat hij haar pas weer zou willen, zou *kunnen* aankijken, als ze daarop antwoord had gegeven.

Haar stem klonk zacht. 'Waarschijnlijk wel,' zei ze oprecht. 'Mel heeft me al diverse keren gevraagd. Maar ik voel me er gewoon nog niet klaar voor.'

'Je vindt het prettig onafhankelijk te zijn,' zei hij. Hij stond op en begon heen en weer te lopen.

'Ach, ik heb dit huis nog zeven maanden gehuurd. Misschien tegen die tijd...'

Er bekroop hun allebei een vaag gevoel van onbehagen bij dit onderwerp. 'Hoe is zijn dochtertje?' vroeg hij. Hij verschoof het accent van het gesprek net voldoende om niet al te duidelijk van onderwerp te veranderen.

'Annie? Dat is een geweldige meid. Fantastisch. Ik mag haar echt heel erg graag. Ze is stapelgek op de kinderen. Morgen is ze trouwens jarig. Dan wordt ze acht. Mel geeft een enorm feest voor haar. Ze had Adam en Sharon nota bene ook uitgenodigd...'

'O, dat vind ik vervelend. Dat had je me moeten zeggen.'

'Nee, doe niet zo gek! De weekends zijn voor *jou*. Dat begrijpt

Annie best. Ik denk trouwens niet eens dat ze het echt leuk had gevonden wanneer ze de hele middag in de weg hadden gelopen. Volgens mij heeft ze hen alleen uit beleefdheid uitgenodigd.'

Victor glimlachte. 'Ik kan me niet voorstellen dat ik ook ooit acht ben geweest.'

'Volgens mij ben je dat ook nooit geweest,' schertste ze en terwijl ze het zei, hoopte ze dat hij het ook als een grapje zou opvatten. Hij lachte.

'Weet je wat ik doe?' bood Victor plotseling aan. 'Hoe laat is dat feestje?'

'Het begint om twee uur. En het zal wel tot een uur of vijf duren. Mel heeft een goochelaar gevraagd.'

'O, dat zouden de kinderen geweldig vinden! Ik breng ze om een uur of vier. Wat vind je daarvan?'

Donna kon haar verbazing nauwelijks verbergen. 'Dat zou geweldig zijn,' zei ze en het was duidelijk aan haar te zien dat ze dit echt een fantastisch idee vond. Ze voegde er echter aan toe: 'Maar dat hoeft echt niet.'

'Dat weet ik wel,' zei hij. 'Discussie gesloten.'

'Adam!' riep Donna, want ze wilde de goede stemming niet bederven door het gesprek nu nog te rekken. 'Wat doen jullie daar?'

'Ik veeg Sharons bips af,' riep het jonge stemmetje terug.

'O, hemeltje, dan kan ik maar beter even gaan kijken.' Donna verontschuldigde zich en liep naar de badkamer. 'Hé, goed zo!' zei ze toen ze haar twee spruiten allebei voor hun eigen witte wc-tje zag staan, alle kleren keurig op hun plaats. 'Jullie hebben helemaal alleen je broek opgehesen. Geweldig.'

Sharon sloeg haar armen om Donna's hals en Donna trok haar dochtertje dicht tegen zich aan.

'Mmmm, wat ben je toch een lekker schatje.'

Het kleine meisje lachte. 'Kijk eens! Ik heb gedrukt,' zei ze trots, en ze wees naar het witte potje.

'Fantastisch.'

'Het is net een negen, mammie,' zei Adam, die ook al naar het potje wees. Donna moest lachen. 'Kan ze de volgende keer een vier maken?' vroeg Adam, een en al opwinding.

'Een vier. Een vier,' lachte Sharon en ze klapte in haar handjes, terwijl Donna haar zonnejurkje rechttrok, het potje in de wc leegde en doortrok.

Donna liep met de kinderen terug naar de hal, waar Victor inmiddels stond te wachten. Adam holde naar zijn vader toe en omhelsde hem. 'Sharon heeft een negen gemaakt! De volgende keer maakt ze een vier. Vier is mijn geluksgetal. Joehoe! Jippie!'

Donna gaf Victor de tas met kleren van de kinderen. 'Er zitten wat luiers in voor Sharon, voor het geval je ze nodig mocht hebben.'

'Geen luier,' zei Sharon beslist.

'Ze heeft al drie dagen geen ongelukje meer gehad,' vervolgde Donna.

'Geweldig,' zei Victor en toen keek hij naar Adam. 'Wat een mijlpaal!'

Donna glimlachte. 'Ga je nog ergens met hen naar toe?'

'Ik had gedacht om naar het safaripark te gaan, maar het is zo heet. Ik weet nog niet of ik het doe. Misschien gaan we gewoon naar het strand. Ik wacht maar af wat ze willen.'

Donna bracht hen naar de deur. 'Veel plezier met pappie, lieverdjes,' zei ze en ze ging op haar hurken zitten.

'Ik wil naar de leeuwen,' piepte Adam, op het punt om naar buiten te rennen.

'Zeg maar dag tegen mammie. We gaan,' zei Victor.

'Dag mammie,' zei Adam. Hij drukte een snelle kus op haar wang en holde toen verlangend naar buiten, naar zijn vaders auto.

Donna keek naar haar dochtertje. Met haar tweeëntwintig maanden was ze net een mollig porseleinen popje met reusachtige, doordringende blauwe ogen, die dwars door je heen keken, als een heksje dat je onder haar betovering wilde brengen. Ogen die alles leken te zien, die alles wat ze maar konden opnemen, ook registreerden. Alert. Zo alert. 'Lief zijn bij pappie en veel plezier.'

Het meisje sloeg plotseling haar armpjes om de hals van haar moeder. 'Ga je mee?' vroeg ze duidelijk. Die zin had ze sinds kort onder de knie.

'Nee, schatje. Ik zie je morgen weer.'

Victor pakte Sharons arm. 'Kom, Sharon. De leeuwen wachten.'

'Ik wil bij mammie blijven.'

Victor bukte zich en tilde het kind met een zwaai op. 'Tot morgen,' riep hij naar Donna, terwijl hij het tuinpad afliep.

Donna keek hen na vanuit de deuropening. Ze zag dat Adam zijn eigen veiligheidsriem vastmaakte en dat Victor Sharon in haar speciale kinderzitje naast haar broertje vastgespte. Ze riep nog altijd om haar moeder. Wat vreemd, dacht Donna, terwijl ze de auto nakeek en toen de deur dichtdeed tegen de drukkende hitte. Victor was zijn kinderen de afgelopen vijf maanden ieder weekend komen halen. En dit was de eerste keer dat Sharon huilde.

'Mag de goochelaar nu optreden?' vroeg Annie van onder haar roze met rood gestreepte feestmuts.

Donna keek op haar horloge. Het was even over drie. Ze ging op haar hurken zitten, zodat ze op gelijke hoogte met Mels dochter kon praten. 'Kunnen we nog een uurtje wachten, lieverd? Tot vier uur. Dan kunnen Adam en Sharon de goochelaar ook zien.'

Er verscheen een glimlach op het kindergezichtje. 'O, dat was ik vergeten. Die komen nog!' Donna glimlachte. 'Goed, dan wachten we nog even.'

'Over een paar minuutjes komen de taart en het ijs op tafel,' zei Donna met een knipoog. Ze stond op en hoorde haar knieën kraken. 'Waarom kraken mijn knieën toch altijd als ik opsta?' vroeg ze in het algemeen.

Haar vriendin Susan Reid reageerde onmiddellijk. 'Dat is de oude dag,' zei ze vrolijk.

Donna keek haar aan. 'Reuze bedankt. Ik ben toch zo blij dat ik jou gevraagd heb om me te komen helpen.'

'Daar heb je vrienden voor.'

'Ik dacht dat knieën kraken als je gaat zitten, niet als je opstaat.'

'Ach, jij bent altijd een beetje apart geweest. Weet je niet een goeie dokter?'

Donna keek haar trouwe vriendin aandachtig aan. 'Jij verandert ook nooit, hè?' Susan keek haar guitig aan. 'Ik bedoel maar: volgens mij maken jij en ik dit soort rare grapjes al sinds ons zestiende. En begrijp me goed – ik vind het enig. Het

heeft iets geruststellends om te weten dat, wat we ook zeggen, in wezen op hetzelfde neerkomt. Snap je wat ik bedoel?'
'Nee. Heb je soms iets vreemds gegeten?'
Donna lachte en keek naar de vijftien lawaaiige kinderen die op het witte betegelde terras heen en weer renden. 'Moet je ze nu eens zien,' zei ze. 'Acht jaar oud, misschien negen. De basis voor hun latere ontwikkeling is al gelegd. Het is er allemaal al. We worden wel ouder, maar we veranderen niet echt meer.'
Susan keek van Donna naar het druk bevolkte terras. 'Probeer je me nu duidelijk te maken dat je als kind ook al zo raar was?' Donna schudde het hoofd. 'Laten we de taart maar opdienen.' Een uur later kwam Mel achter Donna staan, zijn armen om haar middel. 'Annie vraagt steeds wanneer de goochelaar mag optreden. Het is tien over vier.'
Donna draaide zich om en keek hem aan. 'Verdorie. Denk je dat ze nog tien, vijftien minuten geduld kan hebben? Langer niet. Dan zijn ze er zeker.'
'Weet je zeker dat Victor vier uur gezegd heeft?'
Donna knikte.
'Misschien is hij van gedachten veranderd.'
'Nee, dan zou hij wel gebeld hebben. Het was tenslotte zijn idee. Ze zullen wel ergens door zijn opgehouden. Ik wed dat Adam ergens op de wc zit of zoiets. Je weet hoelang dat kan duren.'
'Misschien zou je eens moeten bellen.'
'Nog tien minuten, goed? Als ze er over tien minuten nog niet zijn, bel ik.'
'Goed, ik zal het tegen Annie zeggen.'
Donna zag Mel naar zijn dochtertje lopen. Ze glimlachte tevreden. Hoe was het toch mogelijk dat ze zoveel geluk had gehad? Ze had een geweldige man met een schat van een kind, en ze waren allebei stapelgek op haar. Ze keek naar de verlaten tafel. De kinderen hadden hun bordjes met restanten taart en gesmolten ijs in de steek gelaten voor de rauwe kreten van de Village People, een cadeau van een van Annies vriendinnetjes. Dus dat krijgen kinderen van acht tegenwoordig, dacht ze, terwijl ze het assortiment platen en posters (Kiss, Andy Gibb, Erik Estrada wie dat ook mocht wezen

– met ontbloot bovenlijf) bekeek, die Annie van haar leeftijd-genootjes had gekregen. Ze keek opnieuw naar Annie, zag hoe Mel zijn armen om zijn dochter heen sloeg en glimlachte toen ze zag hoe het meisje ermee akkoord ging nog tien minuten te wachten. Mel knuffelde haar en liep toen terug naar Donna.

De afgelopen vijf maanden waren voor Donna een openbaring geweest. Na zes jaar, waarin ze zich had voorgehouden, dat haar relatie met Victor model stond voor alle relaties, viel ze van de ene verbazing in de andere nu ze ontdekte dat dat niet zo was. Na zes jaar, waarin ze tegen zichzelf had gezegd dat een andere man simpelweg een andere reeks problemen betekende, een andere hoeveelheid hebbelijkheden onhebbelijkheden, was ze verrukt over de ontdekking dat ze er helemaal naast had gezeten. Er waren mannen die het prima vonden wanneer je zelf uitkoos wat je droeg, wanneer je zelf uitmaakte wat je at en die je zelfs je eigen neus lieten snuiten. Bij wie niet alles de moeite van een enorme discussie waard was. Bij wie niet ieder verschil van mening tot een totale oorlog leidde. Sterker nog: Mel neigde zelfs tot het andere uiterste. Er waren een paar dingen belangrijk voor hem – Annie, zijn werk, en zijzelf – en verder was alles naar believen te regelen of te veranderen. Bijna niets was de moeite van het ruziemaken waard. Ruziemaken was tijd verspillen. Elkaar vliegen afvangen was een destructieve bezigheid. Als iets Donna gelukkig maakte, dan vond hij dat prima. Als ze trek had in Chinees eten, fantastisch! Als ze op een avond drie films wilde zien, waarom niet? Als hij iets niet leuk vond, dan zei hij dat ook ronduit. Er hoefde nergens naar geraden te worden.

Hij liep naar Donna en drukte een kus op haar neus. 'Wat sta je hier te grijnzen?'

'Ik had niet gedacht dat het allemaal zo gemakkelijk zou zijn,' zei ze.

'Wat?'

'De liefde.'

Hij lachte. Toen keek hij op zijn horloge. 'We hebben nog acht minuten voordat je moet bellen,' fluisterde hij. 'Zullen we even een vluggertje maken?'

Donna lachte. 'Ik hou van je.'

'Betekent dat dat je geen zin hebt in een vluggertje?'

Ze knikte. 'We kunnen straks nog een heleboel vluggertjes maken.'

'Hmmm. Dat klinkt heerlijk.' Hij drukte weer een kus op haar neus. 'Je hebt een geweldige neus.'

Donna keek naar de deur. 'Ik wilde dat ze kwamen,' zei ze bezorgd.

Na nog eens tien minuten liep Donna naar de keuken om op te bellen. Ze draaide vlug het nummer en liet de telefoon diverse malen overgaan. 'Toe nou, Victor, waar zit je toch?' zei ze tegen zichzelf en ze hoopte in plaats van zijn stem aan de andere kant van de lijn zijn bruuske getrommel op de deur te horen. De telefoon liet een vreemd geklik horen en toen klonk er plotseling een bandje in Donna's oor.

'Het nummer dat u gedraaid hebt is tot onze spijt niet langer aangesloten...'

'O, jezus,' riep Donna uit en ze legde de hoorn op de haak.

Net op dat moment kwamen Mel en Annie de keuken binnen. 'Komen ze niet?' vroeg Mel.

'Nee, ik heb het verkeerde nummer gedraaid. Het nummer dat u gedraaid hebt is tot onze spijt niet langer aangesloten,' deed ze het bandje na.

'Er zijn kinderen die al bijna weg moeten,' zei Mel.

'Mag de goochelaar nu optreden?' smeekte Annie.

Donna haalde diep adem. 'Natuurlijk,' zei ze. 'Het is tenslotte jouw feestje. Ik weet niet wat er met Victor aan de hand kan zijn.'

'Toe maar!' zei Mel en hij gaf Annie een tik op haar billen, terwijl ze de keuken uitrende. 'Neem me niet kwalijk, schat, maar het is echt niet eerlijk om ze nog langer te laten wachten.'

'O, ik vind het prima. Heus.' Donna zweeg even. 'Er zal hun toch niets zijn overkomen, hè?'

'Nee. Ik weet zeker dat hun niets is overkomen. Victor zal met de kinderen wel ergens heen gegaan zijn en het is hem gewoon niet gelukt om op tijd terug te zijn.'

'Dat zal wel.'

'Kom, dan gaan we naar de Verbijsterende Armando kijken.'

Om halfzes waren alle kinderen vertrokken. Annie had het druk met het bekijken van haar nieuwe aanwinsten. Mel, Susan en Donna zaten in Mels geriefelijke woonkamer en genoten van een laatste cocktail.

'Tja, ik weet niet wat ik zal doen,' zei Donna en het was haar aan te zien dat ze zich zorgen maakte. 'Ik weet niet of ik hier zal blijven wachten voor het geval dat Victor nog opduikt, of naar huis zal gaan.'

'Hoe doen jullie het anders?' vroeg Susan.

'Hij brengt de kinderen meestal tussen zes uur en halfzeven thuis.'

'Bij jou thuis?'

'Ja. Hij komt nooit hier.'

'Waarom zou hij dat vandaag dan wel doen?'

Een vage misselijkheid begon zich van Donna meester te maken. 'Ik kan maar beter naar huis gaan.'

Mel stond op. 'Ik breng je wel.'

'Nee,' zei Donna, die inmiddels was opgestaan. 'Je hebt Annie beloofd om vanavond met haar naar *Star Wars* te gaan. Susan kan me wel brengen.'

Susan sprong op en dronk haastig de laatste slok uit haar glas. Tegen Mel zei ze: 'Natuurlijk. Ik blijf wel bij haar tot Victor de kinderen thuisbrengt.'

Na wat heen en weer praten stemde Mel met tegenzin hiermee in. 'Waarom bel je hem niet nog even voordat je weggaat?'

'Nee!' zei Donna harder dan de bedoeling was. Annie keek naar haar. 'Neem me niet kwalijk,' zei Donna. Ondanks de groeiende paniek probeerde ze haar stem in bedwang te houden. Waar was ze zo bang voor? 'Ik wil hem alleen niet lastig vallen. Het gaat de laatste tijd allemaal zo goed dat ik het niet wil bederven door Victor de indruk te geven dat ik zijn gangen naga. Ik wil niet dat hij denkt... ik bedoel: hij is de laatste tijd zo veranderd...'

'Donna, voel je je wel goed?' vroeg Mel. Even was het doodstil.

'Mensen veranderen niet,' zei Donna als verdoofd.

'Waar heb je het over?' vroeg Susan.

'Mensen veranderen niet. Dat heb ik je eerder op de middag

al gezegd. Victor is niet veranderd.' Donna begon paniekerig heen en weer te lopen, terwijl ze nietsziend voor zich uit
staarde. 'Mijn god, hij is helemaal niet veranderd. Ik weet
het. Ik voel het. Mel, o mijn god, Victor is helemaal niet veranderd.'
Susan probeerde Donna weer op de lichtbeige bank te trekken.
'Toe, Donna, ga even zitten...'
'Nee!' Donna duwde Susan weg. Haar ogen stonden nog altijd als verstard. Ze zag niets, alleen Victor. Zeg maar dàg tegen mammie. We gaan, hoorde ze hem weer zeggen. 'Nee!'
'Laat haar maar,' waarschuwde Mel Susan. Uit haar ooghoeken zag Donna dat Annie naar haar vader liep. 'Ik bel Victor
wel,' begon Mel.
'Hij is er niet!' schreeuwde Donna. Eindelijk uitte ze die gru-
welijke angst, die de hele middag al aan haar geknaagd had.
'Hij is weg. Ik weet het zeker. Hij is weg. Hij heeft mijn klein-
tjes meegenomen...'
'Pappie,' begon Annie. Haar stem klonk een beetje bang.
'Even geduld, lieverd,' zei Mel en hij wendde zich weer tot
Donna. 'Luister eens, Donna, we schieten er niets mee op als
we hier blijven tobben. Laten we maar gaan kijken wat er aan
de hand is.'
'Waar wil je dan heen?'
'Naar Victors huis.'
'Dat kun je niet doen,' protesteerde Donna dwaas. 'Je hebt
Annie beloofd dat je met haar naar...'
'Die klotefilm kan wel even wachten.' Mel wendde zich tot
Annie. 'Dat vind je toch wel goed, hè, schatje?'
'Natuurlijk,' zei Annie. Haar stem trilde van angst en teleur-
stelling. 'Die klotefilm kan wel even wachten.'
'Je bent een geweldige meid,' zei hij en hij woelde door haar
haren. 'Susan, zou jij bij Annie willen blijven tot we terug zijn?'
'Geen probleem,' antwoordde Susan, terwijl Mel zijn arm door
die van Donna schoof en haar meetrok naar de hal. 'Bellen jul-
lie, zodra alles weer in orde is?'
'Ja, dan bellen we,' zei hij. Hij deed de voordeur open en liep
met Donna naar buiten, waar het al donker begon te worden.

Donna bleef gedurende de hele rit maar praten. Ze was bezeten door de angst dat haar ergste vermoedens onafwendbare realiteit zouden worden, als ze ook maar één moment haar mond hield.

'Hij is er niet, Mel. Hij is weg. Ik heb niet een verkeerd nummer gedraaid. Toen wist ik het al. Ik wist dat ik het goede nummer gedraaid had, maar ik wilde het tegenover mezelf niet toegeven. Toen hij er om vier uur nog niet was, maakte ik mezelf wijs dat ze nog wel zouden komen. Dat ze nog tijd genoeg hadden. Ik heb allerlei excuses verzonnen, terwijl ik wist, diep in mijn hart wist, dat ze niet zouden komen. Ik had al zo'n misselijk gevoel. Al sinds halverwege de middag, toen ik met Susan stond te praten en tegen haar zei dat mensen niet veranderen. Toen probeerde ik mezelf al iets duidelijk te maken. Maar ik wilde er niet naar luisteren. Waarom wilde ik dat toch niet? Ik luisterde wel naar Victor! Verdomme, ik moest hem er bijna van overtuigen dat het prima was dat hij de kinderen meenam voor het weekend. Hij klonk zo oprecht teleurgesteld dat de kinderen niet naar Annies feestje konden.' Donna zweeg even, maar alleen om even te slikken. 'Waarom heb ik hem geloofd? Ik ben zes jaar met die man getrouwd geweest. Ik weet nog dat hij tegen me zei dat geen gerechtelijke uitspraak hem ooit zijn kinderen zou kunnen afnemen. Dat ik toch van hem zou verliezen, als ik het proces om de voogdij zou winnen. Dat hij tegen me zou blijven vechten tot er niets meer van me over was! Hoe heb ik kunnen vergeten dat hij dat gezegd heeft? Hoe heb ik kunnen vergeten dat hij zijn spullen al eens een keer gepakt heeft, al eens een leven achter zich heeft gelaten in Connecticut? Hoe heb ik toch kunnen denken dat hij dat niet nog eens zou doen?'

Mel keek Donna verdrietig aan. 'Wat had je kunnen doen?' vroeg hij. 'Je had dit op geen enkele manier kunnen voorzien, Donna. En zelfs *als* je het voorzien had had je het op geen enkele manier kunnen voorkomen.'

Donna voelde de eerste traan over haar wang biggelen. 'Je weet dat ik gelijk heb, hè?' vroeg ze.

'Dat weten we over een paar minuten.'

Mel drukte het gaspedaal nog dieper in. Donna bleef maar

praten. 'Hoe heb ik me zo voor de gek kunnen laten houden? Ik snap het niet. Ik weet nog hoe hij aan me werd voorgesteld: "Dit is Victor Cressy, waarschijnlijk de beste vertegenwoordiger in het verzekeringswezen van het zuidelijk halfrond!" Hoe vaak heeft hij me verdorie niet verteld dat hij de Arabieren zand zou kunnen verkopen? Snap je nu wat er gebeurd is, Mel? Hij heeft me een hele woestijn vol zand verkocht! Het was allemaal gespeeld. Hij bracht ons in de waan dat hij milder geworden was – heel geleidelijk aan natuurlijk, daarom zijn we er ook ingelopen. Hij begon verbitterd en boos. Toen werd hij langzaam maar zeker iedere week een beetje gemakkelijker. Niet te veel, anders was het niet geloofwaardig. Net genoeg om ons erin te laten lopen. En ik ben erin gelopen. Precies zoals hij het zich had voorgesteld. Hij wist dat ik erin zou lopen. O, Mel, hoelang denk je dat hij al met dit plan heeft rondgelopen?'

Mel zei niets. Ze kenden allebei het antwoord. Victor was aan dit plan gaan werken op de dag dat de beslissing van de rechter was gevallen, misschien zelfs al eerder. Het was heel goed mogelijk dat hij hiertoe al had besloten op de avond dat Donna bij hem was weggegaan. Hij had lang genoeg gewacht om alle noodzakelijke regelingen te treffen. Hij had gewacht tot iedereen helemaal tot rust was gekomen. Zelfs gelukkig was. 'Annies verjaardag was een meevaller voor hem,' zei Donna zacht. 'De kans om extra zout in de wonden te wrijven.'

Ze reden langs het huis in Lake Worth dat Donna gehuurd had. Maar daar was sinds Donna's vertrek niets veranderd en Victors auto was nergens te zien. 'Hij is er niet,' zei ze, toen ze, na even te hebben rondgekeken, weer in de auto kroop.

Mel zette de auto in de eerste versnelling en ze reden door naar Lantana. Plotseling kwam er een afschuwelijke gedachte bij Donna op. De kilte die zich van haar meester maakte, klonk door in haar stem toen ze zei: 'Hij zal hun toch niets gedaan hebben, hè? O, god, Mel, hij zal hun toch niet iets gruwelijks gedaan hebben?' Ze begon te beven. Mel zette de auto aan de kant en nam Donna vlug in zijn armen. Toen keek hij haar diep in de ogen. 'Kijk me eens aan,' droeg hij haar vriendelijk op. 'Je begint in paniek te raken. Kalm blijven. We weten niet eens of er wel iets aan de hand is. Victor kan wel thuis zijn en zich voorbereiden om de kinderen nu naar je toe te brengen. En het is waanzin je te gaan inbeelden dat Victor hun iets gedaan heeft, liefje. Wat Victor ook is of niet is, wat hij misschien zou kunnen doen of laten om jou te kwetsen, het enige waarvan ik absoluut zeker ben is dat hij zijn kinderen nooit, maar dan ook nooit, in welk opzicht dan ook kwaad zal doen. Hij houdt van zijn kinderen, Donna. Hij mag dan niet altijd zo aardig zijn, maar hij is geen onmens.'

Donna legde haar hoofd tegen Mels borst en barstte in tranen uit. 'Huil maar even flink, lieverd,' zei hij.

Na een paar minuten keek Donna op en ging ze weer gewoon zitten. Mel startte de auto en ze reden verder. Donna droogde haar ogen met een papieren zakdoekje. 'Stel je toch voor dat ik het helemaal mis heb.' Ze probeerde te lachen. 'Ik raak helemaal over mijn toeren, zonder dat daar ook maar de minste reden toe is – Victor zei altijd dat ik mezelf zonder reden helemaal over mijn toeren werkte. Straks komen we bij zijn huis, dan is hij gewoon thuis met Adam en Sharon en heeft hij een volmaakt logische verklaring voor het feit dat ze Annies feestje in het honderd hebben laten lopen en haar die film door de neus hebben geboord...'

'Hou nu toch eens op je zorgen te maken over die film...'

'Hij is gewoon thuis en zegt: "Wat is er met je ogen? Je mascara loopt door."' Ze lachte weer, een wanhopige lach; ze hoopte dat ze gelijk had, ze bad in stilte dat hij er zou zijn. O, Heer, alsjeblieft, laat Victor er zijn.

Het huis was donker.

'O, god.'

'Rustig blijven, Donna. Ze kunnen wel in de achtertuin zitten. Of misschien zijn we elkaar gewoon net misgelopen.'

Donna en Mel deden tegelijkertijd hun portier open. Ze maakten hun veiligheidsriemen los en holden de auto uit naar het huis. Donna rammelde heftig aan de deur, maar die zat op slot. En zij had geen sleutel meer. 'Verdomme,' schreeuwde ze en ze gooide haar hele gewicht tegen de deur. Mel rende naar de achterkant van het huis, terwijl Donna probeerde door de ramen naar binnen te kijken.

'In de achtertuin is niemand,' zei Mel, toen hij terugkwam.

'Hier is evenmin iemand,' zei Donna in kalme berusting.

Mel liep naar het raam aan de voorkant en gluurde naar binnen. 'Zo te zien zijn alle meubels er nog.'

'Dat zegt niets,' zei Donna. 'Die zou hij achterlaten.' Ze stond bij de voordeur en had het gevoel dat alle leven uit haar verdwenen was. 'Hij is weg. Hij heeft mijn kleintjes meegenomen.'

'We vinden ze wel, Donna. Dat beloof ik je. We vinden ze wel.'

'Donna?' De stem verraste hen. Ze hadden haar niet zien aankomen en niet gemerkt dat ze inmiddels vlak bij hen stond. 'Ik zag je vanuit mijn tuin en ik dacht al dat jij het was. Mijn oude ogen beginnen me nu toch echt in de steek te laten.'

Donna draaide zich met een ruk om en stond oog in oog met Arlene Adilman.

'Waar is Victor?' vroeg Donna en ze hoorde zelf hoe panisch haar stem klonk.

'O, die is gisteren vertrokken,' zei Arlene achteloos. 'Hij heeft vijfentachtigduizend dollar voor het huis gebeurd. Hij heeft het met de meubels en alles erin verkocht. Aan een leuk, jong echtpaar. Ze trekken er morgen in. Hij schijnt het huis drie maanden geleden al verkocht te hebben. Die mensen hebben het contant betaald, heb ik gehoord. Ik wist niet eens dat hij het te koop had gezet, totdat hij afscheid kwam nemen en me dit gaf.'

Ze hield Donna een wit envelopje voor. 'Hij zei dat jij vanavond wel zou langskomen.'

Donna griste de envelop uit de handen van de geschrokken Arlene. Ze stond er onhandig mee te frommelen en slaagde er niet in die open te maken. Haar handen trilden bijna onbeheerst. Mel nam de envelop van haar over en scheurde die vlug open. Daarna gaf hij de envelop meteen weer aan Donna zonder erin te kijken. 'Waar is Victor heen gegaan?' vroeg Mel, terwijl Donna's ogen over Victors briefje vlogen. Er stonden maar een paar woorden op het papier.

'Ik heb er geen idee van,' zei mevrouw Adilman. 'Dus dat weet u ook niet?'

Langzaam begon een zacht geweeklaag de lucht te vullen. Het begon als een zacht gehuil, zwol aan tot een duidelijke jammerklacht, steeds luider en luider, hoger en hoger, tot het in alle hevigheid naar buiten brak en explodeerde. Vlug sloeg

Mel zijn armen om Donna heen. Hij drukte haar hoofd dicht tegen zich aan, maar niets kon haar indringende noodkreet smoren. Het was de definitieve, smartelijke doodskreet van een dier dat in de val van de jager belandt. Het was een nood-kreet zonder begin en eind. Hij ontstond ergens diep in het lichaam, als een nieuw leven, en eenmaal buiten dat lichaam verwerd hij tot een levensgroot monster.

Mel peuterde het briefje uit Donna's krampachtig gebalde vuist. Achter haar rug hield hij bet briefje omhoog. Hij las de weinige woorden die Victor de vorige dag geschreven moest hebben:

'Je moet ermee leren leven. Daar gaat het om.'

Mel verkreukelde het briefje en gooide het woedend op de grond.

16

'Wat hadden ze aan toen u ze voor het laatst hebt gezien?'
Donna keek in de ogen van de politieagent. Ze waren bruin
met gouden vlekjes. Hij had een volmaakt rond gezicht en
was klein van stuk, bijzonder gespierd, maar verbazingwekkend nietszeggend. Zijn kin en kaken vormden een ronde
lijn, waardoor karakteristieke trekken die hij vroeger misschien gehad had, nu leken uitgewist. Zijn gezicht verried
niets. Waarschijnlijk het ideale gezicht voor een politieman,
dacht Donna afwezig.
Ze was zo vreselijk moe. Ze hadden die nacht niet geslapen.
De politie had hun gevraagd de volgende morgen terug te komen, aangezien de zondagavond uitsluitend bestemd was voor
de afhandeling van bloedstollende spoedgevallen, zoals in
Palm Beach maar zelden voorkwamen. De telefoontjes – naar
Danny Vogel en andere vrienden en kennissen van Victor –
hadden niets opgeleverd. Niemand wist iets; in ieder geval
zeiden ze allemaal dat ze van niets wisten. Maar Donna vermoedde het eerste. Victor was er de man niet naar risico's te
nemen. Hij had zijn vrienden nooit in vertrouwen genomen
en zou dat ook nu niet gedaan hebben. Hij had zijn verdwijning uitstekend voorbereid en alle, maar dan ook alle, sporen
uitgewist. Ze hadden zowel Gerber als Stamler gebeld. Geen
van beide juristen kon veel doen, maar toch hadden ze later
die dag een afspraak met allebei.
'Adam droeg een blauwwit gestreepte trui,' zei Donna zacht,
terwijl ze zich haar zoontje voorstelde, zoals hij trots op de wc
had gezeten en haar stralend had aangekeken. 'En een witte
korte broek. Geen sokken. En blauwe sandalen.'
'En uw dochtertje?'
Meteen stroomden de tranen over Donna's wangen. Haar
ogen, die toch al opgezet waren van het huilen, zaten nu bijna
helemaal dicht. 'Ze droeg een roodwit geblokt zomerjurkje,'
zei ze langzaam en ze deed haar best om te voorkomen dat
haar stem brak. 'En een bijpassend broekje met ruches. En

witte sandaaltjes.' Ze zweeg en voelde weer de armpjes van haar dochtertje om haar hals. Mmmm, wat ben je toch een lekker schatje, had ze tegen haar gezegd. 'En een wit lint in haar haren,' voegde ze eraan toe. 'Ze heeft erg veel krullen.'
'Ja, we hebben hun foto's,' bracht de politieman haar vriendelijk in herinnering. Hij hield de foto's op, die ze had meegebracht. 'Het zijn knappe kinderen.'
'Ja.' Donna pakte Mels hand. Ze zaten naast elkaar tegenover de politieman. Het schildje op zijn bureau liet weten dat hij Stan Robinson heette. Donna schatte hem op een jaar of vijftig. Hij keek haar aan en ze vermoedde dat hij in gedachten probeerde te formuleren wat hij tegen haar zou zeggen. Maar Donna kon van zijn gezicht niets aflezen. Wat hij ook zou zeggen, het zou haar bepaald niet als muziek in de oren klinken. Dat wist ze wel.
'Ik vind deze zaken afschuwelijk,' begon hij. Donna hield de adem in. 'Dit soort dingen komt de laatste tijd steeds vaker voor. Het lijkt wel een epidemie. De ene ouder krijgt de kinderen toegewezen; en de andere ouder loopt met hen weg.' Hij schudde het hoofd. 'Dat is zo ongeveer het afschuwelijkste dat je iemand kunt aandoen.' Hij zweeg even. 'En wij kunnen er niet veel tegen doen.'
'Hoe bedoelt u dat, dat u er niet veel tegen kunt doen?' vroeg Donna.
'Er is een term voor wat uw man doet,' zei Robinson op vlakke toon. 'We noemen het legale ontvoering. Een ouder ontvoert zijn eigen kinderen. Het is geen echte ontvoering, omdat het om een ouder gaat. Er komt geen losgeld aan te pas. Het doel is niet om het kind kwaad te doen. Er is wettelijk niets tegen in te brengen. Er wordt voortdurend over gepraat dat er een wet moet komen.' Hij haalde de schouders op. 'Eerlijk gezegd denk ik dat, mocht zo'n wet er komen, de toepassing ervan heel moeilijk zal zijn. Ik verwacht daar niet veel heil van.'
'Maar hij handelt in strijd met een gerechtelijk vonnis,' argumenteerde Mel.
'Ja, dat klopt. Daar hebben we iets waarop we hem kunnen pakken. Dus als u hem kunt vinden, confronteren wij hem wel met dat gerechtelijke vonnis.'

Er klonk een vreemd gezoem in Donna's oren. 'Dus u helpt ons niet?'

'We helpen u zo veel mogelijk,' zei de agent. 'Maar ik denk niet dat we veel bereiken. Gaat u maar eens na: hoelang is Patty Hearst niet weg geweest? Terwijl het hele land naar haar zocht. We hebben hier te maken met een man en twee kinderen die niemand kent en om wie niemand zich druk maakt, behalve u beiden. En ze hebben de hele aardbol tot hun beschikking om zich schuil te houden. Hebben de kinderen een paspoort?'

'Wat?'

'Staan de kinderen op uw paspoort of op dat van uw ex-man?' Donna tuurde ingespannen naar het plafond en keek toen weer naar de politieman. 'Ze staan op mijn paspoort,' zei ze een beetje opgewonden. 'Toen ik dat vorig jaar liet vernieuwen, heb ik ze erop laten zetten. Ik weet eigenlijk niet eens waarom.'

Mel strekte zijn nog vrije hand naar haar uit en legde die op hun al ineengestrengelde handen.

Stan Robinson stond op en liep om zijn bureau heen. 'Dan weten we in ieder geval zeker dat hij het land niet uit kan.' Donna slaakte een diepe zucht. 'Dus blijven er nog vijftig staten over – en waarschijnlijk Canada.' Hij zweeg lang genoeg om de hopeloosheid die uit zijn woorden sprak, goed te laten doordringen. 'Volgens mij heb je geen paspoort nodig om Canada binnen te komen,' vervolgde hij. 'We kunnen contact opnemen met de immigratiedienst, maar ik betwijfel of dat iets zal opleveren.'

'Wat kunt u nog meer doen?' vroeg Mel.

'We kunnen eigenlijk niet meer doen dan u van advies dienen.'

'En hoe luidt dat?'

'Neem contact op met alle luchtvaartmaatschappijen, ga na of ze op een van hun recente vluchten ene meneer Cressy met twee kinderen aan boord hebben gehad. Ik zou ook de vliegvelden van Tampa en Miami bellen. Dat wordt een geweldig karwei, want er zijn zoveel verschillende maatschappijen en het gaat om duizenden vluchten waarop hij geboekt zou kunnen hebben. Als hij al met het vliegtuig is vertrokken. Waar-

schijnlijk wel, maar hij heeft wellicht ook een valse naam gebruikt en zijn tickets contant betaald. U zou contact kunnen
opnemen met de bankrelaties van meneer Cressy om na te
gaan of hij rekeningen heeft opgeheven, dan wel naar elders
heeft laten overschrijven. Maar ik betwijfel of de banken u
iets zullen vertellen. U moet zijn werkgever opbellen. Misschien is hij overgeplaatst. Bel uw advocaat. Iedereen die
hem kende. Familie. Stuur foto's naar al uw vrienden en fa-
milieleden die niet in Florida wonen, wanneer u die tenminste hebt. U kunt een privé-detective in de arm nemen, maar
dat wordt behoorlijk kostbaar. En meestal levert het weinig
op wanneer u zo iemand niet met een flinke hoeveelheid gegevens op stap kunt sturen. Probeert u zich te herinneren of
hij misschien ooit heeft gezegd dat hij ergens wel graag zou
willen wonen. Wat doet hij graag? Heeft hij een favoriete
sport?' Hij leunde tegen het bureau. 'Nog niet zo lang geleden hadden we hier een geval, waarbij de moeder het kind
kreeg toegewezen maar de vader 'm smeerde met zijn dochter; een meisje van een jaar of zes, geloof ik. De moeder heeft
advocaten, detectives, joost mag weten wie allemaal in de
arm genomen. Maar het kind bleef onvindbaar. Dat heeft een
jaar geduurd. Uiteindelijk werden ze gevonden in Colorado.
Die man was dol op skiën. Maar hij is niet door de advocaten
of de detectives gevonden, zelfs niet door zijn ex-vrouw. Op
een dag kregen ze een telefoontje van een kennis uit Zuid-
Afrika. Je snapt gewoon niet hoe het kan. Die was voor een
wintersportvakantie in Aspen geweest en had de man in
kwestie op een van de hellingen gezien.'
'Victor houdt niet van skiën,' mompelde Donna dof en weer
hoorde ze dat gezoem in haar oren.
'Wat ik bedoel is...' zei Stan Robinson.
Mel viel hem in de rede. 'Ze begrijpt wel wat u bedoelt, agent.'
Stan Robinson ging weer achter zijn bureau staan. 'O, tja, het
spijt me, ik wilde dat ik meer kon doen, dat meen ik echt.'
'Dat wilden wij ook,' zei Mel. Hij stond op en hielp Donna
overeind.
Het gezoem werd steeds luider. Ze hadden nog maar een
paar passen gedaan of Donna's knieën knikten. Ze voelde dat
Mel zijn armen om haar heen sloeg, zodat ze niet viel. Verder

merkte ze niets meer, alleen dat aanhoudende gezoem hoorde ze. Toen viel ze flauw en het gezoem hield op.

De vrouw had Victors ogen en ook zijn volle mond, maar behalve die twee uiterlijke overeenkomsten hadden Lenore Cressy en haar zoon zo te zien niet veel gemeen. De vrouw had blond haar, ongetwijfeld mede dank zij een kleurspoeling. Ze was vrij klein van stuk, terwijl Victor lang en donker was. Ze leek een beetje topzwaar, maar ze was smaakvol gekleed, bijzonder verzorgd zelfs. Door een knappe, bijna kunstige make-up was ze erin geslaagd de ongewenste rimpels en groeven die haar leeftijd zouden verraden, te verdoezelen. Donna keek haar aandachtig aan en schatte haar op grond van wat ze van haar wist op een jaar of zeventig. Hoewel ze makkelijk voor tien jaar jonger zou kunnen doorgaan. Afgezien van de verdrietige uitdrukking in haar ogen was ze nog altijd een verbazend aantrekkelijke vrouw.

'Ik heb mijn zoon al acht jaar niet meer gezien,' zei ze zonder omwegen. De moed zonk Donna in de schoenen. Een gevoel dat de afgelopen vijf dagen al heel gewoon was geworden.

Mel en zij hadden alle vrienden en kennissen opgebeld van wie Donna zich kon herinneren dat Victor hen ooit zelfs maar genoemd had. Maar niemand wist iets. Niemand had er enig idee van waar Victor kon zijn. Victor praatte nooit met iemand over zijn plannen – op kantoor was iedereen stomverbaasd geweest over zijn plotselinge vertrek. Ze hadden er geen idee van waar hij ondergedoken kon zijn. De luchtvaartmaatschappijen hadden zich aanvankelijk weinig behulpzaam getoond en waren niet erg scheutig geweest met informatie over de passagierslijsten van de afgelopen zaterdag. Totdat de politie zich ermee bemoeide. Toen de situatie officieel werd uitgelegd, zegden ze met tegenzin hun medewerking toe. Maar enkele dagen later moesten alle maatschappijen melden dat het onderzoek niets had opgeleverd. Op geen enkele passagierslijst kwam een Victor Cressy voor. En er waren eenvoudig te veel vaders die alleen met hun kinderen reisden om ze allemaal stuk voor stuk na te gaan. Voor Sharon had Victor natuurlijk niet eens een ticket hoeven te kopen. Als Victor zijn ware naam niet gebruikt had – en kennelijk had hij dat niet gedaan – dan konden ze de hoop om hem via de lucht-vaartmaatschappijen te vinden wel opgeven.

De bank waar Donna en Victor een gezamenlijke rekening hadden gehad, kon hen al evenmin helpen. Donna kreeg te horen dat de bank geen informatie kon geven. Maar toen ze de bank alweer wilden verlaten, had een vriendelijke kassier haar heimelijk toevertrouwd, dat meneer Cressy zijn reke-ning drie maanden geleden al had opgeheven.

Dit alles verraste Donna niets, maar het was toch wel één voortdurende teleurstelling. Donna had zich voorbereid op een stugge ontvangst bij Ed Gerber, maar dat viel mee. Hij scheen oprecht verbaasd over Victors optreden. Hij beweerde echter dat hij niets wist waarmee hij hen zou kunnen hel-pen. Stamler zei dat hij onmiddellijk contact zou opnemen met zijn relaties in het hele land. Hij zorgde er ook voor dat er een privé-detective werd ingeschakeld, die tot dusverre niets te weten was gekomen; behalve dan dat Victor zijn auto ver-kocht had aan een handelaar in tweedehands auto's aan South Dixie Boulevard. De handelaar had Victor contant be-taald. Victor had de wagen daar blijkbaar meteen na zijn ver-trek van Donna's huis gebracht. De privé-detective had ook alle speciale bussen taxidiensten naar de luchthaven gecon-troleerd, maar niemand herinnerde zich iets dat van belang kon zijn. Eén taxichauffeur meende zich te herinneren za-terdag of zondag een man met een paar kinderen naar het vliegveld te hebben gebracht. Maar hij kon zich niet meer herinneren bij de balie van welke maatschappij hij hen had afgeleverd. En ook al zou hij dat nog wel geweten hebben, dan had Victor vandaar best naar een andere balie kunnen lopen. Het deed er allemaal toch niets toe, want de maat-schappijen hadden nergens een Victor Cressy op hun lijsten staan. Victor kennende dacht Donna dat hij wel diverse ma-len en in verschillende steden zou zijn overgestapt, ondertus-sen genietend van elke minuut.

Ze hadden foto's van Victor en de kinderen naar alle beken-den buiten Florida gestuurd, inclusief Mels vier zusters, twee in de omgeving van Los Angeles en twee aan de oostkust, en aan zijn twee broers, een in de staat Washington en de ander op Hawai. Ze stuurden ook foto's en gegevens naar Donna's zusje Joan, die inmiddels in Engeland woonde, voor het geval dat Victor er op de een of andere manier toch in geslaagd was de kinderen het land uit te krijgen.

En uiteindelijk waren ze dan hier in Connecticut terechtgekomen. Bij Lenore Cressy.

Er kwamen tranen in Lenores ogen, toen Donna haar verhaal vertelde. Naarmate het relaas vorderde, leek Victors moeder hoe langer hoe brozer. Toen ze uiteindelijk begon te praten, was ze nauwelijks te verstaan. 'Ik heb nooit geweten dat ik kleinkinderen had,' zei ze en ze deed geen moeite om haar intense verdriet te verdringen.

'Het spijt me zo, mevrouw Cressy,' zei Donna en dat meende ze. 'Toen we pas getrouwd waren, heb ik Victor verscheidene malen gevraagd of ik u mocht bellen. Maar hij was niet te vermurwen. Ik bleef hopen dat u zou bellen, maar dat gebeurde niet.'

'Ik heb bijna twee jaar lang telkens weer gebeld, maar hij wilde nooit met me praten. Toen ben ik er uiteindelijk mee opgehouden.'

Zodra de bejaarde dame was uitgesproken, mengde Mel zich in het gesprek. Donna schrok op – ze was bijna vergeten dat hij er ook nog was. 'Hoe kwam u erachter, dat Victor naar Florida was vertrokken, mevrouw Cressy?' vroeg hij.

'Door een vriendin, mevrouw Jarvis. Ze is weduwe en ging de winter in Palm Beach doorbrengen. Ze liep Victor op een avond in de bioscoop tegen het lijf. Hij deed alsof hij haar niet herkende, maar zij wist wel beter.'

Donna boog het hoofd. Weer een toevallige ontdekking, net als die man die in Aspen in Colorado op de ski's werd herkend. Hoelang zouden zij op een dergelijk toeval moeten wachten? Een maand? Twee maanden? Een jaar? Vijf jaar? Zou het wel ooit gebeuren? Bij die gedachte begon ze te beven.

Ze keek om zich heen in de fraai ingerichte woonkamer. Het meubilair was duidelijk oud, maar net als de bewoonster tot in de puntjes verzorgd.

'Mevrouw Cressy,' vroeg Donna. Ze leunde voorover in haar stoel en keek de vrouw tegenover haar aan. 'Kunt u me iets over Victor vertellen dat me misschien zou kunnen helpen om hem te vinden?'

De vrouw schudde het hoofd. 'Hij trok zich alles altijd zo aan,' zei ze en ze ging terug in haar herinnering. 'Zelfs toen hij nog maar klein was, moest je al zo voorzichtig zijn met wat je tegen hem zei. Moest je zo oppassen dat hij het niet verkeerd opvatte. Hij was altijd zo gauw gekwetst. Je moest erg oppassen.' Haar stem stierf weg. Toen vervolgde ze: 'Hij wilde altijd alles goed doen. Was panisch om eens iets verkeerd te doen. Het was ook nooit zijn schuld als er iets fout ging. Dan gaf hij altijd een ander de schuld. Ieder jaar op de eerste schooldag was hij gewoon ziek van angst; hij was altijd bang dat hij de verkeerde ingang zou nemen, alsof dat zo belangrijk was. Hij was doodsbang dat hij de juiste ingang niet zou kunnen vinden.' Weer zweeg ze.

Donna keek Victors moeder, die blijkbaar helemaal opging in haar herinneringen, lang en aandachtig aan. 'Mevrouw Cressy,' hield ze aan. 'Zou u me alstublieft willen waarschuwen, als u ooit iets van Victor hoort? Zou u dat alstublieft willen doen?'

Lenore Cressy's stem klonk kalm. 'Nee,' zei ze, heel beheerst. Maar Donna had het gevoel dat ze het rechtstreeks in haar oor geschreeuwd had. Even dacht ze dat de bejaarde dame haar vraag niet goed verstaan of niet goed begrepen had. Lenore Cressy zag Donna's verwarring. 'U moet me begrijpen,' zei ze aarzelend. Ze was duidelijk in tweestrijd of ze Donna bij de voornaam zou noemen, dan wel mevrouw Cressy zou blijven zeggen. Uiteindelijk besloot ze het geen van beide te doen. 'Acht jaar geleden heb ik mijn enige zoon verloren door een stommiteit van mijn kant. En ik ben niet van plan die fout weer te maken.' Weer aarzelde ze. Donna, vulde Donna in gedachten in tijdens die aarzeling.

'Dus u wilt me niet helpen?' vroeg ze ongelovig.

'Acht jaar lang heb ik gebeden om nog een kans te krijgen,' antwoordde Victors moeder. 'Ik wil eerlijk tegen u zijn. Als Victor me zou bellen, me die kans gaf, dan zou ik hem nooit meer verraden.'

'Maar u hebt hem toch ook nooit verraden!'

'Hij vindt van wel.' Ze zweeg en schudde langzaam het hoofd. 'Het is gek; hoe meer je soms je best doet om iets goed te doen, des te vaker doe je het verkeerd. Ik heb zo mijn best ge-

daan me niet met Victor en Janine te bemoeien, om altijd naar beide partijen te luisteren als ze met problemen bij me kwamen; om hen niet te veroordelen. Ik heb altijd geprobeerd om eerlijk te zijn. En kijk nu eens wat me dat heeft opgeleverd.'
Ze keek Donna recht in de ogen. 'Het spijt me,' zei ze en het klonk erg definitief. 'Ik zal u niet kunnen helpen.'
Er sprongen tranen in Donna's ogen en wanhopig riep ze uit: 'Maar het zijn mijn kinderen!'
De stem van Lenore Cressy was kalm. 'En het is mijn zoon!'

'Hij is een lul, wat moet ik er verder nog over zeggen?'
Donna keek gespannen naar de jonge vrouw tegenover haar, die te midden van een overvloed aan kussens op haar vrolijke, rozerood gebloemde canapé zat. Janine McCloud-Gauntley was misschien een jaar of twee ouder dan Donna. Ze had een heel boeiend, wat hoekig gezicht en ze begon dank zij een prille zwangerschap al aardig uit te dijen.
'Door die ellendeling heb ik drie jaar bij een psychiater gelopen,' zei de jonge vrouw. 'En daarna heeft het me nog eens drie jaar gekost om mannen weer zo aardig te gaan vinden dat ik ertoe kon komen te trouwen; en nu ben ik dan bijna zesendertig, eindelijk in verwachting van mijn eerste kind. Na al die jaren word ik nog woedend als ik zijn naam hoor, de etter.'
Donna vergeleek zichzelf in gedachten met Victors eerste vrouw. Lichamelijk vertoonden ze een flauwe gelijkenis. Ze waren allebei ongeveer even lang en hadden dezelfde kleur haar, ze waren ongeveer even oud, maar dat was dan ook echt alles. Intellectueel gezien maakte Janine McCloud de indruk haar wijsheid in de praktijk te hebben opgedaan en leek ze minder opleiding te hebben gehad dan Donna. Emotioneel leek ze taaier, een bredere rug te hebben. Donna had eigenlijk een heel ander type verwacht.
'We zijn twee jaar getrouwd geweest, de twee ellendigste jaren van mijn leven. Vraag me niet waarom. Ik zou het je eerlijk niet kunnen vertellen. Ik heb mijn best gedaan. Ik was geen kind meer toen ik trouwde, ik had al heel wat van het leven gezien. Maar ik had nog nooit zo'n man als Victor ontmoet. Ik wilde alles wel voor hem doen, om hem maar geluk-

kig te maken. Maar ik deed het nooit goed. Ik ben behoorlijk op mijn bek gevallen, terwijl ik juist probeerde het hem naar zijn zin te maken. En wat deed hij? Hij liep gewoon weg. Hij kondigde aan dat hij wilde scheiden. Ik kon mijn oren niet geloven.'

'En Lenore?'

Janine McCloud stond op en liep naar het raam. Het was avond. Haar man was naar zijn basketballclub. 'O, Lenore. Dat is me een portret. Hoe slecht ze ook is.'

Donna keek verrast. Ze herinnerde zich Victors visie op de verhouding tussen zijn ex-vrouw en zijn moeder.

'Die hele familie is stapelgek, dat kan ik je wel vertellen,' vervolgde Janine. 'Allemaal, allebei stapelgek. Ik heb echt mijn best gedaan om goede maatjes met haar te worden. Met mijn eigen moeder heb ik nooit erg veel contact gehad en Lenore leek me echt aardig. Hoewel ze me aanvankelijk niet goed genoeg vond voor haar lieve zoontje en dat dan ook niet onder stoelen of banken stak. Je kunt haar veel verwijten, maar niet dat ze oneerlijk is. Ik hield het alleen vol omdat ik de indruk had dat Victor het belangrijk vond. En ik wilde hem gelukkig zien. Dus belde ik haar elke dag, ik ging met haar lunchen. Ik ging voortdurend bij haar op bezoek. Volgens mij heeft ze me nooit echt geaccepteerd, maar ze heeft het wel geprobeerd. Zij wilde Victor tenslotte ook gelukkig zien. Daar draaide alles om. Victor gelukkig maken. Hij was echt haar aanbeden zoontje. Victor Cressy kon geen kwaad doen. Ze trok altijd partij voor hem, ongeacht waar het om ging. Hoezeer hij zich ook misdroeg. Ze wist hem altijd te verontschuldigen. Dan zei ze dat hij te hard werkte, dat hij veel te veel onder druk stond. Ik moest niet zo zwaar tillen aan alles wat hij zei. Ze was blind als het om hem ging. Ze deed alles wat hij van haar vroeg. Waarschijnlijk omdat Victors vader was gestorven toen hij nog erg jong was. Victor heeft de leiding in huis toen min of meer overgenomen en nam sindsdien alle beslissingen. En dat vond ze heerlijk. Maar vergis je niet, ze is een heel taaie. Weet je hoe ik haar altijd noemde? Niet in haar gezicht natuurlijk, alleen in gedachten. Ik noemde haar altijd Leonora Borgia.' Ze zweeg, trok een gek gezicht en schudde het hoofd. 'Ach, nu ben ik toch eigenlijk niet erg aardig. Toen Victor bij me wegliep, was ze echt erg lief voor me. Ik was er slecht aan toe. En Lenore stond altijd voor me klaar. Maar plotseling stelde Victor haar een soort ultimatum en dat had Lenore waarschijnlijk niet verwacht. Daarom wachtte ze te lang met haar reactie, weet ik veel, en weg was hij. Verdwenen. Zomaar! Daardoor is ze echt erg van streek geraakt.' Ze zweeg en liep terug naar de zithoek, waar Donna en Mel op de roodwit gestreepte tweezitsbank zaten. 'Dus wat deed ze? Ze liet mij vallen, maar dan ook totaal. Net zoals hij dat had gedaan. Precies zo. Mocht hij terugkomen, dan moet het hem meteen duidelijk zijn dat ze niet langer met de vijand heult. Zoiets zal het wel zijn. Ik mag barsten als ik het weet, verdomme.'

In gedachten hoorde Donna Victor diezelfde zin gebruiken tijdens hun eerste ongelooflijke diner samen in New York. Die uitdrukking had hij ongetwijfeld van zijn ex-vrouw overgenomen. Maar toen hij het zei, klonk het heel charmant, omdat het zo helemaal niet bij hem paste.

'Ik kan je werkelijk absoluut niet helpen,' vervolgde Janine McCloud. 'Het enige voorspelbare aan Victor is dat hij nooit iets voorspelbaars zal doen.' Ze ging zitten. 'Pfoe! Ik ben kapot. Over hem praten is bijna net zo erg als met hem getrouwd zijn.' Ze haalde haar hand door haar halflange haar. 'Ik vind het gewoon ongelooflijk dat ik na al die jaren nog zo woedend kan worden.' Ik niet, dacht Donna. En ze stond op om te vertrekken. Het was zinloos nog langer te blijven.

Donna zweeg lang voordat ze iets kon uitbrengen.

'Hij komt hier niet,' zei ze. 'Het was een stom idee van me.'

Mel keek om zich heen in het schemerig verlichte, drukke restaurantje in New York. 'Het eten is er anders prima,' zei hij in een poging haar met een grapje uit haar groeiende somberheid te halen. 'Je moet iets eten.'

'Ik heb geen trek. Ga me nu alsjeblieft niet vertellen wat ik allemaal moet.'

Mel was meteen een en al berouw. 'Neem me niet kwalijk. Dat bedoelde ik echt niet zo.'

Donna haalde de schouders op en wilde hem niet aankijken.

'We vinden ze wel,' verzekerde Mel haar. 'Dat beloof ik je.'

'Hoe dan? Wanneer?' Kreeg ze toch maar antwoord op die vragen. Dan had ze tenminste zekerheid.

'Eens moet iemand hem zien. Over een week. Een maand...'

'Een jaar...'

'Dat is mogelijk. Misschien duurt het nog langer.'

'O, Mel.' De paniek dreigde Donna weer in haar greep te krijgen.

'Waar het om gaat, is dat jij niet wegkwijnt. Je moet gezond blijven en jezelf in de hand houden. Je mag niet toestaan dat je hieraan ten onder gaat. Je moet doorgaan, proberen een normaal leven te leiden...'

Donna keek hem woedend aan. Ze gooide een lepel van tafel en hoorde die met veel lawaai op de grond terechtkomen. Wat was er opeens met Mel aan de hand? Waar had hij het over? Een normaal leven leiden? Terwijl haar kinderen verdwenen waren! 'Hoe bedoel je dat? Een normaal leven...'

Hij viel haar in de rede. 'Je reageert precies zoals hij wil dat je reageert, Donna. En ik begrijp het heel goed. Heus, ik begrijp je wel. Maar je moet sterk blijven, want dit wordt een langdurig gevecht. Je hoeft jezelf niets wijs te maken. Je moet blijven hopen, blijven zoeken. Maar je moet vooral blijven leven!'

'Waar heb je het over?' siste ze. Verscheidene mensen keken hun richting uit. 'Mijn ex-man ontvoert mijn kinderen! De politie wil me niet helpen. Niemand kan me helpen. We vliegen naar Connecticut en verspillen daar een dag met twee vrouwen die Victor al ten minste acht jaar niet meer gezien hebben, in de hoop dat zij ons misschien iets kunnen vertellen – het doet er niet toe wat...'

'Had je echt gedacht dat ze iets zouden weten?'

'Ja!' gooide Donna eruit en voor het eerst gaf ze dit ook tegenover zichzelf toe. 'Ja, dat had ik echt gedacht! Telkens als we ergens heen gaan, zoals ook nu weer, denk ik dat we hem zullen zien; elke keer dat we iemand iets vragen, denk ik dat ze me precies zullen vertellen wat ik wil weten!'

Mel strekte zijn armen naar haar uit en legde zijn handen op de hare. 'O, liefste.'

'Ik kan er niets aan doen, Mel. Het wil gewoon nog steeds niet in zijn volle omvang tot me doordringen wat er aan de hand is.'

Er kwam een ober aanlopen met een nieuwe lepel. Donna keek hem tersluiks aan. 'Luister nu eens, Donna,' hoorde ze Mel vervolgen. Waarom hield hij niet gewoon zijn mond? Ze wilde geen bemoedigende of ontmoedigende woorden meer horen, geen hoop of wanhoop. Het waren allemaal woorden en niets meer dan dat. 'We doen wat we kunnen. We hebben detectives gehuurd, advertenties geplaatst...'

'Ik weet precies wat we allemaal doen,' zei ze kortaf.

Weer was hij een en al verontschuldiging. 'Neem me niet kwalijk. Natuurlijk weet je dat.'

'Je hoeft me niet te vertellen wat er allemaal gedaan wordt.' Ze zweeg plotseling. 'O, Mel, neem me niet kwalijk. Luister alsjeblieft naar me! Jij bent de enige die me nooit in de steek laat, die er altijd is als ik je nodig heb.'

'Je hoeft je niet te verontschuldigen.'

'Je laat je werk in de steek, laat Annie aan de huishoudster over, je reorganiseert je hele leven om met mij mee te gaan naar Connecticut, om met me naar New York te rijden, omdat ik nog altijd niet het lef heb zelf achter het stuur te gaan zitten...'

'Donna...'

'Je gaat met me mee naar het een of andere idiote restaurant, waar Victor waarschijnlijk nooit meer één poot over de drempel heeft gezet sinds hij mij hier jaren geleden mee naar toe heeft genomen en wat is je dank: dat ik je hier ga zitten afblaffen!'

'Het was niet zo'n gek idee om hierheen te gaan, Donna. Het is heel goed mogelijk dat Victor hier ooit nog komt eten. We zullen een foto van hem bij de gerant achterlaten. Misschien worden we er toch iets wijzer van.'

Donna deed haar ogen dicht, maar nog steeds zag ze Mel voor zich. 'Ik kan me mijn leven niet meer voorstellen zonder jou,' zei ze.

'Dat hoeft ook niet, nooit meer.'

'Beloof je me dat je me nooit in de steek laat?'

'Dat beloof ik je.' Het was enkele ogenblikken stil. Toen zei hij: 'Wil je met me trouwen, Donna?'

Donna staarde hem totaal verbijsterd en ongelovig aan. Vroeg hij haar ten huwelijk? Nu? Nu, uitgerekend nu. Terwijl haar kinderen het enige waren dat er voor haar werkelijk toe deed. Wat mankeerde hem?

'Trouwen...?'

'Ik weet dat het waarschijnlijk volkomen misplaatst is op dit moment...'

'Misplaatst,' herhaalde ze. Ze werd steeds bozer, want ze voelde instinctmatig dat iedere toespeling op de toekomst haar verder van haar verleden zou brengen – verder van haar kinderen.

'Ik hou van je, Donna. Dat weet je toch.'

'Waarom vraag je me *nu* ten huwelijk?' vroeg ze bijna wanhopig.

'Omdat dit volgens mij een heel goed moment is om te kiezen. Voor mij. Voor jezelf. Voor een leven samen. Om überhaupt voor het leven te kiezen... Samen.'

'Een leven zonder mijn kinderen?' Haar stem werd schel.

'Dat zei ik niet.'

'Wat probeer je dan wel te zeggen?' Het klonk als een beschuldiging, niet als een vraag.

'Ik probeer alleen te zeggen dat het leven doorgaat...'

Ze begon in paniek te raken. 'Ik wil er echt niet meer over praten, Mel. Kunnen we hier niet weggaan, alsjeblieft?'

Mel gebaarde naar de ober. Even later betaalde hij de rekening en liep hij naar Donna, die al bij de deur stond. 'Of je nu met me trouwt of niet,' zei Mel toen ze het restaurant verlieten, 'ik vind dat je bij me moet intrekken in Palm Beach. Je moet niet alleen zijn.'

Donna zei niets. Eigenlijk was ze hem dankbaar voor zijn aanbod. Ze had Mel nodig, vooral nu. Nee, dacht ze, niet alleen nu. Altijd.

'Laat je me nooit in de steek?' vroeg ze weer verdrietig, terwijl ze in de gehuurde grijze Thunderbird stapten.

'Ik laat je nooit in de steek,' zei hij. 'Dat beloof ik je.'

17

'Ze komt zo beneden,' zei Donna tegen de heel aantrekkelijke vrouw in nonchalante witte zomerkleding. 'Ze pakt nog
wat van haar lievelingsspeelgoedjes in.'
Donna keek toe hoe de vrouw het zich gemakkelijk maakte
in een van de beige fauteuils in de woonkamer. Ze heeft die
stoelen waarschijnlijk zelf uitgekozen, realiseerde Donna zich
plotseling, toen ze bedacht dat Mel haar verteld had dat hij na
Kates vertrek niet de moeite had genomen het interieur te
veranderen.
'Wil je soms iets drinken?' bood Donna aan. Ze vroeg zich af
waarom Annie zoveel tijd nodig had. En ondertussen bedacht
ze dat twee ex-vrouwen binnen even zovele maanden toch
wel een beetje veel van het goede waren, hoe aardig of aantrekkelijk ze ook mochten zijn.
'Nee, dank je wel.'
'Mel zal wel opgehouden zijn door een patiënt. Hij zei dat hij
thuis zou zijn als je kwam.'
'Dat ben ik gewend,' zei Kate met een vertrouwelijkheid die
Donna een onbehaaglijk gevoel bezorgde. 'Bovendien hebben wij nu de kans om even te praten,' vervolgde ze en daarna zwegen ze allebei.
'Annie is een schat van een meid,' zei Donna ten slotte en ze
keek de hal door in de richting van de trap. Maar wel een
langzame schat. Waar bleef ze toch?
'Dank je. Volgens mij heeft Mel haar geweldig opgevangen.'
Donna glimlachte, zonder precies te weten waarom. Dit compliment was in geen enkel opzicht voor haar bedoeld. 'Ik heb
het er wel moeilijk mee dat ik haar alleen 's zomers en in de
vakanties zie,' vervolgde Kate peinzend. 'En als ik boven mijn
studieboeken zit te zwoegen, bedenk ik me weleens hoe heerlijk het zou zijn om haar altijd bij me te hebben.' Donna hield
de adem in. 'O, sorry,' zei Kate gemeend, 'wat stom van me om
dat te zeggen. Ik dacht er niet bij na.' Ze keek verlangend de
hal in. Annie was nog steeds nergens te bekennen. 'Mel heeft

me verteld wat er gebeurd is,' zei ze, moeizaam het gesprek vervolgend. 'Zijn er nog geen nieuwe ontwikkelingen?'

'Nee,' zei Donna scherp om het gesprek over dit onderwerp af te kappen.

Donna stond op en liep de hal in. Ze ging onder aan de trap staan en riep naar boven: 'Annie, schiet eens op, lieverd.'

'Ik kom eraan,' riep het kind naar beneden, maar het bleef boven. Waarom jaagde ze het meisje zo op? vroeg Donna zich af. Ze gingen toch niet weg voordat Mel thuis was. Waar *bleef* Mel trouwens? Ze ging terug naar de woonkamer en liep naar de wit-met-gouden Franse telefoon.

'Ik zal eens bellen of hij al weg is,' zei Donna.

Hij was inderdaad al weg en daar zaten ze dan tegenover el-kaar, in identieke stoelen, wachtend tot de ander de stilte zou doorbreken.

'Ik had me niet gerealiseerd dat je bij Mel woonde,' zei Kate na enkele ogenblikken. Het klonk eerder geïnteresseerd dan ontsteld. 'Hij heeft me natuurlijk wel verteld dat hij een heel serieuze relatie had en dat hij hoopte dat jullie uiteindelijk zouden trouwen...'

'Ik ben hier een paar maanden geleden ingetrokken.' Ze aar-zelde en wist niet goed wat ze moest zeggen. 'We hebben de laatste tijd een nogal jachtig leven. Het moet Mel ontschoten zijn.' Waarom moest zij namens Mel praten? Waar was hij? Waarom moest zij deze vrouw tekst en uitleg geven, terwijl ze geen enkele relatie met haar had? Het was toch niet haar ex? Het sprak vanzelf dat ze enig recht op een verklaring had. Alles wat haar dochter raakte, ging haar in zekere zin ook aan. Jij weet tenminste waar je dochter is, dacht Donna bitter. Ze voelde wrok in zich opkomen, een gevoel dat haar de laat-ste tijd steeds vertrouwder werd.

Kate keek Donna gespannen aan. En even had Donna het ge-voel dat ze weer in de getuigenbank stond. Maar Kates stem klonk zacht, toen ze uiteindelijk zei: 'Je mag Annie erg graag, hè?'

'O, ik ben dol op haar,' antwoordde Donna vlug en ze hoopte dat er meer overtuiging in haar woorden doorklonk dan ze in werkelijkheid voelde. Ze was inderdaad erg op het vroeg-wijze meisje gesteld en ze was echt van haar gaan houden, tot ze er – heel irreëel misschien – van overtuigd was geraakt dat ze haar kinderen steeds meer in de steek liet naarmate ze een hechtere band met Annie kreeg. Dat ze haar eigen zoon en dochter voorgoed zou verliezen, wanneer ze zichzelf toestond van dit meisje te houden. Haar gevoelens voor Mels dochtertje waren een vat vol tegenstrijdigheden en dat werd hoe langer hoe erger; ze vond het heerlijk Annie om zich heen te hebben, want dan had ze iemand om voor te zorgen, om mee bezig te zijn. Maar ze koesterde ook een wrok jegens het kind om het simpele feit dat ze er was. Elke keer als ze in Annies ogen keek, voelde ze de ogen van haar dochtertje, dat ze misschien nooit meer zou zien, op zich gericht. Elke keer als Annie haar vroeg of ze eventjes tijd voor haar had, hoorde ze haar zoontje zeuren om nog een verhaaltje. 'Je moet me een verhaaltje vertellen over een jongetje dat Roger en een meisje dat Bethanny heet...' Telkens wanneer ze probeerde zich een onderdeel van haar nieuwe gezin te voelen, om haar leven te laten dóórgaan, om ook maar iets van haar leven te maken, had ze het gevoel dat er een steeds zwaardere schuld op haar drukte. Hoe kon ze gewoon maar doen alsof het allemaal niet gebeurd was? Kinderen waren geen tanden die je jarenlang poetste, liet trekken en dan vergat, waarbij gevoelloosheid geleidelijk aan de pijn verving. Haar hele lichaam deed pijn.

'Neem me niet kwalijk, ik heb niet gehoord wat je zei,' zei Donna, want ze realiseerde zich dat Kate iets gezegd had.

'Ik vroeg of je werkte... buitenshuis dan.'

'O. O, nee. Ik werk niet.'

'O.'

Dit was een van die pijnlijke momenten waarop Donna altijd wenste dat ze rookte, zodat ze een sigaret kon opsteken. Dan zou ze tenminste iets te doen hebben. Als ze echt iets wilde doen, moest ze naar boven gaan om Annie te helpen pakken. Nee, dat kon ze niet doen. Annie wilde niet dat ze bovenkwam. Dat had ze haar heel duidelijk te verstaan gegeven. Haar moeder – haar echte moeder, had ze met nadruk gezegd – kwam haar vandaag halen voor de zomervakantie. En dan was er geen ruimte voor nog een moeder. En zeker niet voor Donna. Ze kon het het kind niet kwalijk nemen. Donna was de laatste tijd steeds vaker kortaf tegen haar, afwezig, snel boos en niet bijzonder spraakzaam. Aanvankelijk had Annie erg haar best gedaan om begrip op te brengen. Maar ze kon het niet helpen dat ze uiteindelijk op haar beurt een hekel aan Donna begon te krijgen.

'Lijkt het je leuk om advocate te worden?' vroeg Donna in een poging haar gedachten van zich af te zetten. Maar ze wenste meteen dat ze het niet gevraagd had. Wat een stomme vraag. Het lijkt wel alsof ik haar zit te interviewen voor de schoolkrant. Ik kan haar nog wel meer stomme vragen stellen; wat haar lievelingskleur is, aan wie zij dit jaar de Oscars zou geven en of ze naakt slaapt of niet.

'Ga je je nog specialiseren?' vervolgde ze, terwijl ze niet eens zeker wist of Kate haar eerste vraag had beantwoord. Kwam er dan geen eind aan de reeks stomme vragen die ze haar zou kunnen stellen? Maar ja, waar moest je het dan over hebben met een ex-vrouw? De overheid zou eigenlijk eens een lijstje moeten uitgeven met gespreksonderwerpen voor ex-echtgenoten, besloot ze, terwijl ze Kate iets hoorde mompelen over familierecht. Nu het aantal echtscheidingen door het hele land werkelijk epidemische vormen aannam en het aantal stiefouders aanzienlijk steeg, was dat toch werkelijk het minste dat de overheid kon doen. Het zou toch een kleine moeite zijn om een handig gidsje bij de definitieve echtscheidingspaperassen te voegen, waarin werd uiteengezet hoe men diende om te gaan met toekomstige ex-echtgenoten. Kate en Donna staarden nog steeds naar elkaar en er viel weer een totale stilte. Donna voelde zich plotseling erg te koop zitten met haar knalroze haltertruitje en de witte shorts die de afgelopen weken potsierlijk wijd waren geworden. Hoewel – en dat was waarschijnlijker – misschien waren niet zozeer de shorts wijder geworden als wel Donna magerder, zodat ze hoe langer hoe slechter in haar kleren paste. Ze had de laatste tijd niet veel gegeten – ze had geen trek – en alles wat ze sinds haar scheiding was aangekomen, leek er nu weer af te vliegen. Waar bleef het toch? vroeg ze zich af. Kate met haar fraaie borsten en goede figuur moet wel denken dat ik aan een soort anorexia nervosa lijd, dacht Donna en ze realiseerde zich hoeveel medische termen er de laatste tijd in haar vocabulaire waren geslopen. Kate zag er heel beheerst en gezond uit. Haar donkere haar was strak naar achteren gekamd en bij-eengebonden in een paardenstaart, waardoor ze een beetje deed denken aan Ali McGraw in *Love Story*. Ze zal mij wel een soort late imitatie van Twiggy vinden, concludeerde Donna. Kate maakte aanstalten om weer iets te zeggen. Donna vestigde haar aandacht op haar mond.

'Mammie!' klonk het luidkeels vanuit de gang. Goddank, zei Donna tegen zichzelf. Kate vloog meteen overeind en strekte haar armen uit naar het meisje dat met wapperende staartjes in haar donkere haar kwam aanhollen, haar altijd aanwezige roze met witte deken stevig in haar rechterhandje geklemd.

'O, wat heerlijk om je weer te zien,' zei Kate en ze kuste het kind duidelijk hoorbaar. Donna stond op. Ze zou wel door de grond willen zakken. Annie sloeg haar armen om haar moe-ders hals. Het duurde minuten voordat die twee elkaar weer loslieten. 'Je ziet er fantastisch uit.'

Annie straalde. 'Jij ziet er ook heel mooi uit,' zei ze, instinctief het compliment met een tegencompliment beantwoordend.

'Ik zie dat je je deken ook nog altijd hebt.'

Donna mengde zich in het gesprek. 'Ze zet geen stap zonder.'

'Ik neem het ding niet mee naar school,' zei Annie koeltjes, waarmee ze Donna onmiddellijk terechtwees.

'Wees eens beleefd, Annie,' zei haar moeder.

'Ik *neem* het ding toch niet mee naar school,' hield het kind vol. Kate keek naar Donna. 'Dat dekentje heeft Annie bij haar geboorte van een vriendin van me gekregen.'

'Ja, ik weet het. Ik heb het van Mel gehoord.'

'Het is verbazingwekkend dat het er nog zo mooi uitziet,' ver-volgde Kate.

'Ja.' Waar bleef Mel toch?

Annie keek van Kate naar Donna en toen weer naar Kate. 'Donna's vroegere man heeft haar kinderen ontvoerd,' zei ze plotseling.

Kates blik vloog naar Donna. 'Ja, dat weet ik, lieverd.'

Donna wendde zich af en probeerde zich te beheersen. Plot-seling was ze woedend op het meisje.

'Pappie zegt dat ze die klootzak wel zullen weten te vinden, ook al moeten ze ervoor naar Timboektoe.'

Waar was Mel? Moest ze dit nu echt allemaal doormaken?

'Pappie zegt dat hij een eersteklas lul is...'

'Zo is het wel genoeg, Annie,' zei haar moeder scherp. 'Je weet dat ik niet van dat soort woorden hou.'

'Wat voor soort woorden?'

Kate glimlachte naar Donna. 'Ze proberen je altijd uit.'

'Ja.' Ik wilde dat Mel er was.

En toen was hij er ook. Donna had het nog niet gewenst of de voordeur ging open en Mel kwam haastig binnen, een en al verontschuldigingen. 'Neem me niet kwalijk,' zei hij. Hij kuste Donna eerst en begroette toen zijn ex-vrouw met een kus. Er waren tenslotte rangen en standen. 'Ik had die zalf niet meer,' zei hij. Hij haalde een bruin pakje uit zijn zak en maakte het open. 'Dus ik moest naar de apotheek.' Hij gaf het potje aan Donna. 'Tegen je uitslag.'

Donna pakte het potje aan en keek schuldig naar de rug van haar handen. 'Dank je wel,' zei ze.

'Ziet mammie er niet mooi uit?' vroeg Annie.

'Je moeder ziet er altijd mooi uit,' zei Mel en het klonk alsof hij het meende. 'Hoe was je reis?'

'Prima. Die verliep gladjes,' antwoordde Kate.

'Ben je helemaal klaar om te vertrekken?' vroeg Mel aan Annie.

'Mijn koffers zijn nog boven.'

'Ik zal ze zo wel halen,' zei hij.

'Ik wil een paar dagen naar Disneyland, voordat we weer naar New York gaan,' zei Kate tegen haar dochtertje, dat inmiddels popelde van verwachting en gelukzaligheid. 'Ik heb een auto gehuurd.'

'Ik dacht al dat die rode auto van jou was,' zei Mel slim.

'Ach, ik heb altijd al van rood gehouden.'

Donna moest onmiddellijk aan hun slaapkamer denken, met het roodwit geruite behang en de bijpassende sprei en gordijnen, het rode, kamerbrede tapijt en de ivoren lamp met de rode kap. Ze besloot abrupt dat de hele kamer veranderd zou moeten worden.

'Laten we nu gaan!' riep Annie.

'Ik ga Annies spullen wel halen,' bood Donna aan. Mevrouw Harrison had een dag vrij en bovendien kon Donna op die manier het uitgebreide afscheid bij de deur ontlopen. Toen ze weer beneden kwam met Annies beide koffers en nog een zak met speelgoed, waren ze daar net klaar met knuffelen en zoenen. Mel pakte de bagage van haar aan; Kate nam de zak speelgoed van haar over.

'Geef Donna eens een kus; je ziet haar de hele zomer niet,' zei Mel.

'Nee!' antwoordde het kind prompt.

'Maar Annie!' Haar moeder.

'Maar Annie!' Haar vader.

'Nee!' Annie.

'Het geeft niet,' zei Donna, 'echt niet.'

Mel liep als eerste naar buiten, naar de rode Plymouth. Kate en Annie volgden hem. Donna bleef in de deuropening staan. 'Veel plezier,' riep ze hen na. Niemand nam de moeite om te kijken. Ze liep weer naar binnen. Zo'n klein kreng, dacht ze, en ze werd steeds bozer. Je zou er niets van gekregen hebben als je me een zoen had gegeven.

Een minuut of vijf later hoorde Donna de auto achteruit de oprijlaan afrijden en de straat uitrijden. Mel stond hen ongetwijfeld na te zwaaien tot ze uit het gezicht verdwenen waren. Even later kwam hij weer binnen. Tegen die tijd was Donna's boosheid uitgegroeid tot een lichte woede-uitbarsting.

'Ik moet terug naar de kliniek...'

'Wil je me dat nooit meer flikken!' schreeuwde ze.

'Wat...'

'Ik had die stomme zalf niet nodig. Althans niet nu meteen. Dat had wel even kunnen wachten!' Ze smeet de zalf op de witte tegels. Mel zei niets en wachtte tot Donna was uitgeraasd. 'Wat mankeert je? Dacht je soms dat ik de laatste tijd al niet genoeg heb moeten doormaken? En dan mag ik bovendien je exvrouw nog eens een halfuur lang aangenaam bezighouden? Waarom heb je haar niet verteld dat ik hier woon? Wat gaf je het recht om met haar over Adam en Sharon te praten? Heb je er enig idee van hoe ellendig het voor me was om daar nu mee geconfronteerd te worden? Hoe kon je me dit aandoen?'

Mel wachtte tot de woede uit haar gezicht was geweken. Toen liep hij naar haar toe en sloeg zijn armen om haar heen. 'Het spijt me,' zei hij zacht en hij schudde het hoofd. 'Ik heb gewoon niet nagedacht. Het spijt me echt heel erg.'

Donna leunde tegen zijn borst en barstte in tranen uit. 'Waarom wilde ze me geen zoen geven, Mel?' vroeg ze schor fluisterend. 'Waarom wilde ze me geen zoen geven?'

Het eerste telefoontje kwam op een vrijdagmiddag, om precies drie minuten over twee, veertien weken nadat Victor verdwenen was.

'Het is voor u,' zei mevrouw Harrison en ze hield Donna de hoorn voor.

Donna liep lusteloos naar haar huishoudster. Weken geleden had ze de hoop al opgegeven dat er weleens iemand zou kunnen bellen met nuttige informatie. Mel had de detective die Stamler gehuurd had, weer van zijn taak ontheven. Hij was al in geen maanden meer iets wijzer geworden. Alle sporen liepen dood. 'Hallo.'

'Ik dacht wel dat je daar zou zijn.'

Donna stond als aan de grond genageld. Ze voelde hoe het bloed uit haar gezicht wegtrok en het was ineens alsof er een steen op haar maag lag. Ze dwong zichzelf iets te zeggen: 'Victor?'

'Dus je herinnert je me nog? Ik voel me gevleid.'

'Waar zit je, in godsnaam, waar zit je?'

'Je vraagt toch ook altijd meer dan ik je kan geven,' zei hij berustend.

'Waar zit je?'

'Als je me dat nu nog één keer vraagt, hang ik op.'

Donna dreigde in paniek te raken. 'Hang alsjeblieft niet op.'

'Je hebt precies zestig seconden de tijd om naar je kinderen te informeren.' Donna *zag* hem op zijn horloge kijken.

Ze deed haar best haar stem niet onvast te laten klinken. 'Hoe is het met Adam? En met Sharon?' vroeg ze, gehoorzaam zijn instructies opvolgend.

'Prima,' zei hij koel. 'Sharon mist je helemaal niet.' Donna dacht aan haar dochtertje. Ze zag haar zachte, bruine krulletjes en haar lichtblauwe ogen. Die uitzonderlijke ogen, die alles registreerden als een volautomatisch fototoestel. Ze zal me niet vergeten, dacht Donna. Ze zal me niet vergeten. 'Adam heeft naar je gevraagd.'

Donna's hart begon te bonzen. 'En wat heb je toen gezegd?'

'Dat je hem niet meer wilde zien. Dat je andere kinderen had gevonden van wie je meer hield.'

'Dat heb je toch niet gezegd, Victor! Mijn god, dat heb je toch niet echt gezegd?' Hij kende haar door en door. Hij kende haar meest verborgen angsten. Als ze zichzelf toestond om van Mel en zijn dochtertje te gaan houden – andere kinderen van wie ze meer hield – zou ze haar kinderen voorgoed verliezen.

'Je zestig seconden zijn om, Donna. Tot ziens.'

De verbinding werd verbroken. 'Nee!' riep ze. 'Victor! Victor!' Ze voelde dat hij ergens aan de andere kant van de lijn stond te grijnzen. Ze smeet de hoorn met kracht op de vergulde haak. Mevrouw Harrison kwam de kamer weer binnen. Op haar vriendelijke zwarte gezicht lag een verontruste uitdrukking. Donna duwde haar opzij en liep naar een van de beige fauteuils.

Ze nestelde zich in de stoel en bleef daar onbeweeglijk zitten, zonder een woord te zeggen, tot Mel thuiskwam van zijn werk. Ze vroegen de politie een verklikker op de telefoon te zetten. Maar weer kregen ze te horen dat dit geen zaak voor de politie was. Dat het bovendien een uitzonderlijk kostbare en volkomen nutteloze aangelegenheid zou zijn als Donna er niet in slaagde Victor ten minste enkele minuten aan de praat te houden. Donna wist dat Victor nooit het risico zou lopen opgespoord te worden, als hij al ooit weer zou bellen. Maar op de een of andere manier was ze daar zeker van. Hij had er die eerste keer te veel plezier aan beleefd om het niet een tweede keer te doen.

Teleurgesteld en verdrietig verlieten ze het politiebureau.

'We weten nu tenminste dat ze nog in het land zijn,' zei Mel, terwijl ze naar de auto liepen.

'Dat wisten we al.'

'Ja, dat is misschien wel zo.' Ze liepen even zwijgend verder. 'Wat vond je van Annies brief?' Donna begreep wel dat hij probeerde haar aandacht af te leiden, haar op andere gedachten te brengen. Ze begreep wat Mel probeerde, maar toch kon ze hem erom haten. Ze wilde niet worden afgeleid. Daar was ze nog niet klaar voor.

'Ik heb nog geen tijd gehad om hem te lezen.'

'Je hebt twee dagen de tijd gehad,' zei hij glimlachend.

'Ik heb nog geen tijd gehad.'

'Ze klinkt erg volwassen,' vervolgde hij zonder acht te slaan op de scherpe klank in haar stem.

'Dat is dan fijn voor haar.'

'Kate is blijkbaar met haar naar een paar toneelstukken op Broadway geweest.'

'Wat leuk.'

'Je klinkt niet erg geïnteresseerd.'

'Ik luister toch naar je?'

Ze kwamen bij de parkeermeter, die naast de witte MG stond. Op de voorruit zat een gele parkeerbon. 'Onze tijd was om,' zei Mel met een blik op de meter. 'Leuk hoor.' Hij pakte de bon, stopte die in de zak van zijn marineblauwe broek en haalde in een vloeiende beweging zijn autosleutels uit diezelfde zak te voorschijn. Hij maakte eerst haar portier open en liep toen om de auto heen naar zijn kant. Zij had haar veiligheidsriem al om toen hij instapte. 'Waar gaan we heen?'

Ze haalde de schouders op.

'Heb je zin in een ritje?'

'O, best.'

'We zouden naar Lauderdale kunnen rijden en daar een broodje kunnen eten.'

'Dat is een heel eind rijden voor een broodje.'

'Maar wel een leuk eind rijden. We rijden langs zee.'

Donna haalde opnieuw de schouders op. 'Doe maar wat jij wilt.'

Hij startte de auto. Ze reden zwijgend in de richting van de oceaan. Daar aangekomen draaide Mel naar het zuiden. 'Wil je me niet zeggen wat je dwarszit?'

Donna kon haar oren niet geloven. Was Mel deze laatste weken zijn verstand soms kwijtgeraakt? 'Zeggen wat me dwarszit? Wat dacht je dat me dwarszat, verdomme? Het weer?'

'Rustig aan, Donna.'

'Ja, maar wat is dat nu ook voor een vraag? Ik krijg een telefoontje van Victor, de politie zegt ons dat ze hem niet kunnen opsporen, dat er geen enkele manier is om toekomstige telefoontjes na te trekken, en jij vraagt me wat me dwarszit?

Denk je soms dat ik nu zin heb om over Annies brieven te praten! Met het opsporen van mijn kinderen zijn we nog net zo
ver als op de dag dat Victor met hen verdween. Alleen wordt
er nu van me verwacht dat ik doe alsof ze ergens op kost-
school zijn of zo. Er wordt van me verwacht dat ik als een
soort vrouwelijke Job alle slagen van het noodlot verdraag.
Weet je wel wat je van me eist, Mel? Ik ben geen supermens.'
'Dat verwacht ook niemand van je.'
'Wat verwacht je dan wel?'
Hij schudde het hoofd. 'Niets. Laten we er maar over ophou-
den. Het spijt me als ik iets verkeerds gezegd heb.'
'Ben je teleurgesteld omdat ik Annies brieven nog niet heb
gelezen?'
'Ik dacht gewoon dat je daar misschien wel tijd voor gevon-
den zou hebben.'
'Die brieven zijn allemaal aan jou geadresseerd.'
'Ze weet dat jij ze ook leest.'
'Als ze zou willen dat ik ze las, zou ze die brieven aan ons al-
lebei adresseren.'
'Je weet hoe kinderen zijn.'
Donna draaide zich met een ruk naar hem om, haar ogen
schoten vuur, maar misten tegelijkertijd iedere warmte.
'Neem me niet kwalijk,' zei hij vlug. 'Ik wilde alleen maar
zeggen dat ze ze volgens mij ook voor jou bedoeld heeft. Dat
weet ik zeker.'
'En ik weet zeker dat dat niet zo is. Heeft ze mijn naam ook
maar één keer genoemd in haar brieven, Mel? Je weet wel
wat ik bedoel, de groeten aan Donna of zoiets?'
'Nee.'
Donna lachte haperend.
'Heb jij haar ooit geschreven?' vroeg hij.
'Verwacht je dat dan van me?'
'Ik vroeg alleen of je haar geschreven had.' Hij zweeg even.
'Kijk eens, Donna, jullie hebben gewoon een ongelukkige
start gehad. Hoewel... nee, jullie begonnen uitstekend. Die
eerste vijf maanden konden jullie het geweldig met elkaar
vinden. Maar toen... toen die hele geschiedenis begon... toen
begon jullie verhouding te verslechteren. Ze begrijpt wat je
doormaakt, maar ze is nog een kind. Ze begrijpt ook wel dat je

niet zoveel aandacht aan haar besteedt, dat je met je gedachten ergens anders bent, dat ze... dat ze er maar bijhangt...'
'Wat kies je je woorden weer geweldig, dokter,' viel Donna
hem in de rede.

Hij sloeg geen acht op haar interruptie. 'Ze is erg gevoelig,
Donna. Ze heeft al eens een fulltime moeder verloren. Ze
voelt er niets voor om emotioneel een heleboel te investeren
in een ander, behalve wanneer ze er heel zeker van is dat ze
daarvoor iets terugkrijgt. Ze is erg op haar hoede. En ze voelt
heel duidelijk aan dat jij haar op dit moment zonder aarzelen
voor je eigen kinderen zou inruilen.'

Donna slaakte een diepe zucht. Alles wat hij zei was waar. 'Wat
vind jij dat ik moet doen?' vroeg ze oprecht. Wat was er in 's hemelsnaam met haar aan de hand? Ze hield van deze man; ze
zou heel gemakkelijk van zijn dochtertje kunnen gaan houden.
Waarom deed ze dan zo onaardig tegen haar? Waarom kon ze
haar niet accepteren? Ze wilde het wel. Ze wilde van het meisje houden. En toch bleef ze ergens het gevoel houden dat ze de
deur naar haar eigen kinderen voor altijd zou dichtgooien,
wanneer ze zich voor Annie openstelde. 'Ze heeft andere kinderen gevonden van wie ze meer houdt,' had Victor tegen haar
gezegd. Ze schudde het hoofd om die gedachte te verdrijven.
Nee, mijn kleintjes, zei ze tegen zichzelf, en in gedachten zag
ze Adam voor zich en hoorde ze zijn stemmetje haar woorden
herhalen... dat gebeurt nooit. Nooit, absoluut nooit.

'Het lijkt me leuk als je haar schrijft. Volgens mij zou ze daar
echt erg blij mee zijn.'

Donna knikte. 'Goed, ik zal haar schrijven.' Ze leunde met
haar hoofd tegen de zwarte binnenkant van het portier. De
wind woei naar binnen door de open raampjes, blies haar haren tegen haar wang en vulde de kleine ruimte met het geluid
van de branding en de geur van de zee. Bij het geluid van de
golven ontspande Donna zich en ze voelde dat de spieren in
haar nek zich overgaven aan het ritme van de natuur. Dit was
beter dan een goede massage, dacht ze, en ze vroeg zich af
hoe iemand die aan zee had gewoond, ooit ergens anders zou
kunnen wennen.

'Voel je je nu wat beter?' vroeg Mel na een stilte van bijna een
halfuur.

Ze keek hem aan en glimlachte. 'Ja.' Hij wist altijd precies wanneer hij haar met rust moest laten. 'Wanneer zijn we er?' vroeg ze, zoals kinderen dat kunnen doen.

'Nog vijf minuutjes.'

Donna legde haar hand op Mels dij. 'Volgens mij heb ik ook niet zoveel aandacht aan jou besteed en ben ik te veel met mezelf bezig geweest.'

'Ik kan wachten.'

Donna schudde verbijsterd haar hoofd. 'Hoe kom je toch zo aardig?'

'Een kwestie van goede genen.'

Donna lachte en voor het eerst in weken dacht ze aan haar moeder. Hoe zou die zich gehouden hebben onder dit alles? vroeg ze zich af. Ze verlieten de snelweg en reden naar het westen, naar een eethuisje aan zee. 'Zodra we thuis zijn, zal ik haar schrijven,' zei ze, vervuld van nieuwe besluitvaardigheid. Haar moeder zou Annie geschreven hebben.

Maar toen ze om vijf uur 's middags thuiskwam en de telefoon in de woonkamer zag staan, voelde ze zich plotseling doodmoe. Ze zei tegen Mel dat ze even ging liggen en dat hij haar wakker moest maken als hij wilde eten. Maar dat deed hij niet. En toen ze uiteindelijk uit zichzelf de ogen opendeed, ontdekte ze dat het al drie uur 's nachts was en dat hij als een roos naast haar lag te slapen.

Donna stapte voorzichtig uit bed, waarbij ze tot de ontdekking kwam dat Mel haar had uitgekleed. Ze sloeg een kamerjas om en liep naar beneden, naar de keuken. Daar deed ze de radio aan die Mel onlangs voor haar gekocht had, en begon ze afwezig het aanrecht schoon te maken. Een kwartier later haalde ze de schoonmaakmiddelen te voorschijn. En het was al bijna halfvijf, toen ze de radio en het licht uitdeed en weer naar boven ging.

18

Donna zat in de slaapkamer van Mel en haar en staarde naar het roodwit geblokte behang. Mel had haar gezegd dat ze met die kamer kon doen wat ze wilde. Dat ze die naar haar smaak kon veranderen. En dus kwam Donna hier iedere middag als Annie thuis was uit school, in lotushouding op de grond zitten om nieuwe ideeën op te doen. Het begon langzamerhand een soort ritueel te worden. Ze realiseerde zich dat ze zich de afgelopen dagen gewoon had laten wegzinken in het eentonige geblokte dessin. Als ze al nadacht, dan hadden haar gedachten niets te maken met een nieuwe inrichting.

De telefoon ging vier keer over voordat het tot Donna doordrong en ze naar het nachtkastje holde om op te nemen.

'Hallo?'

Kalm klonk het aan de andere kant van de lijn: 'Je klinkt alsof je buiten adem bent.'

'Victor?'

'Sharon huilt.'

Hij hing op.

'Victor? Victor? Hallo! Hallo!' Wanhopig drukte Donna een paar keer de haak in, maar ze wist dat de verbinding verbroken was. Langzaam liet ze de hoorn zakken en doodstil bleef ze naast de telefoon staan.

'Weer een telefoontje?' klonk een stemmetje vanuit de deuropening.

Donna draaide zich om en zag Annie binnenkomen. Ze knikte. De afgelopen drie maanden had Victor vier keer gebeld.

'Wat zei hij deze keer?' vroeg het kind.

'Niets.'

'Je kunt het mij toch wel vertellen?' Annie zocht toenadering.

'Moet je niet aan je huiswerk?' Donna kapte iedere mogelijke toenadering af.

'Jezus, ik ben pas acht.'

'Wil je niet vloeken!'

'Jij hoeft me niet te vertellen wat ik wel of niet moet doen!'

'Ga nu niet moeilijk doen, Annie. Daar ben ik niet voor in de stemming.'

'Je bent nooit in de stemming. Nergens voor.'

'Waar is mevrouw Harrison? Waarom ga je haar niet een poosje vervelen?'

Donna zag dat er een waas van tranen in de ogen van het kind kwam. 'Ze is boodschappen aan het doen,' zei Annie en haar onderlip trilde.

Donna wendde haar blik af. Ze voelde zich verschrikkelijk schuldig. Annie had Mels grote bruine ogen en haar kaarsrechte houding had ze van haar moeder. Wat moet ik verdomme toch met haar en wat moet ik verdomme met mezelf? dacht ze. Waarom bezorgt ze me toch zo'n schuldgevoel? Ze is nog maar een kind, Mels kind. Ja, Mels kind. Niet *mijn* kind. God mag weten waar mijn kleine meisje is. Victor zei dat ze huilde. Als Sharon huilt, dan kun jij verdomme ook wel huilen! Ze keek weer naar Annie.

Die stond onbeweeglijk. In haar linkeroog zat een traan, maar ze wilde niet huilen. Donna liet zich op haar knieën vallen en strekte haar armen uit naar het kind. 'Het spijt me, Annie,' zei ze zacht. 'Het spijt me echt. Maar ik raak zo van streek door die telefoontjes van Victor. Dan heb ik gewoon een paar minuten nodig om mijn gedachten weer te ordenen. Kom, lieverdje, kom bij me.'

Donna schrok van de heftige reactie van het kind. 'Hou toch eens op met je gecommandeer!' schreeuwde Annie en nu liet ze haar tranen de vrije loop. 'Jij bent mijn moeder niet! Je bent een rotmoeder! Het is geen wonder dat Victor je je kinderen heeft afgepakt! Ik haat je!'

Donna steunde met haar handen op de vloer om niet in elkaar te zakken, toen Annie de kamer uit vluchtte.

'Ben je nog niet aangekleed?' vroeg Mel, terwijl hij de slaapkamer binnenkwam. Hoewel de muren al meer dan drie weken kaal waren, schrok hij er toch telkens weer van. Donna had zelf al het oude behang uiterst zorgvuldig verwijderd. Tot dusverre had ze nog niets nieuws op de muren geplakt.

Vanwaar ze zat, op de rand van het bed, keek ze toe hoe Mel zichzelf in de spiegel boven de kaptafel bekeek.

'Ik weet niet wat ik moet aantrekken,' zei ze vlak.

'Het doet er niet toe wat je aantrekt. Rod zei dat het een erg informeel feestje was.'

'Ik heb koffie gemorst op mijn witte broek.'

'Trek die blauwe broek dan aan.'

'Welke blauwe broek?'

'Het kan me niet schelen welke.'

'Aan jou heb ik ook niet veel.'

'Neem me niet kwalijk, liefje. Ik weet gewoon niet wat ik moet zeggen.'

'Ik vraag je één dingetje, een simpel dingetje, en dat is je al te veel.'

'Hé...'

'Je ziet toch dat ik niet goed kan besluiten wat ik zal aantrekken? We gaan naar een feestje dat volgens jou zo belangrijk is dat je erop staat dat ik meega...'

'Het is volgens mij belangrijk dat we wat meer uitgaan...'

'Je valt me in de rede... Ik vroeg je een simpele dienst, me te helpen bij de beslissing wat ik zal aantrekken, maar jij vindt het niet belangrijk genoeg om over na te denken.'

'In ieder geval niet belangrijk genoeg om ruzie over te maken.'

'Misschien vind ik van wel.'

'Meen je dat?'

Donna sloeg de handen voor haar gezicht.

Mel liep vlug naar haar toe, ging naast haar zitten en sloeg zijn armen om haar heen. 'Wat is er aan de hand, Donna? Heeft Victor weer gebeld?'

Ze schudde het hoofd. 'Nee.' Zijn laatste telefoontje was alweer vijf weken geleden. 'Ik dacht dat hij zou bellen. Ik heb letterlijk uren bij de telefoon zitten wachten.'

'Dat is niet goed.'

'Dan had ik tenminste iets te doen.'

Even was het stil. 'Donna, je kunt toch niet maanden achter elkaar zo blijven afwachten? Dat is niet goed voor je. Dat is voor geen van ons goed.'

'Ik kan nergens heen. Victor zou kunnen bellen.'

'Maar misschien belt hij nooit meer. Je kunt niet thuis blijven zitten wachten tot de telefoon gaat.'

'Wat raad jij me dan aan?'

'Waarom zoek je geen baan? Ga weer werken.'

'Je doet alsof dat zo simpel is. Ik werk al een hele tijd niet meer.'

'Dat weet ik.'

'Ik heb in geen zeven jaar gewerkt.'

'Ik zeg ook niet dat het gemakkelijk zal zijn. Maar waarom probeer je het niet? Misschien valt het wel mee.'

'O natuurlijk. Ik bel gewoon Steve McFaddon.'

'Dat zou je kunnen doen.'

'O, Mel, doe toch niet zo naïef.'

'O, Donna, doe toch niet zo negatief.'

'Donder toch op.' Ze zei het bijna zonder erbij na te denken en ze was verrast toen hij het ook inderdaad deed. Hij haalde eenvoudig de schouders op, liet haar los, stond op en liep naar de garderobekast. 'Bovendien,' voegde ze er haastig aan toe, 'dacht ik dat je het prettig vond dat ik thuis was voor Annie.'

'Dat *leek* een leuk idee.' En hij legde de nadruk op het woord 'leek'.

'Wat wil je daarmee zeggen?'

'Daarmee wil ik zeggen dat we volgens mij allemaal stukken beter af zijn, inclusief Annie, als jij eens wat meer het huis uit-kwam.'

'Heeft Annie iets gezegd?'

'Annie heeft de laatste maanden haar mond amper meer open-gedaan.'

'En dat is volgens jou mijn schuld?'

'Ik vind dat je je moet aankleden. Dan kunnen we gaan.'

Donna bleef zitten waar ze zat. 'Ik zei toch al dat ik niet weet wat ik moet aantrekken.'

Mel liep naar de kast en haalde er een mauve broek uit met een bijpassend mauve met wit gestreept truitje. 'Wat dacht je hiervan?'

Donna haalde de schouders op. 'Prima.'

'Wat let je dan nog?'

'Moeten we hier echt heen?'

'Ja,' zei hij alleen, 'we moeten erheen.' Hij keek op zijn horloge. 'Zo, nu ga ik even naar mijn dochter. Als je klaar bent, kom je maar naar haar kamer om haar welterusten te zeggen.'

Donna salueerde. 'Tot uw orders.'

Mel stond even stil. 'Dat was geen opdracht, Donna.' Hij liep naar de deuropening en draaide zich met een ruk om. 'Luister eens, als je echt zo weinig zin hebt om te gaan, doe dan eigenlijk ook maar geen moeite.'
'Blijven we dan thuis?'
'Nee, ik ga naar dat feestje.'
'Wil je niet dat ik meega?'
'Ik wil dat jij doet waar je je het prettigst bij voelt.' Hij gaf haar de kans niet meer te antwoorden. 'Ik ben bij Annie.'
Donna bleef minutenlang zitten. Toen stond ze op om zich te verkleden.

Donna zag de verraste uitdrukking op Mels gezicht, toen hij het portier van de auto opendeed en haar ontdekte. Hij zei minutenlang niets, ook al wist ze dat hem dat moeite kostte. In plaats daarvan hoorde ze hem knarsetanden. Hij keek ingespannen naar buiten en startte de auto. Zonder haar aan te kijken reed hij achteruit de oprijlaan af, de straat op. Donna kon zich niet herinneren ooit zo'n zorgelijke uitdrukking op zijn gezicht te hebben gezien.
Het spijt me zo, Mel, wilde ze zeggen. Ze wilde haar hand uitstrekken en zijn wang strelen. Om de kille sfeer die zij had gecreëerd – dat realiseerde ze zich maar al te goed – te verjagen. Ik zou zo graag willen dat ik van je dochter kon houden, dat ik je de liefde die ik voor je voel – dat weet je – voor de volle honderd procent kon tonen. Begrijp het toch, alsjeblieft. Begrijp toch alsjeblieft wat ik doormaak. Hij heeft me mijn kinderen afgenomen. Wat ik ook doe, waar ik ook ga of sta – dat laat me niet los. Overal zie ik Victors gezicht, hij lacht me uit, hij hoont me. Ik zie mijn kinderen die hun armpjes naar me uitstrekken, om me huilen. Elke keer als ik naar Annie kijk... dan zie ik alleen het meisje dat ik misschien nooit zal kennen als ze zo oud is als Annie. Daarom ontloop ik haar. Daarom kon ik gewoon niet naar haar toegaan om haar welterusten te wensen. Begrijp je hoe dat is? Elke dag wacht ik op een telefoontje van Victor. Ik raak nu meer van streek wanneer hij niet belt dan wanneer hij het wel doet. Ik weet dat het waanzinnig klinkt, maar als hij belt heb ik op de een of andere manier het gevoel dat mijn kinderen dichter bij me zijn. Toe, Mel, zeg dat je me begrijpt.

'Je moet je veiligheidsriem omdoen,' zei hij toen ze ongeveer een kwartier op weg waren.

Donna deed het. Waarom gingen ze naar dat stomme feestje? Wat hadden ze daaraan? Daardoor was zij niet thuis als Victor misschien belde. Mevrouw Harrison zou zeggen dat mevrouw Cressy die avond uit was. En Victor zou ophangen en misschien nooit meer bellen. Waarom had ze zich in 's hemelsnaam nog omgekleed? Waarom zat ze niet thuis te wachten voor het geval dat Victor belde? Voor het geval dat hij haar zou vertellen waar haar kinderen waren.

'Rij je niet afschuwelijk hard?'

Mel keek op zijn snelheidsmeter. 'Misschien wel een beetje,' zei hij en hij nam gas terug.

Donna zat onrustig te draaien. 'Hoe ver is het?'

'Het is in Boynton.'

'En zijn er allemaal doktoren?'

'Er zullen er wel een paar zijn, denk ik. Hoezo? Je doet alsof je niet van doktoren houdt.'

'Ach, je weet hoe ze op feestjes zijn. Ze praten alleen met andere doktoren. En alleen maar over hun vak.'

Er klonk duidelijk ongeduld in Mels stem door, toen hij de balans opmaakte en een denkbeeldig lijstje langsliep: 'Och, laat eens kijken... medicijnen komen niet in aanmerking als onderwerp van gesprek, omdat het een saai onderwerp is; kinderen niet, omdat dat te pijnlijk is; films niet omdat we in geen maanden meer naar de film geweest zijn; volgens mij heb je al die tijd, zo niet langer, evenmin een boek of zelfs maar een tijdschrift gelezen, dus dat kunnen we ook vergeten, en verder kan niets of niemand je boeien. Dus dat brengt het gesprek op jou. Maar we kunnen niet praten over wat jij doet, want je doet helemaal niets...'

Donna staarde Mel met een mengeling van verbijstering en woede aan. 'Hoelang loop je dit al op te kroppen?' vroeg ze.

Mel slaakte een diepe zucht die uit zijn tenen leek te komen. Toen hief hij het hoofd en boog het weer, alsof hij met zichzelf tot een soort stilzwijgende overeenkomst was gekomen. 'Dit is niet het juiste moment,' verontschuldigde hij zich. 'Het spijt me, ik ben te ver gegaan.'

'Nou en óf je te ver bent gegaan, verdomme,' viel Donna uit.

Haar woede was nog intenser, nu hij zijn verontschuldigingen had aangeboden en daarmee met succes een eind had gemaakt aan het gesprek.

Plotseling greep ze de kruk van het portier.

'Wat is er?' vroeg Mel en voor het eerst sinds hun vertrek keek hij haar aan.

'Niets,' antwoordde Donna. 'Ik word gewoon een beetje bang, als je zo snel de bocht om gaat, dat is alles.'

'Ontspan je, Donna. Ik kan ons hoogstens dood rijden.'

'Dat klinkt geweldig.'

'Ik dacht wel dat dat je zou aanstaan.'

'Wat moet dat nu weer betekenen?'

'Totaal niets.'

'Nee, wat bedoelde je daarmee?'

'Laten we er maar over ophouden, Donna...'

'Nee, dat wil ik niet.'

'Maar ik wel.'

'Dus we doen gewoon wat jij wilt, zoals altijd, hè?'

'Dat klinkt prima.'

'Voor jou misschien, maar voor mij niet.'

Mel bleef voor zich uitstaren en zei minutenlang niets. 'Ik zei dat dat mij niet prima in de oren klinkt,' drong ze aan.

'En ik vroeg je erover op te houden. Dit is een belachelijk gesprek.'

Een kwartier later reed Mel de brede oprijlaan van een aan zee gelegen luxeflat in Boynton Beach op. Hij zette de auto op de parkeerplaats voor bezoekers en maakte zijn veiligheidsriem los.

'Ik vind dat we dit moeten uitpraten voordat we naar binnen gaan,' zei Donna.

Mel keek haar aan. 'Donna, wees nu eens even serieus. Volgens mij weet je niet eens meer waarom je zo je best doet om woedend te blijven.' Donna wendde snel haar blik af. 'Kom, wat doe je? Ga je mee naar binnen of wil je dat ik je naar huis breng?'

Donna gespte zwijgend haar veiligheidsriem los en deed haar portier open. Snel sprong ze uit de auto. 'Dus je gaat mee naar binnen,' hoorde ze Mel tegen zichzelf mompelen voordat ze het portier met een klap dichtgooide.

Donna stond alleen in een hoek van het vertrek en keek naar Mel op het goudgeel betegelde balkon, dat uitzicht bood over de oceaan. Hij stond met zijn arm om een lange, weelderige vrouw met rood haar en was al ruim een halfuur vrij intiem met haar in gesprek. Donna ontdekte zichzelf in de spiegel achter de bar. Mel had altijd gezegd dat hij haar haar leuk vond toen het nog rood was...

Ze keek de beige met gele kamer rond. Ze realiseerde zich dat de sfeer er heel warm was, maar sloot zich daarvoor af, zoals ze zich eerder op de avond had afgesloten voor de beleefde pogingen om een gesprekje met haar te beginnen. Zoals ze zich ook voor Mel had afgesloten. Haar blik dwaalde weer naar het balkon. De roodharige vrouw ging nog dichter tegen Mel aan staan. Ze lachte om iets dat hij zei. O, Mel, dacht ze, waarom heb je me hier mee naartoe genomen?

Ze liep naar de gastheer toe. 'Zou ik uw telefoon even mogen gebruiken?'

'Natuurlijk. In de slaapkamer kunt u misschien wat meer privé bellen.'

Haar gastheer wees naar rechts. Hoewel de kamer niet overvol was, moest Donna zich toch een weg tussen de gasten door banen, naar de donkergroen-met-grijze slaapkamer van de gastheer en zijn vrouw. Ze ging op het bed zitten, schoof het gestreepte dekbed opzij en pakte de fluweelgrijze telefoon. Mevrouw Harrison nam bijna onmiddellijk op.

'Heeft er nog iemand gebeld, mevrouw Harrison?'

'Nee, mevrouw. Het is hier heel rustig. Annie heeft nog wat gelezen en is toen gaan slapen.'

'Maar er heeft niemand gebeld?'

'Nee, niemand.'

Donna legde de hoorn langzaam weer op de haak. 'Niemand,' herhaalde ze. 'Niemand.' Toen stond ze op en ze liep weer naar de woonkamer.

Bij het binnenkomen van de kamer werd ze begroet door het gebulder van de oceaan. Het was een grote kamer en de balkondeuren bevonden zich recht boven het water, zes verdiepingen lager. Als de deuren openstonden zoals nu, was het enige geluid dat echt iets leek te betekenen, het aanhoudende gebulder van de oceaan tegen de kust.

Ze keek zoekend om zich heen naar Mel, maar kon hem niet ontdekken. Het meisje met het rode haar was er nog wel. Hij zal wel een drankje voor haar zijn gaan halen, dacht ze. Waar was hij toch? Het was bijna elf uur. Ze wilde naar huis.

'Zullen we naar huis gaan?' vroeg hij ineens achter haar. Zijn stem klonk heel anders dan gewoonlijk.

'Dat wil ik de hele avond al,' zei ze.

'Dat heb ik gemerkt, ja. Het ontbrak er nog maar aan dat je met de sleutels in mijn richting bent gaan rammelen.' Die opmerking bezorgde hem een woedende blik van haar. 'En vraag me maar niet wat ik daarmee bedoel, want deze keer zeg ik het je misschien nog ook.'

Hij pakte haar bij haar arm en stuurde haar woedend naar de deur. 'Waarom ben *jij* nu zo woedend?' fluisterde ze gedempt. '*Ik h*eb niet de hele avond met de een of andere slonzige griet met rood haar staan flirten.'

'Nee, dat heb ik gedaan,' zei hij en bij wijze van afscheid stak hij zijn hand op naar zijn gastheer. 'En voor het geval dat het je nog niet was opgevallen, dat is niet mijn gewoonte. Om je de waarheid te zeggen ben ik eigenlijk alleen maar woedend op en teleurgesteld in mezelf. Ik heb me niet meer van dat soort trucs bediend sinds ik op de middelbare school een blauwtje liep bij mijn liefje en dus met haar beste vriendin uitging.'

'Wil je daarmee zeggen dat jouw gedrag van vanavond mijn schuld was?' Ze wachtten op de lift. Die kwam bijna meteen. Ze stapten in en gingen zo ver mogelijk uit elkaar staan.

'Ik zeg alleen dat dat mijn schuld was,' zei hij. 'Jij bent niet verantwoordelijk voor wat ik doe.'

Op de begane grond stapten ze uit de lift en liepen naar de auto. Hij liep naar zijn kant van de auto, deed het portier open en stapte in. Even dacht ze dat hij gewoon zou wegrijden en haar zou laten staan. Maar hij strekte zijn hand uit en trok het knopje aan haar kant van de auto omhoog. Daarna drukte hij op de kruk en deed hij het portier voor haar open, maar niet verder dan op een kier. Donna trok het open en stapte in. Ze had het gevoel dat ze de laatste tijd niet anders deed dan auto's in- en uitstappen.

'Nou, wat wilde je zeggen?' vroeg ze toen ze de snelweg opreden.

'Laten we maar helemaal niets zeggen tot we thuis zijn, goed?'
Het was meer een vaststelling dan een vraag. 'Op dit moment
ben ik zo woedend dat ik al mijn hersens nodig heb om te rij-
den...'
'Ik snap niet, waar *jij* zo woedend over bent...'
'Dat zal ik je dan wel uitleggen,' beloofde hij.

Toen ze thuiskwamen was het huis in duisternis gehuld; alleen de buitenlamp brandde. Ze liepen naar binnen en Mel
deed het licht in de hal aan, maar deed het meteen weer uit.
Ze stonden in het halfduister, als figuren die verstard waren
in het flitslicht van een camera. Alleen de maan en de sterren
wierpen hun licht door het raampje boven de voordeur, waardoor hun gestalten iets griezeligs kregen. Het was halftwaalf.
Ze zeiden geen van beiden iets. Donna realiseerde zich een
beetje geschrokken dat ze eigenlijk niet goed iets durfde te
zeggen. Ze had Mel nog nooit zo gezien; hij was doorgaans
niet gauw boos. Donna keek naar zijn gezicht – onbewogen,
ernstig, zijn profiel deels verlicht, deels in de schaduw. Ze kon
niet eens goed zien waar zijn baard ophield en de duisternis
begon. Ze wilde haar armen naar hem uitstrekken en dat tedere gezicht naast haar strelen, maar ze kon zich gewoon niet
verroeren.
'Laten we naar de achterkamer gaan,' zei hij en zonder haar
aan te kijken liep hij erheen. Donna volgde hem zwijgend. De
kamer aan de achterkant van het huis was oorspronkelijk bedoeld geweest als naaikamer voor Kate, maar de laatste jaren
was ze eigenlijk nauwelijks meer gebruikt. Toen Donna de
kamer voor het eerst had gezien, had ze gedacht dat het een
geweldige speelkamer zou zijn voor de kinderen. In de deuropening bleef ze staan. Waarom nam hij haar mee hier naartoe? Hij wist dat ze er altijd een speelkamer voor Adam en
Sharon van had willen maken.
'Waarom kunnen we niet in de woonkamer praten?' vroeg ze
vanuit de deuropening.
Mel, die nu midden in de kamer stond, draaide zich naar haar
om. Voor het eerst sinds hun vertrek van het feestje keek hij
haar recht aan. 'Omdat ik niet het risico wil lopen dat we Annie of mevrouw Harrison wakker maken.'

'Ben je dan van plan te gaan schreeuwen?' vroeg ze, bijna luchtig, in de hoop de scène waarvoor ze zelf bijna volledig verantwoordelijk was, nog te kunnen afwenden. Ze erkende dat het al maandenlang onafwendbaar was; en enerzijds zou ze het conflict willen ontlopen, anderzijds verlangde ze ernaar nu tot de kern van de zaak door te dringen.

'Ik weet niet wat ik van plan ben.' Geen tijd voor spelletjes. Te laat voor spelletjes.

'Ik wil deze kamer niet in.'

'Je ziet spoken.' Hij zweeg even. 'Waarom niet?'

Ze aarzelde. 'Je weet toch wat voor plannen ik altijd met deze kamer heb gehad?' Ze hield hem het aas voor. Als hij hapte, had hij zijn schuld toegegeven.

Maar hij hapte niet. 'Doe daar nou niet zo idioot over, Donna. Kom binnen en doe de deur dicht. Je kunt geen herinneringen hebben aan iets dat nooit bestaan heeft.'

'Maar mijn kinderen hebben wel bestaan!'

'Je kinderen bestaan nog steeds! En als er spoken in deze kamer zijn, dan zitten die in jouw hoofd, Donna!'

Donna werd steeds bozer. Daardoor ging ze de kamer binnen en deed ze de deur achter zich dicht. Ze keek om zich heen in de grote, met boekenkasten gevulde kamer. Er stonden twee groene banken en een lange, lage tafel. 'Zou je nu misschien willen ophouden met dat abracadabra, dokter?'

'Moet ik het echt voor je uitkauwen, Donna?'

'Ja, dat moet echt.'

'Heb je er geen idee van wat ik wil zeggen?'

'Hou verdomme eens op met je raadseltjes. Jij wilde toch zo nodig praten!'

Mel begon woedend heen en weer te lopen.

'Ik snap nog steeds niet waarom je zo woedend bent,' vervolgde Donna zonder zijn reactie af te wachten, inmiddels bang voor wat hij zou zeggen. 'Ik ben toch met je naar dat rotfeestje geweest, of niet soms? Waar je na een uur verdween en ik kon toekijken hoe je de rest van de avond eerst een uur lang met alle meisjes op het feest flirtte, om het laatste uur – je heerlijkste uur – helemaal aan die griet met dat rode haar en die enorme tieten te besteden. *Ik* heb mezelf niet op een van de aanwezige heren gestort. *Ik* heb je niet in verlegenheid gebracht.'

'Nee, je hebt niets verkeerds gedaan! Je bent met me naar dat feestje gegaan. Je hebt Rod en Bessie begroet. Je hebt misschien zelfs wel een keer gelachen. Dat laatste weet ik niet zeker, misschien is de wens wel de vader van de gedachte. En verder heb je niets gedaan... o ja, en je hebt om de drie minuten op je horloge gekeken.'

'Het begint me allemaal erg vertrouwd in de oren te klinken,' viel Donna hem in de rede. 'Nu ga je waarschijnlijk zeggen dat het mijn schuld is dat je je gedroeg zoals je hebt gedaan...'

'Nee!' Het klonk als een hamerslag. 'Ik heb je al eerder gezegd dat ik de enige ben die verantwoordelijk is voor wat ik doe. En ik kan je wel vertellen dat ik kots van mijn gedrag van vanavond. Ik heb mensen gebruikt. En het is lang geleden dat ik dat zo schaamteloos heb gedaan.'

'Ja, op de middelbare school,' zei Donna kortaf. 'Dat heb je me verteld.'

'Ik besef nu waarom het zo belangrijk voor me was om vanavond met jou naar dat feestje te gaan. O, natuurlijk, ik vond dat we meer moesten uitgaan. Maar dat was niet de voornaamste reden. De voornaamste reden was dat ik deze scène wilde ontlopen; ik wilde de gebeurtenissen van de komende paar minuten een paar uur voor me uit schuiven. Maar het is niet zo gelopen als ik gehoopt had. Want ik loop dit al zo lang op te kroppen dat mijn woede een andere manier heeft gezocht om zich te uiten. En dus werd dokter Mel Segal ineens een heel aantrekkelijke partij. Er was geen vrouw op dat feestje die ik niet in mijn armen heb gehad. En er waren er een paar die echt op me vielen. En dat meisje met dat rode haar had behalve mooie tieten nog iets dat haar aantrekkelijk maakte, iets heel simpels...' Hij zweeg even, slikte en liep langzaam om de tafel heen. Donna keek. Ze zei niets. 'Jij had het vroeger ook,' vervolgde hij. 'Dat weet ik nog wel.' Hij zweeg even om het effect van zijn woorden te vergroten. 'Ze had gevoel voor humor,' zei hij toen rustig. 'Jij had dat ook, al stortte de hele wereld om je heen in.' Hij hief de handen omhoog, alsof hij net te horen had gekregen dat er een pistool op zijn achterhoofd gericht was. 'Dat is het. Gewoon een beetje... een beetje leven.' Hij zweeg even en vervolgde toen: 'Ik praatte tegen haar en zij praatte tegen mij en ik realiseerde me dat ik voor het eerst sinds maanden me niet steeds stond te verontschuldigen. Ik luisterde naar haar en, o wonder, zij luisterde echt naar mij. Ze dacht dat ik misschien weleens iets interessants te melden zou kunnen hebben. Ze lachte zelfs om een paar grapjes van me. Ik vertelde dat ik een dochtertje had en toen glimlachte ze zowaar. Sterker nog, ze toonde zelfs belangstelling voor haar. Nou weet ik natuurlijk ook wel dat haar belangstelling voor mijn dochter niet los gezien kan worden van haar belangstelling voor mij, en ik weet ook maar al te goed dat die belangstelling niet wederzijds was, omdat ik toevallig nog altijd van jou hou...' Donna merkte dat Mel bijna in tranen was. Hij deed geen poging ze te verbergen of ze tegen te houden. 'En ik realiseerde me hoe lullig ik me gedroeg, tegenover jou, tegenover dat meisje met haar rode haar – ze heet Caroline tussen twee haakjes – en tegenover mezelf.' Hij zweeg, maakte zijn ronde om de tafel af en begon aan een nieuwe. 'Ik heb je over Tinka Segal verteld; dat was een fantastische vrouw. Er waren natuurlijk heel wat clichés op haar van toepassing die voor moeders gelden, maar daar zijn moeders ten dele ook voor. Een van Tinka's favoriete uitspraken kwam van Shakespeare, die glorieuze bron van zoveel hedendaagse clichés van niveau. "Hou altijd dit voor ogen," zei ze altijd. "Blijf getrouw aan uw eigen persoonlijkheid!"' Donna hield de adem in. Ze herinnerde zich dat haar moeder dat ook altijd zei. 'Enfin,' vervolgde hij, 'ik realiseerde me dat ik kennelijk op een punt in onze relatie was gekomen waarop ik niet langer getrouw was aan mijn eigen persoonlijkheid. Of althans op een punt waarop ik moest kiezen tussen trouw blijven aan mezelf en deel van deze relatie blijven uitmaken.'

Donna voelde zich koud worden over haar hele lichaam. Dit gebeurde niet echt. Ze had het gevoel dat haar keel werd dichtgesnoerd.

'Ik hou van je, Donna. Ik hou echt van je. Je moet me geloven als ik zeg dat ik weet wat je doormaakt. Ik weet wat je allemaal al hebt doorgemaakt en wat je op dit moment doormaakt. Ik begrijp het. En misschien zou ik het allemaal nog wat langer kunnen volhouden, als ik alleen met mezelf te maken had. Dat weet ik niet. Ik weet het echt niet. En dat zal ik ook wel nooit weten, want het gaat niet alleen om mij. Er ligt hierboven een kind van acht, dat binnenkort veertig is als ik niet oppas. Een halfjaar geleden was ze het gelukkigste kind dat je je kon voorstellen. En nu durft ze zich amper te verroeren. Toen ze gisteravond haar beker melk omgooide, ging jij tegen haar tekeer alsof ze het met opzet had gedaan, alleen om jou op de zenuwen te kunnen werken.

Ze durft amper iets te zeggen, als jij erbij bent. Want wat ze zegt deugt toch nooit! Herken je dit niet, Donna? Komt dit je niet pijnlijk bekend voor?'

Donna probeerde iets te zeggen, maar kon geen woord uitbrengen.

'Denk eens even na, Donna,' vervolgde Mel. 'Sta er toch eens bij stil wat je mijn dochter aandoet!' Hij keek hulpeloos de kamer rond. 'En mij! Ja!' blafte hij. Hij begon in steeds grotere kringen om de tafel heen te lopen. 'Laten we het er nu maar meteen allemaal uitgooien. Ik heb voortdurend het gevoel dat ik door een mijnenveld loop; één verkeerde beweging en wham! we vliegen allemaal de lucht in! Ik moet alles wat ik tegen je zeg eerst zorgvuldig afwegen. Wanneer ik in de kliniek een interessant geval heb gehad, maar het gaat om een kind, dan kan ik het je beter niet vertellen. Want je raakt van streek als we het over kinderen hebben. En dat maakt het allemaal dubbel zo moeilijk voor me, want ik vind het heerlijk om over kinderen te praten. Ik ben verdomme stapelgek op mijn eigen kind. Volgens mij heb ik me de afgelopen maanden ten onrechte laten leiden door de veronderstelling dat de Donna op wie ik verliefd ben geworden, binnenkort wel weer tot zichzelf zou komen. Want ik moet steeds aan die Donna denken. Ik weet nog goed dat ik haar voor het eerst zag; dat ik haar voor het eerst kuste; dat we voor het eerst met elkaar naar bed gingen. Toen zag ze eruit als een kleine jongen met haar korte haren. Ik weet nog goed hoe ze was in die eerste maanden na de scheiding; en ik denk zelfs met intens veel liefde terug aan die wanhopige, ongelukkig getrouwde vrouw, die ze eens was, want toen vocht ze tenminste nog voor haar geluk. En niet op de wanhopige manier zoals nu, want toen vocht ze echt om te overleven. Nu maak je alleen maar dingen kapot met je gevecht.' Zijn stem klonk plotseling erg vermoeid. 'Victor heeft precies gedaan wat hij voorspeld had,

Donna: hij heeft je kapotgemaakt. Je bestaat gewoon niet meer.' Hij zweeg even en begon toen plotseling opnieuw te praten, steeds sneller en steeds indringender. 'Wat ik niet kan begrijpen is waarom je hem daartoe de kans hebt gegeven. Toen je nog getrouwd was, liep je liever weg dan dat je je door hem kapot liet maken. Nu lijkt het wel alsof je niet weet hoe hard je weer naar hem toe moet rennen.' Hij schudde het hoofd. 'Mijn moeder heeft ook nog iets anders gezegd. Dat was toen ik haar moest vertellen dat Kate en ik uit elkaar gingen. Misschien vier maanden voor ze stierf. Ik probeerde haar uit te leggen dat Kate op zoek was naar haar identiteit enzovoorts, enzovoorts. En weet je wat ze toen zei? Ze zei dat al dat moderne gedoe over zoeken naar je identiteit louter waanzin was. Ze zei dat je identiteit ligt in wat je doet. In de manier waarop je je gedraagt.' Hij zweeg even. 'Ze had gelijk.' Vermoeid haalde hij zijn hand door zijn haar. 'Je bent zes jaar met Victor getrouwd geweest, Donna. Volgens mij is dat meer dan wij samen aankunnen.'

Donna stond als verdoofd midden in de kamer. Minutenlang was het doodstil. 'Wil je daarmee zeggen dat je me hier niet meer kunt gebruiken?' Ze vroeg het als een kind.

'Ik probeer je duidelijk te maken dat ik van Donna Cressy hou. Maar dat ik niet kan samenleven met de vrouw tot wie ze zich laat verworden.'

Donna schudde heftig het hoofd. 'Dus jij laat me nu ook in de steek? Mijn kinderen zijn weg, dus waarom maken jullie me niet meteen af? Is dat de bedoeling? Met zijn allen tegen Donna?'

'Zo wil ik het helemaal niet.'

'Je bent wat je doet, dokter!' snauwde ze. Mel sloeg de ogen neer. 'Je hebt gezegd dat je me nooit in de steek zou laten! Je hebt me beloofd dat je me nooit in de steek zou laten!'

Langzaam sloeg hij de ogen weer op, maar hij zei niets. Er stond slechts pijn op zijn gezicht te lezen. En intens verdriet.

'Je hebt me beloofd dat je me zou helpen mijn kinderen terug te vinden!'

'Dat hebben we toch ook geprobeerd, Donna. We hebben alles gedaan wat naar menselijke maatstaven mogelijk was. Maar hoelang kun je je hele bestaan blijven afstemmen op een telefoon die misschien zal gaan? Hoe vaak kun je kleine kinderen op straat aanhouden, omdat ze net zo lang zijn als je zoontje? Hoeveel wandelwagens kun je achterna rennen, omdat Sharon er weleens in zou kunnen zitten? Ik zeg niet dat je alle hoop moet opgeven...'

'Nee!' Ze schreeuwde het uit en luisterde niet meer naar wat hij zei.

Hij praatte door. 'Ik probeer je alleen duidelijk te maken dat *jij*, Donna Cressy, ook nog een eigen leven te leiden hebt, ongeacht of je je kinderen vindt of niet.'

Ze was hysterisch, niet meer tot bedaren te brengen. 'Je hebt tegen me gelogen!' gilde ze. 'Je hebt gelogen!'

'Donna...' Hij liep naar haar toe.

'Leugenaar! Leugenaar!'

'Donna...' Hij hief zijn arm op om haar te troosten.

'Nee!' schreeuwde ze.

'Probeer alsjeblieft tot rust te komen.' Hij liep in de richting van de deur. 'Laten we even een paar minuten tot rust komen. Ik zal wat voor je te drinken halen of zo...'

'Ik wil niets van je! Ik wil alleen nog maar weg.' Ze liep naar hem toe.

'Jij gaat vanavond nergens meer heen.'

'Dat zullen we dan verdomme nog weleens zien!'

'Donna, jij gaat nu nergens meer heen. Laten we proberen wat te slapen... dan praten we morgen verder.'

Ze probeerde zich langs hem heen te wringen. 'Ik slaap hier niet! Je kunt me niet dwingen hier te blijven!'

Ze begon tegen hem aan te duwen.

'Donna...'

'Ga weg. Ik heb je niet nodig. Je bent gewoon een leugenaar! Laat me hier uit of ik schreeuw verdomme het hele huis wakker. Dat kan ik je beloven!'

Mel probeerde zijn armen naar haar uit te strekken, maar ze sloeg ze weg. 'Laat me erdoor! Raak me niet aan!' Daarna kon ze niet meer uitbrengen dan klanken, louter klanken, een gehuil diep uit haar keel, dat rechtstreeks uit haar hart leek te komen. Ze gilde alsof hij haar vermoordde. Als een dier dat al gewond is, dat met zijn poot hopeloos vastzit in een ijzeren klem en dat de jager ziet naderen met zijn mes.

Mels hand schoot naar haar mond in een poging haar gegil te smoren. Donna schrok er verschrikkelijk van. Ze hield de adem in, het was alsof ze stikte. Ze beet hem hard in zijn hand. Hij schreeuwde het uit door de plotselinge pijn en probeerde haar de weg te versperren met zijn – veel bredere – lichaam. Maar ze ging als een razende tekeer, ze krabde, schopte, trapte. 'Laat me erdoor!'

Hij hield stand en ging niet voor haar geweld opzij. 'Godverdomme, ik haat je!' krijste ze. Toen sloeg ze hem met de volle hand hard in het gezicht.

Instinctmatig hief hij zijn hand op en beantwoordde haar klap met dezelfde kracht. Toen deinsden ze allebei terug, plotseling ontzet over wat ze hadden gedaan.

Hij sprak als eerste. 'O, Donna, dat spijt me...'

'Nee,' beet ze hem toe. 'Ik wil niets meer horen.' Ze keek in zijn vermoeide, bruine ogen. 'Je bent nog erger dan Victor,' zei ze kalm. 'Je kunt van Victor een heleboel zeggen, maar hij heeft me nooit geslagen.'

Mel maakte plaats voor Donna, toen ze naar de deur liep. Zacht klonk zijn stem achter haar: 'Soms is het gemakkelijker om iemand te vermoorden zonder zelfs maar een vinger naar hem uit te steken.'

Donna deed de deur open en liep de kamer uit zonder nog achterom te kijken.

19

Ze kwam nu al vier weken lang dagelijks naar dit speelterreintje. Ze wist eigenlijk niet eens zeker hoe het was begonnen; wanneer een aanvankelijk toevallige wandeling tot een dagelijks ritueel geworden was. Maar nu zat Donna elke middag van drie tot vijf op dezelfde groene bank, aan dezelfde kant van het smalle speelterreintje langs Flagler Boulevard te kijken naar de spelende kinderen.

Het leek haar een passend besluit van de dag; dagen die ze doorbracht met nutteloze gedachten, tot het donker genoeg was om weer naar bed te gaan om te slapen. Ze werd elke morgen tussen zeven en acht uur wakker, vervolgens nam ze eindeloos lang de tijd om zich te wassen, haar tanden te poetsen en verder alles te doen wat bij het opstaan hoort. Wat haar voor de voeten kwam, trok ze aan, tot het te smerig geworden was. Dan ging ze wandelen, soms langs zee, soms helemaal naar Worth Avenue, waar ze de blikken vermeed van de smaakvol geklede toeristen, die in en uit de exclusieve modehuizen stroomden, alsof je het daar voor niets kreeg. Soms liep ze naar Palm Beach Mall of naar Southern Boulevard. Soms lunchte ze ergens; meestal helemaal niet. Uiteindelijk kwam ze altijd hier terecht, bij dit speeltuintje. Waar ze ook heen gewandeld was, alle wegen leidden hierheen.

Het was een van Adams lievelingsplekjes geweest, misschien vanwege de talloze schommels en glijbanen die dierfiguren moesten voorstellen en die waar je maar keek rondsprongen, -galoppeerden en -hobbelden. Ze zei tegen zichzelf dat ze niet echt verwachtte dat hij hier zou zijn. Toch bestond er altijd nog een kleine kans dat Victor met zijn kinderen Palm Beach helemaal nooit verlaten had. Of dat hij er na een korte afwezigheid was teruggekeerd. Ze probeerde die gedachte uit haar hoofd te zetten. Nee, daar was Palm Beach te klein voor. Hier waren te veel mensen die hem zouden kunnen opmerken; hier liep hij een te grote kans ontdekt te worden. Bovendien, de detective had de hele staat uitgekamd. Hij had geïnformeerd bij alle makelaarskantoren, kinderbewaarplaatsen en bureaus voor gezinszorg. Ze was er absoluut zeker van dat Victor niet in Florida was. Of misschien op dat moment niet, hield een stemmetje binnen in haar vol. Misschien was hij inmiddels teruggekomen...

Donna's blik dwaalde naar een donkerharig jongetje dat van de ingang van het speeltuintje naar een kleurig geverfd klimrek rende. Ze keek hoe hij naar boven klom en daar op zijn kop aan zijn enkels ging hangen. Waar was zijn moeder? vroeg ze zich verstoord af. Je liet kleine kinderen toch niet alleen spelen in een omgeving met zoveel potentiële gevaren? Het jongetje was ongeveer net zo oud als Adam. Het was gewoon onverantwoordelijk om hem hier zonder toezicht vrij te laten rondlopen. Ze keek nog eens aandachtig naar het kind – hij leek zelfs een beetje op Adam, dacht ze, althans van die afstand en als je recht tegen de zon inkeek, zoals zij nu deed. Als ze haar ogen een beetje dichtkneep, zou ze bijna kunnen geloven...

'Todd, waar zit je?' riep een schrille vrouwenstem. De vrouw kwam het speeltuintje inrennen en liep toen boos naar het jongetje. 'Hoe vaak heb ik je nu al gezegd dat je op me moet wachten en niet zo ver vooruit moet hollen. Je weet toch dat ik niet meer zo hard kan lopen.' Donna keek naar haar. Ze was misschien zes à zeven maanden zwanger en een jaar of vijf, zes jonger dan Donna. Toen keek ze naar haar eigen lichaam. Zo mager was ze nog nooit geweest. En haar smalle gezicht werd nog eens extra geaccentueerd doordat haar haar net iets te lang was om nog leuk te staan.

'Hemeltje, ik vraag me af hoe ik het ooit met twee klaarspeel,' zei de vrouw. Ze liep langzaam naar Donna toe en ging naast haar zitten. Donna merkte tot haar eigen verbazing dat ze haar aanwezigheid en de kans om weer eens een praatje te maken op prijs stelde. Ze had allang niet meer echt met iemand gepraat, al wekenlang niets anders gezegd dan 'hallo' of 'dag', wanneer dat niet te vermijden was.

'Je redt het wel,' zei ze glimlachend. 'In het begin is het moeilijk, dan denk je dat je de boel nooit meer draaiende krijgt. Maar het lukt je toch en dan is het echt leuk.'

'Eerlijk?' vroeg de vrouw, terwijl ze haar hoofddoekje opnieuw over haar blonde haar strikte, waarbij een centimeter brede zwarte uitgroei zichtbaar werd. 'Ik hoop het. We kunnen ons geen hulp of zo permitteren. En Todd was zo'n ellendige baby. Hij huilde de hele dag. Ik denk niet dat ik dat nog eens aankan.'

'Mijn eerste was net zo,' zei Donna. 'Adam heeft drie volle maanden gekrijst. En toen hield hij ineens op en vanaf dat moment was hij een geweldig kind. Sharon heeft helemaal nooit gehuild. Misschien heb jij net zoveel geluk met je tweede.'

'Ik hoop het vurig.' De vrouw keek naar de spelende kinderen, met Todd erbij waren het er nu tien. 'Welke zijn van u?' Die vraag verraste Donna. Ze begon te stotteren. 'Die... die... die... zijn er niet.' De vrouw keek verbaasd. Je kon toch ook zonder kinderen bij een speeltuintje gaan zitten, wilde Donna zeggen. Maar in plaats daarvan zei ze: 'Ze zijn bij hun vader. Hij is met hen naar Disneyland.'

'O, leuk. Wij zijn er vorig jaar geweest. Ik vond het nog leuker dan Todd.' Donna glimlachte. De vrouw keek haar onderzoekend aan. 'Viert u Kerstmis niet samen?'

Donna keek de jongere vrouw verrast aan. Hoe had ze kunnen vergeten dat het over een paar dagen Kerstmis was? Ze keek om zich heen, naar de palmbomen, het groene gras, ze voelde de warme decemberlucht om haar schouders. Je vergat Kerstmis ook gemakkelijk, zei ze tegen zichzelf. Het weer was hetzelfde als gedurende de rest van het jaar, soms iets warmer, soms iets kouder. Er was niemand voor wie ze cadeautjes kon kopen, niemand die iedere dag vroeg: is het al Kerstmis? Niemand had haar een kerstkaart gestuurd – hoe hadden ze dat ook kunnen doen? Niemand wist waar ze zat.

Ze had min of meer voor vast haar intrek genomen in het Mt.Vernon Motel in Belvedere. Aanvankelijk was het als een tijdelijk onderkomen bedoeld geweest, als tussenstation tussen Mels huis en een nieuw appartement voor zichzelf. De huurperiode van haar vorige huis was verlopen. De eigenaars kwamen hun eigendom weer opeisen. En dus had ze een deel van haar bezittingen meegenomen naar het Mt.Vernon Motel en de rest opgeslagen. Als het toeristenseizoen voorbij was, zou ze wel een appartement gaan zoeken. Althans, dat was ze van plan.

'Ik was vergeten dat het bijna Kerstmis is,' zei Donna en ze wenste meteen dat ze het niet gezegd had.

De jonge vrouw deinsde als het ware achteruit. Er kwam een bijna angstige uitdrukking in haar ogen. Donna herinnerde zich ineens de hoge kerstboom aan het eind van Worth Avenue, ze zag hem oplichten en glinsteren tegen de donkere avondlucht, ze zag de etalages vol kerstversieringen. En ze bedacht dat het gewoon verbijsterend was hoezeer je je voor bepaalde dingen kon afsluiten. Ze was er daadwerkelijk in geslaagd om Kerstmis uit haar gedachten te zetten. Bepaald geen geringe prestatie.

De vrouw glimlachte zwakjes naar Donna, hees zich overeind, mompelde iets over haar zoontje dat ze moest helpen, en liep toen met redelijke snelheid voor een vrouw in haar positie, naar het klimrek, waar het jongetje aan bungelde. Toen ze hem de smoes verteld had die ze bedacht had, liep ze naar een bank aan de andere kant van het smalle, langwerpige terreintje en ging daar zitten. Ze haalde een boek uit haar tas en keek Donna's kant niet meer uit. Welke idioot vergeet er nu dat het bijna Kerstmis is, vroeg Donna zich weer af; toen stond ze op en liep langzaam in de richting van de uitgang.

Hij was lang en mager en hij leek helemaal niet op John Travolta, concludeerde ze en ze vroeg zich af waarom ze dat ooit gedacht had. John Travolta was donker en had heupen van elastiek. Deze jongen – hij was echt nog maar een jongen, zag ze nu, ondanks het zwakke licht – had heel gewoon bruin haar, zijn gezicht was maar heel vaag sensueel, vergeleken met de werkelijk overweldigende sensualiteit die John Travolta uitstraalde, en zijn heupen waren niet meer dan gretig te noemen. Wat deed ze hier? Nee, ze drukte zich verkeerd uit. Wat deed *hij* hier? Ze waren tenslotte in haar motelkamer. Ze zat op haar bed en hij stond voor de spiegel boven de kaptafel zijn haar te kammen. Hij droeg een strakke, zwarte broek en laarzen met hoge hakken. Geen overhemd. Donna controleerde vlug even haar lichaam – ze droeg nog steeds haar lichtblauwe fluwelen shorts met bijpassend truitje. Dat had ze al een paar dagen aan. Waren ze al met elkaar naar bed geweest? Had zij zich alweer aangekleed en lag ze nu te wachten tot hij klaar was met zijn toilet en weg zou gaan?

Ze keek opnieuw naar de puber. Dat was het juiste woord, besloot ze. Puber. Net iets meer dan een jongen en nog niet echt een man. Hij was minstens tien jaar jonger dan zij. Wat deed hij hier, in haar motelkamer? Waar had ze hem opgeduikeld? 'Wat voor dag is het vandaag?' vroeg ze plotseling.

Hij draaide zich langzaam naar haar om, een verbaasde uitdrukking op het gezicht. 'Vrijdag,' antwoordde hij. Zijn stem kwam haar vreemd voor; ze kon zich niet herinneren of ze hem al eerder iets had horen zeggen. 'Ik kom zo bij je, schatje.' Hij bestudeerde zijn profiel in de spiegel, veel meer geïnteresseerd in zijn eigen volmaakte uiterlijk dan in haar.

'De hoeveelste is het?' Haar eigen stem kwam haar ook vreemd voor. Alsof ze zichzelf op een bandje hoorde praten. Het hele gebeuren gaf haar het gevoel dat ze er op een afstand naar zat te kijken; twee vreemden, de een gedeeltelijk ontkleed, voor de spiegel, geheel opgaand in zijn eigen spiegelbeeld; de ander nog gekleed en wachtend op het bed. Waar wachtte ze op? Dat hij weg zou gaan? Dat hij bij haar zou komen? Dat hij met haar naar bed zou gaan? Wie was deze jongen? Hoe was hij in haar motelkamer terechtgekomen? Wat voor dag was het vandaag? 'De hoeveelste is het vandaag?' klonk haar stem weer, bijna koortsachtig.

'Hé, schatje, dat vraag je me nu steeds. Wat is er met je? Voel je je wel helemaal lekker?'

'De hoeveelste is het?' Dus ze hadden al eerder met elkaar gepraat.

'Het is nog steeds vrijdag 31 december.' Hij keek weer in de spiegel en toen op zijn horloge, dat hij had afgedaan en op de kaptafel had gelegd. 'Ik heb je in het park al gezegd dat ik niet lang kan blijven. Ik heb een afspraak voor vanavond.' Hij glimlachte onnozel. 'Om oudejaarsavond te vieren, je weet wel.'

Waren ze al met elkaar naar bed geweest? Was hij daarom hier?

Van ergens buiten haar lichaam keek ze toe hoe hij behendig zijn laarzen uitschopte, van de spiegel wegliep en vlak voor de verwarde vrouw in het blauw ging staan. Zij zat nog steeds op het bed. Beide vrouwen keken nu toe hoe hij plagerig zijn riem losgespte en zijn zwarte broek langzaam van zijn heupen liet zakken. Hij droeg geen ondergoed.

'Je hebt een mooi lichaam,' hoorde ze de vrouw zeggen. Hij schopte zijn broek uit en maakte een paar danspassen in de richting van de spiegel, waarbij hij zijn eigen naakte lichaam vanuit alle hoeken bekeek.

'Geweldig, hè?' Het was meer een constatering dan een vraag. 'Ik train elke dag in de sporthal. Vlak bij het park. Je moet in vorm blijven,' zei hij en hij liep weer terug naar de vrouw. 'Voor de meisjes, begrijp je wel?'

Het ging allemaal te vlug, vond Donna vanaf haar positie aan de andere kant van de kamer. Zou de technicus de film misschien even willen stilzetten, terugspoelen en van voren af aan opnieuw willen projecteren? Ik heb het begin gemist. Ik weet niet wie deze mensen zijn, wat deze jongen in de kamer van de vrouw doet. Waarom kijkt ze zo verward? Ik heb er geen flauw idee van wat hier allemaal gebeurt. Ik heb het altijd al afschuwelijk gevonden om midden in een film te vallen. Zou de technicus de film alsjeblieft even opnieuw willen laten beginnen? En me willen vertellen wie deze mensen zijn?

'Ben je daar niet een beetje te oud voor?' hoorde ze een vrouwenstem vragen. Hij hing met zijn hoofd naar beneden aan een klimrek, zijn knieën in zijn zwarte broek om de felgroen geschilderde buis, zijn zwarte T-shirt hing naar beneden, zodat het rondje midden op zijn buik bijna tegen haar leek te glimlachen. Haastig zorgde hij dat hij weer met beide benen op de grond kwam, zodat hij haar met de goede kant boven kon aankijken. Ze vond dat hij op John Travolta leek.

'Ben je van de parkbewaking?' vroeg hij, driftig kauwgom kauwend.

Ze schudde het hoofd. 'Nee. Nee, ik kom hier gewoon af en toe.'

'O ja?' vroeg hij ongeïnteresseerd. 'Heb je hier kinderen?'

'Nee,' antwoordde ze hoofdschuddend.

Hij knikte en keek om zich heen. Vlak bij hen speelden een paar kinderen. Toen hij haar weer aankeek, stond ze hem nog altijd aan te staren.

'Dus je komt hier zomaar, hè?'

'Ja.'

'Ja. Ik begrijp het.'

'Wat begrijp je?'

Hij haalde zijn schouders op. 'Ik weet het niet.' Hij keek weer naar het klimrek.

'Ik heet Donna.'

'O ja?'

'Ja.'

Hij glimlachte terughoudend. 'Leuk om kennis met je te maken, Donna.'

'Wat voor dag is het vandaag?'

'Wat voor dag? Eh, vrijdag. Het is vandaag vrijdag.'

'Vrijdag de hoeveelste?'

Zijn glimlach begon te verbleken. 'Vrijdag de eenendertigste. Het is vanavond oudejaarsavond.'

'Nu?'

'Hoezo, nu? Het is pas even over drieën. Straks. Over een paar uur. Dan is het oudejaarsavond. Wil je ook nog weten van welk jaar?' Zijn stem klonk nu deels sarcastisch, deels verbijsterd.

Ze schudde het hoofd. Het deed er niet toe welk jaar het was. Ze bleef de jongen aanstaren.

'Ik moet er vandoor. Ik heb met een fantastische griet afgesproken voor vanavond. Je begrijpt me wel.'

'Wat moet ik begrijpen?'

Hij begon weg te lopen. 'Nou, gelukkig nieuwjaar maar vast.' Hij draaide zich om en liep weg.

Ze deed aarzelend een paar passen in zijn richting. 'Wacht even!' riep ze.

'Ik kan echt niet blijven.' Hij draaide zich om.

'Heb je zin om met me naar bed te gaan?'

Grote genade, dat mens had lef, dacht Donna, terwijl ze naar de herhaling van deze scène keek.

'Is dat een grapje?' Hij kwam weer naar haar toe.

'Nee, het is geen grapje. Heb je zin om met me naar bed te gaan? Ik woon in Belvedere.'

'Je bent een rare meid,' zei hij en hij begon te lachen. 'Natuurlijk, ik zal je wel even een beurt geven. Maar ik kan niet lang blijven.'

'Ben je met de auto?'

'Ja, die staat een eindje verderop.'

Donna zag de jongen zijn hand op haar billen leggen toen ze samen het park uitliepen.

'Zou je dit niet uittrekken?' vroeg hij, terwijl hij aan haar blauwe topje sjorde. Ze waren weer in de motelkamer. Donna zag dat ze haar armen omhoogstak als een kind en de puber haar truitje over haar hoofd trok. 'Hé, een beha!' zei hij lachend. 'Zo'n ding heb ik al jaren niet meer gezien.' Hij bestudeerde de beha alsof die van een andere planeet kwam en ging met zijn handen over haar rug om hem los te maken.

'De sluiting zit aan de voorkant,' mompelde ze.

'O ja? Je meent het! Ik zei toch al dat ik zo'n ding al jaren niet meer gezien heb.' Hij vond de sluiting en maakte de beha moeiteloos los. 'Toch ben ik het nog niet verleerd,' zei hij en met zijn tong verplaatste hij de kauwgom van zijn ene wang naar de andere. Hij deed haar beha uit en liet die op de grond vallen. 'Dit is zeker zo'n geil, ritsloos fantasiebroekje, hè?' vroeg hij. Hij duwde haar op het bed en trok in een vloeiende beweging haar shorts en haar slipje uit.

'Mijn fantasie heb ik al jaren geleden op non-actief gezet,' zei de vrouwenstem. Donna kromp ineen aan de andere kant van de kamer. De stem had haar bij die laatste opmerking net iets te vertrouwd in de oren geklonken. 'Lang geleden zat ik eens in een vliegtuig,' vervolgde de stem. 'Toen kwam er een non zitten op de plaats die ik had vrijgehouden voor Robert Redford. En dat was het eind van mijn fantasieën.'

Donna lachte. De puber niet. Hij hield op met kauwen en ging rechtop staan, terwijl hij al half op de vrouw had gelegen. Hij keek ingespannen op haar neer, onderzoekend, bijna klinisch. Donna zag dat zijn penis weer slap begon te worden.

'Is er iets?'

'Wat is dat?' vroeg hij.

'Wat?'

'Dit. Het lijkt wel een soort litteken.' Hij ging met zijn vingers langs de verticale lijn van haar navel tot haar schaamhaar. Donna had het gevoel dat ze door de vrouw naar het bed werd getrokken. 'Dat komt door mijn kinderen,' zei ze hortend.

'Kinderen? Heb je kinderen?'

'Twee,' zei ze langzaam. 'Ze moesten met de keizersnede gehaald worden.'

De jongen ging een eindje bij de vrouw vandaan zitten. 'Wat zonde En je kunt zeker niets aan dat litteken laten doen, hè?'

Donna zat weer in het lichaam van de vrouw. Het paste niet helemaal. Ze wilde eruit, ze wilde hier weg, weg van deze jongen, wie hij ook was, en van dit belachelijke gesprek; maar het leek wel alsof ze niet meer uit het lichaam van deze vreemde vrouw kon ontsnappen; ze was letterlijk de gevangene van een bepaald niet volmaakt, duidelijk beschadigd lichaam. 'Ik heb me er nooit zo aan gestoord,' zei ze. Dat was haar eigen stem. En het was waar wat ze zei. Victor had haar litteken altijd beschouwd als iets dat bij haar hoorde; Mel had er eigenlijk nooit iets over gezegd, behalve dat het netjes gehecht was. En hij had het litteken altijd van onder tot boven met kusjes bedekt. Ze riep zichzelf tot de orde. Ze wilde niet aan Mel denken. Ze keek weer naar de jongen, de afkeer die hij voelde stond duidelijk in zijn ogen te lezen. 'Je houdt zeker niet van littekens?'

Hij schudde het hoofd. 'Ik kan er niet bepaald geil van worden. Maar dat soort dingen kan jullie "nieuwe vrouwen" zeker niets schelen...'

'Nieuwe vrouwen?' Waar had hij het in 's hemelsnaam over?

'Nou, jullie scheren je niet onder je armen, jullie scheren je benen niet...'

Donna keek naar haar benen en ging met haar hand over haar onderarmen. Hij had gelijk. Hoelang geleden had ze zich voor het laatst geschoren? Ze had er geen idee van. 'Ik zie er zeker vreselijk uit?'

Hij lachte. 'Och,' zei hij. Hij stond op en liep weer naar de spiegel. 'Misschien kunnen we het eens een andere keer doen. Het wordt al laat. En ik heb die afspraak en zo.'

Donna knikte zwijgend. Dus zelfs een knul die ze in het park had opgepikt, wilde niets met haar.

'Ben je gescheiden?' vroeg hij, terwijl hij zich in zijn broek hees.

'Ja.'

'Tja, nou...' Hij trok zijn T-shirt over zijn hoofd. 'Misschien komen jullie wel weer bij elkaar.' Het was duidelijk dat hij dacht dat geen ander gek genoeg zou zijn nog iets met haar te beginnen...

'Misschien,' zei Donna. Haar stem begon weer aangenaam vreemd te klinken. 'Misschien was het eigenlijk helemaal niet zo erg als ik dacht.' Ze keek langzaam de kamer rond. Was het echt zo erg? vroeg ze zich af. Dan zou ze tenminste haar kinderen terug hebben. Toen ze weer naar de kaptafel keek, was de jongen verdwenen. Ze viel in slaap met de vraag of hij er eigenlijk ooit wel geweest was.

Twintig minuten later werd ze met een schok wakker en liep naar de badkamer. Ze deed het medicijnkastje open, pakte haar ladyshaver, haalde het oude mesje eruit en deed er een nieuw in. Toen zeepte ze haar onderarmen in en schoor alle sporen van de 'nieuwe vrouw' weg. Ze sneed zich een paar keer, sloeg er geen acht op en ging door met haar benen. Ze zette een voet in de wasbak, ging met een nat washandje over haar been en zeepte zich in. Toen begon ze het scheermes voorzichtig langs haar benen te halen.

De eerste snee was een ongelukje; ze had gewoon te hard geduwd – het was een nieuw mesje. De tweede snee was nonchalance. De derde bracht ze zichzelf met opzet toe. Evenals de vierde, vijfde en zesde. Ze zette haar andere voet in de wastafel en het proces herhaalde zich. Ze keek, hoe de sneetjes lange rivieren van bloed over haar benen deden lopen, die in elkaar vloeiden en een soort denkbeeldige kaart op haar benen tekenden. Het waren allemaal bochtige, kronkelende weggetjes die dank zij het water en de zeep begonnen te prikken. Vreemd genoeg deed de pijn haar goed. Victor zou er natuurlijk geen goed woord voor over hebben en daar had hij dan gelijk in. Zoals hij meestal gelijk had. In alles. Wist ze maar waar hij was, dan kon ze hem dat zeggen. Misschien zou hij haar dan terugnemen. Denk er eens over, Donna, zei ze tegen zichzelf, terwijl ze de badkamer uitliep en haar blauwe shorts en truitje weer aantrok. Het was eigenlijk helemaal niet zo erg als jij wel deed voorkomen. Wees nou eens eerlijk tegenover jezelf, zei ze. Was het echt zo erg?

'Lieve hemel, wat is er met uw benen gebeurd?'
Donna keek van het verbijsterde gezicht van de kapster naar
haar benen. 'Ik heb me gesneden bij het scheren.'
'Waar hebt u zich dan mee geschoren, met een bijl?' vroeg de
vrouw.
'Wanneer kan ik bij u terecht?'
De jonge vrouw die aan de voorkant wat paarse lokken in
haar haar had, keek om zich heen in de drukke salon. 'Ik weet
het niet, mevrouw Cressy,' zei ze. 'Het is vanavond oudejaarsavond. We zitten al wekenlang helemaal vol.'
'Toe...'
'Goed dan, komt u over een uurtje nog eens terug. Dan zal ik
zien of ik u ertussen kan passen. Wat wilt u eigenlijk laten
doen?'
Donna keek de eigenares van de kapsalon aandachtig aan.
Ze was hier in het jaar na Sharons geboorte zo vaak geweest.
De vrouw had kort haar, in een heel hoekig model geknipt,
koperkleurig, met aan de voorkant brede, paarse banen. 'Ik
vind dat van u wel leuk,' antwoordde Donna.

Ze wist eigenlijk niet goed wat ze hier deed. Ze moest alleen
een uur zien zoet te brengen voordat ze bij Lorraine terecht
kon. Maar waarom was ze dan hier? Sinds de begrafenis was
ze hier niet meer geweest, omdat ze nooit het gevoel had gehad dat die begraafplaats, die grafsteen haar dichter bij haar
moeder bracht. Waarom kwam ze er dan nu?
Donna liep tussen de rijen witte grafstenen door. Op de graven
lagen overal verse bloemen – 'geen kunstbloemen s.v.p.', stond
er op het bord. Het was hier heel vredig. Ze herinnerde zich
een grapje uit haar jeugd: kijk eens, een nieuwe begraafplaats;
de mensen sterven van verlangen om er te mogen liggen!
Ze liep vlug tussen de graven door, tot ze de steen vond die
ze zocht.

SHARON EDMUNDS
1910-1963
Echtgenote van Alan Edmunds
Moeder van Donna en Joan
Rust zacht

Donna bleef enkele ogenblikken voor de steen staan. Langzaam volgden haar vingers de ingebeitelde letters, alsof ze braille las. Ze trok alle woorden diverse keren na en streek toen met haar hand over de rest van de gladde albasten steen. Ik weet niet wat ik moet zeggen, dacht ze. Ik weet niet wat ik tegen je moet zeggen. Toen liet ze zich door de knieën zakken. Langzaam gleed ze op de grond en ging naast het graf van haar moeder zitten. Met nietsziende ogen staarde ze naar de grafsteen. Ik weet niet wat ik tegen je moet zeggen, herhaalde ze in gedachten. Ze wist dat haar moeder haar zou horen, als dat enigszins kon. Ook zonder dat ze hardop sprak. Zeg me toch alsjeblieft wat ik moet doen. Zeg me alsjeblieft wat ik moet doen. Wat heb ik van mijn leven gemaakt? Wat heb ik weggegooid? Ze staarde ingespannen naar de inscriptie. Was mijn leven met Victor werkelijk zo erg? Help me toch alsjeblieft, moeder, geef me toch antwoord. Jij moet me zeggen wat ik moet doen!

Er volgden geen stemmen, geen vreemd geritsel, geen mysterieuze tekenen die wezen op bovennatuurlijke krachten. Niets. Slechts stilte. Donna's blik dwaalde langs de symmetrische rijen. Door niets gestoord. Nergens rees een geest op. Geen slanke, doorzichtige gestalten in witte gewaden. Niets. Plotseling hoorde ze Mels stem. 'Als er spoken in deze kamer zijn, dan zitten die in jouw hoofd, Donna!'

Ze zette de gedachte aan Mel van zich af, zoals ze dat telkens had gedaan wanneer dergelijke gedachten haar hoofd binnenslopen. Maar deze keer kwamen ze koppig terug.

'Zullen we naar huis gaan?' Mel.

'Dat wil ik de hele avond al.' Donna.

'Dat heb ik gemerkt, ja. Het ontbrak er nog maar aan dat je met de sleutels in mijn richting bent gaan rammelen.'

Ga weg, Mel.

'Wil je daarmee zeggen dat je me hier niet meer kunt gebruiken?'

'Ik probeer je duidelijk te maken dat ik van Donna Cressy hou. Maar dat ik niet kan samenleven met de vrouw tot wie ze zich laat verworden.'

Donna leunde tegen de grafsteen van haar moeder. Mels stem klonk vlak achter haar.

'Je bent zes jaar met Victor getrouwd geweest, Donna. Volgens mij is dat meer dan wij samen aankunnen.'

Donna's gedachten leken een op hol geslagen film. Ze ging terug in haar herinnering en met ruim driemaal de normale snelheid vloog ze door zes jaar huwelijk met Victor heen. Woorden. En nog meer woorden. Eindeloze reeksen woorden. Verbeteringen. Wenken. Opdrachten. Halve waarheden. Opmerkingen die net genoeg waarheid bevatten. Net genoeg om de vis aan de haak te slaan. Om haar van een volwassen vrouw te veranderen in een kind. Om haar in een irreële wereld te doen belanden. Om haar weer klein te maken.

Plotseling schoot haar een gedicht van Margaret Atwood te binnen. Het bleef haar voor ogen staan. Nog meer woorden:

> Wij samen
> Haak en oog,
> Weerhaak
> En open oog.

En zo was het precies. Ze moest plotseling aan Victors moeder denken. Ze realiseerde zich dat die bijna tien jaar van haar leven had weggegooid. Ze dacht aan zijn ex-vrouw. Drie jaar bij de psychiater vanwege die ellendeling, had ze gezegd. Nog altijd woedend na al die jaren. En zijzelf? In gedachten hoorde ze de stem van Paul Simon. *Still crazy after all these years.* Wat liet ze zich door Victor aandoen?

SHARON EDMUNDS

Donna staarde naar de naam van haar moeder. 'Ja,' zei ze hardop en voor haar ogen zag ze de laatste beeldjes van de film van haar leven met Victor; de film bleef plotseling staan. 'Het was echt zo erg.'

Ze stond op. In een visioen zag ze Mel naast zich.

'Nu ga je waarschijnlijk zeggen dat het mijn schuld is dat je je gedroeg zoals je hebt gedaan...' Dat was Donna. Op de avond dat ze hem geslagen had en hun leven samen de rug had toegekeerd.

'Ik heb je al eerder gezegd dat ik de enige ben die verantwoordelijk is voor wat ik doe.' Dat had Mel gezegd. 'Begrijp je dan niet wat ik je probeer duidelijk te maken?'

Ze begreep het. Waarom was het eenvoudigste toch altijd het moeilijkst te begrijpen?

Victor was niet langer verantwoordelijk voor haar leven. Ze zou van niemand anders de antwoorden aangereikt krijgen. Dat kon ook niet. Die antwoorden konden alleen uit haarzelf komen. Zij was als enige verantwoordelijk voor haar eigen leven, voor de manier waarop ze daarmee wilde omspringen. Voor de vreemde in haar motelkamer, voor de sneeën in haar benen, voor wat ze met zichzelf liet gebeuren; daarvoor was zij als enige verantwoordelijk.

Donna keek om zich heen over de begraafplaats. 'Er is hier niets, behalve een heleboel doden,' zei ze hardop en ze voelde dat haar moeder het meteen met haar eens was.

Het gaat niet om de antwoorden, dacht ze, terwijl ze naar de rijen doden keek. Het gaat om het leven.

En het gaat erom daarmee te leren leven.

Mel werkte over, zodat hij de volgende dag vrij kon nemen. Donna's hart bonsde toen ze de trap naar zijn werkkamer opliep. Ik lijk wel een klein kind, dacht ze, toen ze haar hevige hartkloppingen voelde. Ze besefte dat er een heel reële kans bestond dat hij haar niet terug zou willen. Dat er inmiddels te veel tijd verstreken was. Dat ze hem te veel had laten doormaken. Halverwege de trap stond ze stil. Ze was buiten adem en zoog haar longen verscheidene keren helemaal vol. En als hij haar nu eens niet terug wilde? Betekende dat nog meer eindeloze wandelingen, die nergens toe zouden leiden? Nog meer vreemden op kinderspeeltuinen? Nog meer bloed in de wastafel op haar badkamer? Nee, zei ze in gedachten, terwijl ze verder klom. Ze had zichzelf genoeg gestraft. Geen blaren meer. Geen bloed meer. Ze had haar tol betaald.

'Ik ben zo bij u,' riep hij vanuit zijn praktijkruimte, toen ze de wachtkamer binnenkwam. De assistente was al naar huis. 'Ik maak even iets klaar voor het laboratorium. Ik kom zo bij u.'

Donna bleef midden in het vertrek staan wachten. Ik zal het wel overleven, zei ze tegen zichzelf. Ook als je me wegstuurt.

Jij bent niet verantwoordelijk voor mij. Ik ben de enige die die verantwoording kan dragen.

'Neemt u me niet kwalijk, ik had me niet gerealiseerd dat ik nog een afspraak had...' Hij zweeg zodra hij haar zag. Donna zag meteen tranen in zijn ogen komen. Ze voelde dat er in haar ogen eveneens tranen opwelden.

Haar stem klonk helder, weer helemaal haar eigen stem. 'Laat me alsjeblieft alles zeggen waarvoor ik hier ben gekomen, voordat jij iets zegt.' Hij knikte zwijgend. 'Ik heb me echt gedragen als een trut en wat voor scheldwoorden je nog meer voor me kunt bedenken,' begon ze. 'Ik heb de afgelopen negen maanden van mijn leven vergooid door te proberen dat verdomde rotsblok over de heuvel heen te duwen, terwijl we allemaal weten dat dat niet kan. Het rolt gewoon terug, over mij en over iedereen die toevallig naast me staat.' Hij zei niets, want hij wist dat ze nog meer wilde zeggen.

'Ik heb vandaag wel het een en ander beleefd,' vervolgde ze. 'Ik heb de een of andere knul opgeduikeld in het park, ik heb mijn benen bijna geamputeerd en ik had bijna mijn haar paars laten verven.' Ze zweeg. 'Ik ben naar mijn moeder geweest.' Ze zweeg opnieuw. 'En de hele weg hierheen heb ik aan dat boek moeten denken. Dat boek over Sisyphus. Volgens mij moet ik me die houding aanmeten. De enige manier om te overleven wat Victor me heeft aangedaan, is in te zien en te accepteren dat er gewoon geen hoop bestaat dat ik mijn kinderen ooit zal terugzien. Hoe meer hoop ik koester, des te meer ga ik wanhopen. En ik kan niet nog meer wanhoop aan.'

Ze huilden nu allebei openlijk. 'Ik weet niet hoe je nu over me denkt. Ik weet wel dat ik van je hou, dat ik erg graag naar je terug wil, om je vrouw en een moeder voor Annie te zijn. Ik weet ook dat ik niet zal bezwijken, als je zegt dat het te laat is.'

Ze lachte door haar tranen heen. 'Ik zal door een hel gaan,' zei ze. 'Maar ik ga er niet aan kapot. Dat kan ik je beloven.' Ze zweeg even. 'Dat was alles wat ik wilde zeggen. Nu is het jouw beurt.'

Hij glimlachte droevig. Het was heel lang stil, toen zei hij: 'Had je je haar paars willen laten verven?'

Ze haalde de schouders op. 'Betekent dit dat je nog van me houdt?'

'Het betekent dat ik stapelgek op je ben.'

Het volgende moment was de afstand tussen hen verdwenen en hadden ze geen behoefte meer aan woorden.

20

Donna was een enorme stapel kwitanties en onbetaalde rekeningen op alfabet aan het leggen. Althans, dat probeerde ze. Wie haar voorgangster ook geweest was, ze had er in ieder geval een geweldige puinhoop van gemaakt. Het was geen wonder dat het uitzendbureau gevraagd was een nieuwe kracht te leveren.

De telefoon ging – een amper herkenbaar gezoem. Waarom konden ze hier niet gewoon een telefoon hebben die rinkelde, zoals overal elders? Ze nam op. 'Household Finance,' zei ze duidelijk verstaanbaar. 'Hij is in gesprek. Wilt u even wachten? Prima, ik verbind u zo snel mogelijk door.' Ze drukte op de betreffende knoppen en wijdde zich weer aan de stapel kwitanties en onbetaalde rekeningen. Weer een bel. Deze keer de deur. Er kwam een rijzige, goed geklede, zeer gebruinde man van een jaar of vijfenveertig naar haar toe.

'Is de heer Wendall aanwezig?'

'Een ogenblikje alstublieft.' Ze drukte op een knop. Ze deed niet anders dan knoppen indrukken. 'Hoe is uw naam?'

'Ketchum.'

'Meneer Wendall, meneer Ketchum is er voor u. Ja. Prima. Dat zal ik doen.' Ze liet de knop los. 'Gaat u zitten. Hij komt zo bij u.'

De telefoon begon opnieuw te zoemen. Er kwam weer iemand binnen. Nog meer knoppen. Nog meer bellen. Lieve hemel, het was geen wonder dat het vorige meisje zo'n puinhoop had achtergelaten – ze had gewoon geen kans gehad om haar zaakjes op orde te brengen. Zij was nu twee uur aan het werk en ze was er amper in geslaagd de A's en de B's uit te splitsen. Geen veelbelovend begin.

Er wachtten nu drie mensen aan de telefoon, twee in de wachtkamer en voor haar lag een bureau vol verwaarloosde kwitanties en onbetaalde rekeningen. De telefoon ging weer. 'Household Finance,' zei ze vriendelijk. Bij het horen van de vertrouwde stem verscheen er een brede grijns op haar gezicht. 'Het is hier een gekkenhuis. Het is al bijna lunchtijd en ik heb nog niets kunnen doen. Hoe is het met jou? O, een ogenblikje, Mel, er komt net iemand binnen.' Ze begroette de bezoeker. 'Nu zitten er inmiddels drie mensen op meneer Wendall te wachten. Ik snap niet wat hij uitspookt in zijn kantoor. Ja, ik vind het heerlijk. Het is toch wel leuk. Heel anders dan het werk op de bank.' De afgelopen drie weken, nadat Donna zich had laten inschrijven bij het uitzendbureau, had ze gewerkt bij een assurantiekantoor, een accountant en een bank. Deze en waarschijnlijk ook de volgende week werkte ze als receptioniste en boekhoudster van het filiaal van Household Finance in West Palm Beach. Als uitzendkracht kreeg ze meestal vage, weinig verantwoordelijke en niet erg creatieve baantjes, met de nadruk op schrijfwerk. Maar op die manier raakte ze weer een beetje thuis in de maatschappij. Het hield haar bezig, terwijl ze tegelijkertijd eens kon nadenken over het soort werk dat ze in de toekomst eventueel zou willen doen. Haar vriendin Susan had haar gezegd dat ze wel een paar ideeën voor haar had. Ze zouden het er zaterdagavond op het feestje nog wel over hebben.

'Prima, bedankt voor je telefoontje, lieverd. O, je weet toch dat ik straks met Annie bij Saks heb afgesproken? Daarna eten we samen een hapje. Nee, jij bent niet uitgenodigd. Annie zei dat het "meisjes-onder-elkaar" moest zijn. Ik raak gewoon op van de zenuwen hier. Ja, dat zal ik doen. Goed, schat. Tot straks. Dag.' Ze hing op en meteen ging de telefoon weer. Tegen lunchtijd wachtten er vier mensen aan de telefoon en nog eens zes in de wachtkamer – en meneer Wendall had haar zojuist via de binnenlijn laten weten dat hij ging lunchen. En dan was er nog het bureau vol ongesorteerde kwitanties en onbetaalde rekeningen. Bovendien had ze ontzettende hoofdpijn. Waar zou Annie over willen praten? vroeg ze zich af.

Tot dusverre was het allemaal heel goed gegaan. Sinds haar terugkeer naar Seabreeze Drive waren ze erin geslaagd het vertrouwen en het wederzijdse respect, dat Donna nog maar enkele maanden geleden kapot had weten te maken, weer op te bouwen. De eerste paar dagen hadden ze als een stel wantrouwende katten om elkaar heen gedraaid. Maar algauw hadden ze hun lastige nagels ingetrokken en zich niet langer op hun territorium laten voorstaan. In plaats daarvan hadden ze zich overgegeven aan het meer vertrouwde geknuffel en plezier, blij dat ze elkaar terug hadden. Annie leek oprecht dolgelukkig met het feit dat Donna en Mel wilden trouwen en ze vond het fantastisch dat Donna haar had voorgesteld om samen naar Saks te gaan om een jurk voor hun aanstaande verlovingsfeest uit te zoeken. En toen had ze dat bommetje geplaatst met haar vraag of ze Donna onder vier ogen zou kunnen spreken, zonder dat Mel erbij was. Zou dat het bekende gesprek worden in de trant van: ik-doe-alles-wat-je-maar-wilt-als-je-mijn-vader-maar-metrustlaat? Maar voordat Donna de kans kreeg over een antwoord op die vraag na te denken, ging de telefoon alweer en kwamen er nog eens twee mensen binnen.

'Dat was me het middagje wel.'
'Vertel eens.'
Donna glimlachte naar het jonge meisje tegenover haar aan het tafeltje bij Doherty. Annie probeerde een broodje rosbief in één hap in haar mond te steken. Haar ogen waren groot van kinderlijke nieuwsgierigheid. Op haar gezichtje lag een sceptische trek, die nog helemaal niet bij haar leeftijd paste. Langzaam maar zeker, elke dag een beetje meer, begon die trek te verdwijnen. Donna was met de dag dankbaarder voor deze tweede kans. Ze zag hoeveel het voor het kind betekende dat Donna haar in vertrouwen nam, dat ze haar dagelijkse besognes met haar deelde, want voor Annie betekende dit dat ze echt deel uitmaakte van Donna's leven.
'Nou, je hebt daar gewoon geen moment rust,' vervolgde Donna. 'Ik had er geen idee van dat er in dit kleine stukje land zoveel mensen op krediet leven.'
'Wat betekent dat?'
'Ze lenen geld en later moeten ze het terugbetalen,' legde Donna uit. Annie knikte begrijpend. 'En die meneer Wendall is echt een geval apart. Volgens mij heeft hij ooit ergens een stel hersens geleend om deze baan te kunnen bemachtigen, maar die hersens heeft hij dan wel te vroeg teruggegeven.'
Annie moest lachen. 'Hij is zo traag: hij heeft het tempo van een slak. Hij raakt altijd achter met zijn afspraken. Mensen

zitten uren op hem te wachten. En dan blijven ze mij maar aan mijn hoofd zeuren wanneer hij klaar is. Ik moet al die mensen ontvangen, dus ik krijg al het...'

'Gezeik?'

'Ja, dat lijkt me een prima omschrijving. Dank je wel.' Ze moesten allebei lachen.

Ze hapten in hun broodje en toen ging Donna verder: 'Vanmiddag was het echt belachelijk. Er zaten wel tien mensen op hem te wachten, zelfs een paar mensen die geen afspraak hadden. Dus bleef ik maar zoemen met de binnenlijn. Geen reactie. Ten slotte liep ik zijn kantoor binnen. Maar hij was er niet. Er was niemand. Ik wilde weer naar mijn bureau gaan en toen hoorde ik iemand zeggen: "Mevrouw Cressy?" Ik stond stil en keek om me heen. Niemand. Ik wilde net doorlopen toen ik opnieuw hoorde: "Mevrouw Cressy?" Dus ik zei: "Meneer Wendall?" En de stem zei: "Ja." Maar hij was nergens te zien. Wil je weten waar hij zat?'

Het kind zat al te giechelen. 'Nou?'

'In de kast! Hij had zich in de kast verstopt!' Donna schudde ongelovig het hoofd. 'Bij de mensen zonder afspraak zat naar het schijnt een vrouw die hij niet wilde spreken. Ze valt hem voortdurend lastig en presteert het zelfs om zonder kloppen zijn kantoor binnen te stormen. Toen hij haar bij het gebouw had zien aankomen, was hij onmiddellijk in de kast gedoken. Hij stond er al een halfuur in.'

'En is hij er uitgekomen?'

'Ja. En dat had hij nog niet gedaan of daar kwam ze binnen. Hij kon geen kant meer uit. Het was prachtig. Ik kan haast niet wachten tot morgen, want ik ben zo benieuwd wat hij dan weer doet!'

Annies gelach stierf weg en haar gezicht werd ernstig. 'Ben je nu gelukkig, Donna?'

Donna keek Annie liefdevol en teder aan. 'Ja, dat begint te komen.'

'Kun je nu ook beter met mij overweg?'

'Ik kan nu beter met *mezelf* overweg. Met *jou* heb ik altijd goed overweg gekund.'

Annie glimlachte. 'Mis je Adam en Sharon?'

'Ja.'

'Denk je vaak aan hen?'

'Dat probeer ik niet te doen.'

Annie sloeg de ogen neer en keek naar de restanten van haar broodje. Toen keek ze Donna aan en sloeg meteen de ogen weer neer. 'Je gaat nu toch niet nog eens weg, hè?' fluisterde ze.

Donna legde haar hand op Annies handje. Ze schudde het hoofd. 'Wie zou me dan moeten helpen mijn jurken te kopen?'

'Nee, serieus,' eiste Annie.

En Donna antwoordde met gepaste ernst: 'Ik blijf nu, Annie.' Er verscheen een brede grijns op Annies gezicht.

'Wilde je me *dat* vragen?'

Annie schudde het hoofd. 'Nee, eigenlijk niet. Ik wil alleen zeker weten dat je echt bij ons blijft voordat ik het je vraag.'

'Wat vraag?'

'Het gaat over seks.'

'Seks?'

'Ja, je weet wel.'

'O ja, seks, natuurlijk. Ik weet het. Wat wil je dan vragen?'

Annie keek om zich heen om er zeker van te zijn dat niemand meeluisterde. 'Nou, mijn vader heeft het allemaal uitgelegd, en mijn moeder ook. Ik weet alles over de penis en de vagina en zo...' Donna probeerde zich op Annies mond te concentreren, omdat ze bang was dat ze zou lachen, als ze in de ogen van het ernstige meisje keek. 'Maar wat ik nou niet begrijp, is hoe de penis eigenlijk in de vagina komt.'

'Wil je weten hoe de penis in de vagina komt?'

'Ja, en ga me nu niet vertellen dat man en vrouw heel dicht tegen elkaar aan liggen, want dat weet ik al, en dat is geen antwoord op mijn vraag.'

Nu was het Donna's beurt om om zich heen te kijken om er zeker van te zijn dat er niemand meeluisterde. 'Moet je daar nu meteen een antwoord op hebben? Ik bedoel: je kunt zeker niet tot de zomervakantie wachten? Dan kun je het aan je moeder vragen.'

'Jij bent nu toch eigenlijk ook mijn moeder?'

Donna glimlachte stralend. 'Ik hou van je, Annie,' zei ze.

'Vertel je me nu hoe de penis in de vagina komt? Propt de man die er met zijn handen in?'

Donna zag het ineens helemaal voor zich. Ze probeerde een eerlijk antwoord op de vraag te geven, zonder te lachen of Annie het gevoel te geven dat haar vraag onnozel was. 'Als hij dat zou willen zou dat wel kunnen, denk ik. Maar het is niet nodig. De penis wordt groter en hard omdat de weefsels zich vullen met bloed en dan kan de man hem gewoon...'

'Naar binnen duwen?'

'Ja, zo ongeveer wel, ja.' Donna nam een flinke slok water.

'Doet dat pijn?'

Donna schudde het hoofd. 'Nee, het is juist een lekker gevoel.'

Annie keek om zich heen, er kwam een schuldbewuste uitdrukking op haar gezicht. 'Dat wist ik allemaal al,' bekende ze, nadat Donna een chocoladesorbet voor haar had besteld.

'O ja? Waarom vroeg je het dan?'

'Ik wilde horen wat je zou zeggen,' antwoordde ze sluw.

'En ik heb de proef doorstaan?'

'Maar dat het lekker was, dat wist ik niet,' voegde Annie eraan toe zonder in te gaan op Donna's vraag. Het was lange tijd stil.

'Ik hou van je, Donna.'

Ik heb de proef doorstaan, dacht Donna verwonderd. Er kwamen tranen in haar ogen. Dit obstakel was overwonnen. Maar hoeveel zouden er nog volgen?

'Je ziet er fantastisch uit.'

Donna liet zich als een volleerde mannequin van alle kanten bewonderen. 'Mooi, hè?'

'Geweldig. Is dit de jurk die je samen met Annie gekocht hebt?'

'Ja, ze was zelf ook erg te spreken over haar keus.'

Mel liep naar Donna toe en sloeg zijn armen om haar heen. 'Ze heeft inderdaad een goede keus gedaan.' Ze kusten elkaar.

'Wat trek jij aan?' vroeg ze hem.

'Ik weet het niet. Waarom zoek jij niet iets voor me uit?'

'Oké.' Mel liep naar de deur. 'Waar ga je heen?' vroeg ze.

'Ik heb mevrouw Harrison beloofd dat ik haar televisie nog even goed zou afstellen.'

Hij liep de trap af. 'Blijf niet te lang weg,' riep ze hem na. 'Wij zijn tenslotte de eregasten.'

'Ik ben zo terug,' riep hij.

Donna draaide zich nog eens in het rond voor de spiegel. Ze overtuigde zich ervan dat alles zat zoals het moest en ging toen zitten op het bed dat opnieuw gestoffeerd was met een teer, blauw-met-roomwit Laura Ashley-stofje, dat paste bij het nieuwe behang. Ja, het leek wel of nu toch alles goed kwam – de kamer, zijzelf, haar leven. Alles zat beslist zoals het moest. Er ontbraken maar twee dingen, twee dingen die niet in orde waren. Ze stond op en keek op de klok. Zeven uur in de avond. Moeders, waar zijn jullie kinderen?

Ze liep naar de kaptafel en pakte de borstel die ze de laatste keer bij de kapster had gekocht – een paar centimeter eraf graag, niet meer. Geen rigoureuze veranderingen. Ze begon vol overgave haar haren te borstelen, boos dat ze toch weer een sprankje hoop had laten binnensluipen. Ze wilde niet aan Adam en Sharon denken. Ze zou zichzelf niet toestaan weer van streek te raken. Vanavond vierde ze haar verloving. 'Donna Cressy voor het voetlicht!' hoorde ze zich al aankondigen. De trompetten begonnen te schetteren, triomfantelijk luidden de klokken. Luider. Steeds luider.

Het was de telefoon. Ze was niet meer gewend aan dat rinkelende geluid: ze was nu gewend aan gezoem. Ze liep naar de tafel tegen het voeteneind van het bed en nam op. 'Ja, hallo?'

'Hoe is het ermee?'

Ze had niet verwacht dat hij nog zou bellen. Ondanks de vastberadenheid die ze zich sinds kort had eigen gemaakt, was ze niet op deze interventie voorbereid. Ze was een nieuw leven aan het opbouwen. Daar pasten – hoorden – zijn sadistische telefoontjes niet in thuis.

'Wil je me niet meer bellen, Victor?' zei ze en ze wilde ophangen.

'Wacht even, Donna, er is hier iemand die je misschien wel even gedag wilt zeggen. Sharon, kom eens hier. Er is hier een mevrouw die je gedag wil zeggen.'

Donna kon zich voorstellen hoe hij het kind de hoorn voorhield en hoewel ze hem het liefst met die telefoon de hersens had ingeslagen, kon ze geen vin verroeren. Mijn dochtertje, dacht ze. Ik kan met mijn kleine meisje praten. Misschien...

Ze hoorde lachende, spelende kinderen, met op de achtergrond vertrouwde geluiden die de afstand tussen hen deden vervagen.

'Ze wil niet met je praten,' zei Victor en zijn stem klonk haar onaangenaam in de oren. Onontkoombaar voelde ze weer het vishaakje in haar mond. De vis had zich – zoals altijd – te laat gerealiseerd dat hij het aas had ingeslikt. Ze voelde dat het haakje haar wang openscheurde, terwijl ze zich probeerde los te worstelen. Hij had het weer voor elkaar. Zonder dat hij daar ook maar enige moeite voor had hoeven te doen. Zoals altijd.

Donna zocht steun bij het bed. 'Wil je me niet meer bellen, Victor?' zei ze. Ze voelde dat haar mond vol bloed liep, toen ze zich eindelijk had losgerukt van de haak van de stroper. Vlug legde ze de hoorn op de haak. Nu was alles weer zoals het zijn moest.

Toen Mel enkele ogenblikken later de trap op kwam stormen, zat ze stilletjes op het bed.

'Ik heb beneden meegeluisterd op het andere toestel,' legde hij uit en hij kwam naar haar toe.

'Hij belt niet meer.'

'Is alles goed met je?'

Ze knikte.

'Wat heb je aan je mond? Je bloedt.'

Hij pakte een Kleenex en holde terug naar het voeteneind van het bed.

Donna ging met haar tong langs haar wang. 'Ik heb op mijn wang gebeten,' zei ze. 'Het geeft niet. Het doet geen pijn.'

'Heb je geen zin om het uit te schreeuwen?'

Donna pakte de Kleenex uit Mels uitgestoken hand en veegde haar mond af. 'Nee,' zei ze en ze stond op.

'Van mij mag je hoor, Donna. Dat zou niet meer dan natuurlijk zijn...'

'Ik mankeer niets,' zei Donna als verdoofd. Haar gedachten waren nog altijd bij het telefoontje. Toen stond ze op en liep ze naar Mels kast om iets voor hem uit te zoeken.

Iedereen feliciteerde haar, kwam naar haar toe, kuste haar op beide wangen, drukte haar de hand, glimlachte hartelijk, complimenteerde haar met haar jurk, haar kapsel, haar hele verschijning. Je ziet er beeldig uit, hoorde ze steeds weer. Donna was zich slechts vaag bewust van wat er om haar heen gebeurde.

'Wacht even, Donna. Er is hier iemand, die je misschien wel even gedag wilt zeggen. Sharon, kom eens hier. Er is hier een mevrouw die je gedag wil zeggen.'

Ik haat je, Victor, dacht ze en ze probeerde zich te verzetten tegen haar woede. Ze probeerde hem helemaal weg te drukken, zodat ze hem onder haar voeten zou kunnen vermorzelen. Ik sta niet langer toe dat je mijn feestjes bederft. Ik wil gewoon niet meer aan je denken.

Sharon.

Adam.

Mijn kleintjes.

'Gefeliciteerd, Donna. Je ziet er geweldig uit.'

'O. O, dank je wel.'

'Je krijgt een fijne man.'

'Ja. Ja, dat weet ik.'

Spelende kinderen.

'Gefeliciteerd.'

En ze had nog iets gehoord.

'Weet dan niemand hier dat ze jou niet hoeven te feliciteren? Alleen Mel. Hij is tenslotte de geluksvogel, omdat hij een vrouw als jij heeft weten te veroveren.'

Donna keek naar haar gastvrouw, die dit gezegd had. Bessie Milford was een lieve vrouw. En haar echtgenoot Rod was een fijne man. Het was erg aardig van hen dat ze Mel en haar hadden aangeboden hun verlovingsfeest bij hen thuis te komen vieren, zeker gezien de manier waarop Donna zich hier de laatste keer gedragen had. Donna keek naar het balkon en dacht terug aan dat feestje. Vanavond was het meisje met het rode haar er echter niet. Ze waren slechts met een kleine groep wederzijdse intieme vrienden. Donna vond het vreselijk dat ze niet echt in het feest kon opgaan. Maar ondanks haar pogingen kon ze wat er eerder op de avond gebeurd was toch niet van zich afzetten. Er was nog iets. Ze had kinderen gehoord. En nóg iets.

Iets vertrouwds.

'Voel je je wel goed, Donna?'

Donna draaide zich om. Susan stond naast haar. 'Ja, prima,' zei ze afwezig.

'Je ziet er stralend uit.'

'Dank je wel.'

'Je maakt alleen geen bijster betrokken indruk.'

'Hoe bedoel je?'

'Ik bedoel dat je er helemaal niet bij bent met je gedachten. Waar denk je aan?'

'Hoe laat is het, Susan?'

Susan keek op haar horloge. 'Negen uur. Tien over negen, om precies te zijn. Hoezo? Heb je iets in de oven staan?'

'Hij belde om zeven uur.'

'Wie?'

'Hij belde om zeven uur en zei dat de kinderen aan het spelen waren.'

'Heeft Victor gebeld?'

'Hij hield de hoorn in hun richting, zodat ik ze kon horen.'

'Heeft Victor gebeld?'

'Waarom waren ze om zeven uur nog aan het spelen? Tegen zevenen ligt Sharon altijd in bed, dan is het licht bij haar uit en moet ze slapen. Victor is daar altijd overdreven precies in.'

Susan zei niets.

'Tenzij het geen zeven uur was.'

'Hoe bedoel je?'

'Tenzij hij in een andere tijdzone zit.'

'Aan de westkust?'

Ze had de kinderen horen spelen. En ze had nog iets gehoord. Iets vertrouwds.

Donna liep naar de openslaande deuren. 'Zouden deze open mogen?' vroeg ze.

Mel stond plotseling naast haar. 'Heb je behoefte aan frisse lucht, liefste?'

De deuren maakten de weg naar buiten vrij. Ze openden zich als de Dode Zee, dacht ze terwijl ze het goudgeel betegelde balkon opliep en over de zwarte smeedijzeren reling leunde. Iets vertrouwds.

Ze staarde de duisternis in. Er waren die avond geen sterren. De weerkundigen voorspelden voor morgen een grote kans op regen. Ze kon hem niet zien, maar ze wist dat hij er was

– de oceaan, die voortdurend brullend uiting gaf aan zijn on-
genoegen over het op handen zijnde slechte weer. Ze hoefde
de oceaan niet te zien om zijn aanwezigheid te voelen, zijn
kracht te kennen. Hij vormde de achtergrond. Maar toch was
hij veel meer dan alleen achtergrond. Na enige tijd vormde
hij zo'n onderdeel van je bestaan dat je hem bijna als iets van-
zelfsprekends ging beschouwen, dat je hem bijna niet meer
los kon zien van alles om je heen. Maar hij was tegelijkertijd
sterker dan alles om je heen. Hij was een bron van leven.
Zo'n krachtige bron van leven dat hij in staat was een afstand
van drieduizend mijl door de telefoon te overbruggen. Het
vertrouwde geluid. Het 'nóg iets'. De oceaan.
Ze draaide zich om naar Mel, die naast haar stond. 'Ze zijn in
Californië,' zei ze.

Annie zat onder de gele hemel van haar bed nietsziend voor
zich uit te staren. Ze weigerde Donna aan te kijken, en als ze
al iets zei, dan sprak ze alleen tegen haar vader.
'Het is maar voor vier weken, Annie,' herhaalde Donna, voor
haar gevoel voor de honderdste keer. 'Als we na vier weken
nog niets wijzer zijn geworden, komen we terug. Dat beloof
ik.'
Annie zei niets. Donna vocht tegen haar tranen en vervolgde
in een poging tot het kind door te dringen: 'Dit verandert niets
aan mijn gevoelens voor jou. Begrijp je dat?' Ze knielde voor
het kind. 'Ik hou van je, Annie. Ik hou echt van je. Je bent mijn
kleine meisje.'
'Ik ben groot.'
Donna knikte. 'Mijn grote meid,' zei ze instemmend. 'Ik hou
van je.
Voor het eerst sinds ruim een uur keek Annie Donna aan.
'Waarom ga je dan bij me weg?'
'Het is maar voor vier weken,' interrumpeerde Mel. 'En me-
vrouw Harrison is bij je...'
'Ik ga weg, omdat Sharon en Adam *ook* mijn kinderen zijn
en omdat ik hen graag weer bij me wil hebben,' antwoordde
Donna zonder te wachten tot Mel uitgesproken was. Ze wist
dat de tijd of mevrouw Harrison het kind niet konden schelen.
'Omdat ik te veel hooi op mijn vork heb willen nemen. Het

lukt gewoon niet. Ik kan mijn kinderen niet uit mijn gedachten zetten. Ze bestaan. Ik hou van ze. Ik wil hen weer zien. Ik kan niet leven zonder de hoop dat ik ze misschien ooit terugzie. Ik heb het geprobeerd, maar ik kan het niet. Zo zit ik gewoon niet in elkaar, denk ik.' Ze zweeg even en haalde diep adem. 'Het wordt niet meer zoals vroeger, Annie, toen ik alleen maar kon denken aan hen terugvinden en aan niets anders. Toen ik verder alles en iedereen buitensloot. Dat zal ik nooit meer laten gebeuren. Dat zweer ik je.' Annie keek naar de grond en Donna zag dat ze haar uiterste best deed niet te gaan huilen. 'Ik hou van je. Ik hou van je vader. En ik zal jullie geen van tweeën ooit in de steek laten. Probeer maar niet om van me af te komen...'

Annie sloeg haar armen om Donna's hals en ze omhelsden elkaar hartstochtelijk. Hun adem stokte en ze begroeven hun gezicht in elkaars haren.

'Ik hoop dat je hen vindt, Donna,' zei het kind toen ze elkaar eindelijk loslieten.

'Ik ook,' gaf Donna toe.

Mel liep naar de deur. 'We moeten gaan. Binnen het uur vertrekt het vliegtuig al.'

Annie zwaaide hen na tot de auto uit het gezicht verdwenen was.

'Waar denk je aan?' vroeg hij haar, op tien kilometer hoogte. 'Dat dit weleens het zoeken naar een speld in een hooiberg zou kunnen worden,' antwoordde ze. 'O, hemeltje, we moeten onze riemen vastmaken. Waarom is er toch altijd turbulentie als ze het eten gaan serveren?'

Mel schudde het hoofd. 'Er zal wel een of andere dronkelap door het gangpad dweilen.'

'Hoe bedoel je?'

'Een vriend van me heeft eens een vlucht gemaakt,' begon hij te vertellen en hij leunde naar haar toe, 'en die kende de piloot toevallig. Halverwege de reis kwam opeens de mededeling dat er turbulentie verwacht werd en dat iedereen zijn veiligheidsriem moest vastmaken en in zijn stoel moest blijven zitten. Een paar minuten later kwam de stewardess hem vragen of hij de cockpit wilde zien – hij was uitgenodigd door de piloot. Maar hij wilde niet. "Nee," zei hij, "er wordt slecht weer verwacht en ik mag mijn stoel niet uit." De stewardess hield blijkbaar aan, dus ging hij uiteindelijk toch naar de cockpit. Zijn vriend de piloot was heel joviaal, liet hem alles zien, vroeg hem of hij even in zijn stoel wilde zitten – de hele boel. Mijn vriend kon zijn ogen niet geloven. "Hoe zit dat dan met die turbulentie?" vroeg hij. "O, dat," zeiden ze. "Er is helemaal geen slecht weer. Dat doen we gewoon om te zorgen dat er niemand meer in de gangpaden loopt, zodat de stewardessen er met de wagentjes door kunnen."'

'Meen je dat?'

'Ze schijnen het ook te doen als iemand erg rumoerig of dronken is en ze de boel een beetje tot rust willen brengen.'

'Dus ik zit voor niets in de piepzak.'

'Gedeeltelijk wel.'

Ze glimlachte. 'Hoe komt het toch dat ik er zo zeker van ben dat ze in Californië zijn?'

'Een kwestie van combineren en deduceren. Om je de waarheid te zeggen ben ik apetrots op je. Je bent een soort vrouwelijke Columbo.'

'Californië is enorm groot.'

'We hoeven ons alleen op de kust te concentreren.'

'Maar die is ook erg uitgestrekt.'

'Wil je terug naar huis?'

'Wat doen we als we daar aankomen?' vroeg ze zonder op zijn vraag te reageren.

'Dan huren we een auto.'

'Daarover voel ik me behoorlijk schuldig.'

'Waarover?'

'Dat jij steeds moet rijden.'

'Het moet een prachtige weg zijn.'

'Dat bedoel ik niet.'

De stewardessen brachten de lunch. Als Pavlovs geconditioneerde hondjes klapten Mel en Donna onmiddellijk hun tafeltje uit. Donna haalde haar salade uit het plastic en prikte wat met haar vork in het eten.

'Als we thuis zijn, ga ik weer autorijden,' zei ze vastberaden. 'Dat is een nagekomen voornemen voor het nieuwe jaar. Of we in Californië nu iets vinden of niet, ik ga weer rijden.'

'Prima.' Mel hapte in zijn broodje. 'Tot het zover is, mag je vast op de sleutels passen.'

'Wat voor iemand is je zuster?'

'Een prima mens. Je vindt haar vast en zeker aardig.'

'Het is erg lief van haar dat we bij haar mogen logeren.'

'Ze is razend nieuwsgierig. En ik heb mijn neefjes al twee jaar niet meer gezien. Het is voor iedereen leuk.'

'Ik hoop dat ze me aardig vinden.'

'Daar zou ik me maar geen zorgen over maken.'

Donna legde haar vork op het blad en keek voor zich uit. 'Het waarschuwingsbordje brandt niet meer.'

'Dan zit die dronkelap kennelijk weer in zijn stoel.'

'Mel...'

'Ja?'

Ze zweeg even. 'Ik weet niet hoe ik het moet zeggen.'

Hij keek haar aan. 'Maak je je er zorgen over hoe het verder moet als we hen niet vinden?'

Donna wendde zich naar Mel en keek hem recht in de ogen. 'Het is nu elf maanden geleden,' zei ze. 'Adam is bijna zes; Sharon bijna drie. Misschien kennen ze me niet eens meer. Misschien willen ze me niet meer. En Victor. Al bijna een jaar bid ik elke dag dat hij doodgaat. Ik heb hem iedere mogelijke kwaal en ieder mogelijk ongeluk al toegewenst – hoe gruwelijker, hoe beter. Wat gebeurt er als ik hem zie? Wat moet ik tegen hem zeggen? Mel...'

'Ja?'

'Dit is echt waanzinnig. Ik maak me geen zorgen over wat er gebeurt als we ze niet vinden. Ik maak me zorgen over als we hen wel vinden.'

Alsof het afgesproken werk was, maakte het vliegtuig een plotselinge duik en de stem van de piloot kondigde nog meer turbulentie aan. Iedereen werd verzocht de riemen vast te maken en in zijn stoel te blijven zitten.

21

Het landschap was zo mogelijk nog opzienbarender dan de boeken het beschreven. Aan de ene kant lag de Stille Oceaan, aan de andere kant verhieven zich dreigend de Lucia Mountains. Donna keek uit het raampje van de auto en genoot van de tweehonderd kilometer lange, ruige en ontzagwekkend mooie kustlijn, bekend als Big Sur, die liep van San Simeon in het zuiden naar Carmel in het noorden. Nog nooit had ze zo iets adembenemends gezien – ruig en toch op de een of andere manier niet meer tastbaar, bijna spiritueel. Een ruige landengte die de rest van de staat – de dichtstbevolkte steden van de Verenigde Staten – op een afstand had weten te houden. Iedereen die door dit dikwijls gevaarlijke gebied reisde, werd er hier aan herinnerd dat er nog altijd gebieden op aarde zijn, waarop de mens nog niet definitief zijn stempel heeft weten te drukken.

Volgens de toeristische gidsen kwam de naam Big Sur van het Spaanse *el pais grande del sur*, 'het grote land van het zuiden'. Maar die verklaring interesseerde Donna niet. Voor haar kwam de naam voort uit een gevoel, een bijna visionaire ingeving: de rotsen, de oceaan, de bergen, het ongelooflijke uitzicht op de branding en het geluid van de golven tegen de kust.

Donna slaakte langzaam een diepe zucht. Mel keek haar aan. 'Alles goed?'

'Prima,' zei ze. 'Wat is het hier mooi.'

'Ja, dat is het zeker,' stemde hij in. 'Heb je al honger?'

'Een beetje.' Ze keek uit over de snelweg, die zich als een smalle strook voor hen uitstrekte, en glimlachte. 'Denk je dat er hier ergens een aardig restaurant is?'

'Als het goed is, zijn we bijna bij dat galerietje,' bracht hij haar in herinnering. Tijdens hun verblijf in San Simeon waren ze diverse makelaarskantoren langsgegaan. Bij een daarvan had een dame hen op het hart gedrukt om even bij een kunstgalerietje langs de kust, ergens midden in het bos, te stoppen.

Ze had verteld dat het door erg vriendelijke mensen gedreven werd. Ze hadden altijd broodjes in huis, ze hadden een goed geheugen voor gezichten en voor roddelpraatjes. Donna en Mel zochten niet erg intensief naar de kleine, landelijk gelegen galerie. Ze verwachtten er niet veel van – misschien zouden ze er alleen een broodje eten en even opbellen. Het werd weer eens tijd contact op te nemen met Los Angeles.

De galerie was zelfs nog kleiner en lag nog meer verscholen dan ze verwacht hadden. Zelfs zo verborgen dat ze er bijna langsgereden waren. Alleen de rook uit het met hout gestookte fornuis verraadde de ligging. Mel draaide de gehuurde witte Buick het grintpad op, dat bijna helemaal schuilging onder het omringende geboomte. Donna en hij sprongen uit de auto. Donna trok haar vest om zich heen. Ze had niet verwacht dat het in de bergen zo koud zou zijn. In Los Angeles was het warm geweest, bijna even warm als in Florida. Mels zuster, Brenda, had Donna echt moeten overhalen om een vest mee te nemen. Brenda had gezegd dat ze dat nodig zou hebben, vooral 's morgens vroeg. Donna dacht met liefde aan Brenda. Ze waren precies een week geleden bij haar vertrokken. Ze was erg behulpzaam geweest en had echt geprobeerd hun tot steun te zijn. Ze stond altijd klaar met een opbeurend woord en een lekkere maaltijd aan het eind van steeds weer een ontmoedigende dag.

Ze waren tien dagen in Los Angeles gebleven, hadden ieder klein gehucht uitgekamd, hadden de stranden van Malibu en Pacific Pallisades meter voor meter onderzocht, New Port Beach en Long Beach straat voor straat doorgelopen, eindeloze en stomvervelende gesprekken gevoerd met bewoners van Palos Verdes en andere plaatsjes aan de kust. Het was een onmogelijke opgave. Er waren te veel mogelijkheden – Victor had tenslotte op zaterdag gebeld. Hij kon heel goed met de kinderen voor een dagje, misschien zelfs voor het weekend naar het strand zijn gereden; hij kon ook op bezoek zijn geweest bij kennissen die aan zee woonden. Ze konden overal wel zijn, in Westwood of Beverly Hills, misschien zelfs in San Fernando Valley. Daarom hadden ze alle grote makelaarskantoren van Los Angeles en omgeving afgelopen – had iemand die aan Victors beschrijving voldeed ongeveer een jaar geleden wellicht een huis gekocht of gehuurd? Maar ook hier waren er weer te veel mogelijkheden: te veel makelaars, te veel huizen; ze hadden niet voldoende tijd, er was onvoldoende belangstelling voor hun probleem. Ze gingen alle verzekeringsmaatschappijen in Los Angeles langs – werkte er soms iemand in een van hun kantoren die aan Victor Cressy's beschrijving beantwoordde?

Tien dagen lang deden ze wat ze konden, ze controleerden alle lagere en kleuterscholen, bezochten alle parken, speelterreinen en plaatselijke attracties. Niets.

Verscheidene keren meende Donna een kind te zien dat Adam of Sharon zou kunnen zijn. Maar elke keer had ze het mis. Uiteindelijk namen ze op aandringen van Brenda weer een privédetective in de arm, die hen bij hun speurtocht kon helpen. Zelf vertrokken ze voor hun langzame tocht omhoog, de kustlijn langs. Ieder plaatsje langs de weg deden ze aan en ze namen dagelijks contact op met Marfleet, de detective. Was hij al iets aan de weet gekomen? Tegelijkertijd deden ze verslag van hun eigen vorderingen; ze hielden hem op de hoogte waar ze waren en waar ze heen gingen. Wanneer hij een aanwijzing had, een mogelijke informatiebron, dan kon hij hen erop afsturen. Tot dusverre waren ze nog geen van allen iets te weten gekomen, Marfleet niet, Mel Segal niet en Donna Cressy evenmin.

'Hè, wat ruikt het hier lekker,' zei Donna. Ze pakte de autosleutels aan van Mel en stopte ze in haar tas. Door haar vest heen voelde ze de kou. Mel liep enkele passen voor haar uit naar de blokhut, al was het er dan een van twee verdiepingen. 'O, Mel, kijk eens,' riep Donna. Mel draaide zich om en zag een grote Duitse herder op haar af komen hollen. Hij drukte zijn neus tegen haar hand om haar duidelijk te maken dat hij erg graag geaaid wilde worden. En dat deed Donna dan ook onmiddellijk. 'O, wat ben jij een lieve hond,' zei ze vertederd en ze knuffelde het dier. Na korte tijd gaf Donna de hond een laatste klopje en volgde ze Mel naar binnen.

Het interieur zag er precies zo uit als Donna zich dat soort huizen altijd had voorgesteld: het was helemaal van hout, zowel vanbinnen als vanbuiten. De vloer bestond uit onregelmatige, houten planken en aan de balken van het hoge, houten plafond hingen verschillende grote, houten lampen. Overal verspreid lagen ovale, geweven kleden. De grenen meubels waren in koloniale stijl. Donna bedacht dat het misschien nog boeiender geweest zou zijn wanneer de bewoners zich tegen de natuurlijke omgeving hadden afgezet: wanneer ze het huis met veel chroom en plexiglas zouden hebben ingericht – de moderne mens versus de natuur; maar misschien zou een dergelijk interieur de aandacht hebben afgeleid van de schilderijen en tekeningen, die op regelmatige afstanden aan de muren hingen. Onder aan elk schilderij zat een prijskaartje. De prijzen varieerden van zo'n zestig dollar voor de goedkoopste tot tweehonderd dollar voor de duurdere schilderijen. De schilderstukken zelf waren weinig uitzonderlijk en ontleenden hun aantrekkingskracht zo te zien voornamelijk aan de omgeving waarin ze hingen.

'Is er iets voor u bij?'

Een vriendelijke, bijna zware stem. En datzelfde gold voor de vrouw die bij de stem hoorde. Een grote vrouw van een jaar of veertig, wat mannelijk van bouw, en met lang, bruin haar dat ze doelbewust heel simpel in een nonchalante paardenstaart droeg. Ze gebruikte geen make-up en haar huid verried dat ze als tiener veel puistjes had gehad. Sproeten bezat ze nog steeds in overvloed. Ze had een vriendelijk, maar tegelijkertijd vastberaden gezicht, dat de sfeer van de wildernis en van het huis dat zij in die wildernis gebouwd had, helemaal in zich had. Op de achtergrond ontdekte Donna een ongeveer even oude man. Hij droeg een spijkerbroek en cowboylaarzen, alsof hij nog steeds probeerde de mythe van het Wilde Westen hoog te houden.

Mel was de eerste die iets zei. 'Wat is het hier prachtig,' zei hij. Donna liet hem het woord doen. Ze vond het hoe langer hoe moeilijker om een praatje te beginnen en ze gaf er de voorkeur aan om Mel voorzichtig, bijna struikelend het terrein dat ze wilden onderzoeken, te laten verkennen. De meeste mensen waren wantrouwend jegens vreemden, wanneer er zoveel vragen gesteld werden. Ze moesten je eerst een beetje leren kennen, hoe oppervlakkig ook. Donna vond dat het er niet zozeer om ging wat je deed, maar om de indruk die je maakte.

'Er stoppen hier niet zoveel mensen,' zei de vrouw. 'Dat zal wel onze eigen schuld zijn. We wonen een beetje achteraf. Kunnen we u iets te eten aanbieden? Wat broodjes? Koffie?'

Onder het genot van broodjes en koffie hoorden Donna en Mel dat dit echtpaar, David en Kathy Garratt, hun huis alweer vijftien jaar geleden als kleine galerie had ingericht. Hun slaapkamer en nog een vertrek waren boven. De schilderijen waren of van henzelf of van vrienden, en ze verdienden net voldoende om de zaak draaiende te houden. David deed verder nog allerlei losvaste baantjes in de omgeving, want hij was eigenlijk timmerman van beroep. Ze waren op het idee gekomen om hun huis open te stellen voor geïnteresseerde toeristen, omdat ze van mensen hielden en ze daardoor de kans kregen om dagelijks contact met de buitenwereld te houden. En aangezien er per dag nooit zo erg veel mensen stopten, hadden ze meestal net zoveel aanspraak als ze wilden. Wanneer ze eens een dag alleen wilden zijn, hingen ze gewoon een bordje 'gesloten' op de deur. Donna luisterde met een mengeling van ongeduld en belangstelling. Pas toen het eerste de overhand begon te krijgen, mengde ze zich in het gesprek. 'Denkt u dat u zich de mensen die hier gestopt zijn nog kunt herinneren?'

Kathy Garratt keek haar nieuwsgierig aan. 'Zoekt u iemand?' vroeg ze, al wetend dat het antwoord 'ja' zou zijn.

'Het gaat om een man, Victor Cressy. Negenendertig jaar oud, lang, donker...'

'Knap?'

Donna knikte enigszins gelaten. Ze haalde een foto van Victor uit haar tas. 'Dit is hem. Deze foto is wel een paar jaar oud. Hij heeft inmiddels misschien wel een snor of een baard...'

Kathy en David Garratt bogen zich samen over de foto. Donna praatte door. 'Hij had waarschijnlijk twee kinderen bij zich, een jongetje, Adam, ongeveer vijf jaar oud, en een meisje van een jaar of twee, Sharon. Ik heb het nu over bijna een jaar geleden...'

Kathy Garratt stond op en liep naar een hoge grenen lessenaar. 'Laten we eens in het gastenboek kijken. Als hij hier geweest is, heeft hij het boek getekend. Wanneer zei u... ?'

Donna voelde dat haar hart sneller begon te kloppen. Toen ze opstond, voelde ze dat haar knieën knikten. 'Vorig jaar april...

maar kijkt u ook maar bij mei en juni. Of zouden we het hele boek vanaf vorig jaar april kunnen doornemen?'

De vrouw gebaarde Donna om achter de lessenaar te komen staan. 'Gaat uw gang,' zei ze.

'Mag ik uw telefoon even gebruiken?' vroeg Mel. 'Ik moet naar Los Angeles bellen. Ik zal de centrale laten terugbellen wat de kosten van het gesprek zijn.'

Zonder een woord te zeggen ging David Garratt Mel voor naar de ouderwetse grenen muurtelefoon aan de andere kant van het vertrek. Donna's ogen vlogen haastig over de pagina's, op zoek naar Victors naam.

'Hij staat er niet bij,' zei ze een kwartier later, toen Mel achter haar kwam staan.

'Ik had net Marfleet aan de telefoon,' zei hij en zijn stem klonk enigszins opgewekt. 'Hij zei dat hij misschien iets had. Hij heeft blijkbaar wat gevonden in Carmel. Hij wacht nog op antwoord van een van zijn bronnen. Ik heb hem gezegd dat we er vanavond zouden zijn en dat ik hem dan weer zou bellen.'

Kathy Garratt liep voor hen langs de kamer op en neer. 'Ik probeer me iets te herinneren,' zei ze meer tegen zichzelf dan hardop. 'Ik weet nog dat hier in april of mei van dit jaar een man met kinderen kwam...' Ze draaide zich om naar haar man. 'Weet je nog, David? Het meisje was doodsbang voor Muffin, dat is onze hond...'

Donna dacht aan de grote Duitse herder buiten. Ze wist nog goed dat Sharon vlak voor haar verdwijning plotseling bang voor honden was geworden, vooral voor grote honden.

'O ja, nu weet ik het weer. Hij heeft een schilderij gekocht!'

'Had hij geen twee kinderen bij zich?'

'Ik dacht het wel. Ik kan me niet meer herinneren of dat andere kind een jongetje of een meisje was.'

Mel mengde zich in het gesprek. 'Wacht eens even. U zei dat hij een schilderij had gekocht. Houdt u daar een administratie van bij?'

'Natuurlijk, dat hebben we allemaal op schrift staan,' zei Kathy Garratt een beetje geprikkeld. 'We zijn hier erg stipt in onze administratie. We zien er hier geen heil in om te proberen de regering voor een paar extra centen op te lichten. We laten altijd alle papieren zien.'

Mel verontschuldigde zich meteen. 'Neemt u me niet kwalijk. Ik wilde niet suggereren...'

'We zijn alleen al zo lang op zoek...' voegde Donna eraan toe. 'Laat u maar,' antwoordde David Garratt en hij liep naar de bank toe met een boek, blijkbaar zijn administratie. 'Dit is een nogal teer punt tussen Kathy en mij. Dat heeft niets te maken met wat u zei.' Hij sloeg het boek open en vervolgde: 'Weet u, als het aan mij lag, dan zou ik niet zo eerlijk zijn in deze hele bedoening...'

'En dan zou je nu in de bak zitten,' zei Kathy, terwijl iedereen om haar man heen ging staan. 'En dan zouden we deze mensen helemaal niet kunnen helpen.' De zware klank was weer in haar stem geslopen. Ze sloeg diverse bladzijden om. 'Hier,' zei ze en haar stem klonk onmiskenbaar triomfantelijk. *'Eenzaamheid, d*at heeft hij gekocht. Hij heeft er tachtig dollar voor betaald op 21 mei.' Ze legde het boek neer. 'Maar de naam klopt niet. Victor Cressy, zei u?' Donna knikte. 'Nee, deze man heette Mel Sanders.'

'Mel?' vroeg Donna. *'Mel* Sanders?' Ze wendde zich tot Mel. 'Denk jij dat hij zoiets zou doen? Jouw naam gebruiken? S... Sanders in plaats van Segal? Een soort laatste, wrede grap?'

'Hij zou zeker van zoiets genieten,' zei Mel instemmend. 'Ook al zou hij de enige zijn die de ironie van het geheel zou kunnen waarderen.'

'Dat zou hem alleen maar nog meer plezier bezorgen.' Donna liep terug naar de lessenaar. 'Twintig mei?'

'Eenentwintig.'

Donna zocht vlug in het gastenboek de eenentwintigste mei op.

'Hier staat hij, Mel Sanders.'

'Is het zijn handschrift?'

'Dat is moeilijk te zeggen. Dit is nogal slordig geschreven. Hij zou het kunnen zijn.'

Mel kwam naar haar toe en bekeek de handtekening. Hardop las hij wat erbij stond. 'Mel Sanders, Cove Lane 1220, Morro Bay. Alle lof voor de omgeving én voor uw gastvrijheid.'

'We komen net uit Morro Bay,' mompelde Donna.

'We zijn binnen een paar uur terug en dan kunnen we het nagaan.'

'Volgens mij hebben we Morro Bay en omgeving helemaal uitgekamd.'

'Jij mag het zeggen.'

'Het is een kans. Ik denk toch dat we die moeten grijpen.'

'Het is een heel kleine kans,' waarschuwde Mel. 'Een man met twee kinderen, van wie er een misschien niet eens een jongetje was, die hier een maand na de verdwijning opduikt...'

Donna wendde zich weer tot David Garratt. 'Heeft hij u met een cheque betaald of contant?'

David Garratt raadpleegde zijn administratie. 'Contant.'

'Hij leek op de man op die foto,' zei Kathy Garratt, die het zich steeds duidelijker leek te herinneren. 'En ik herinner me dat zijn dochtertje huilde, vanwege de hond, en dat ze begon te schreeuwen dat ze naar haar moeder wilde. Weet je nog, David?'

Hij schudde het hoofd. 'Nee, daar herinner ik me niets van.'

'Jawel,' hield zijn vrouw vol. 'Hij probeerde haar te kalmeren, nam haar op de arm en zei dat mammie haar niet meer kon helpen, maar dat *hij* er toch was en dat het allemaal goed zou komen. Weet je dat niet meer?'

'Nee,' zei hij nog een keer. Toen wendde hij zich tot Donna en Mel. 'Maar mijn geheugen is niets vergeleken bij dat van Kathy. Ze herinnert zich alles wat ooit gezegd of gedaan is. Met haar moet je geen ruzie krijgen. Dat is een ding dat zeker is.'

Donna en Mel betaalden de Garratts de broodjes en het telefoongesprek, tekenden het gastenboek, waarbij ook zij er passende superlatieven aan toevoegden, en liepen terug naar de auto. Voordat ze het portier opende, wierp Donna nog een laatste blik om zich heen en trok toen haar vest uit.

Het huis was niet groot en niet klein, het was wit, maar de verf zag er niet erg fris meer uit. Het huis lag op een vierkant lapje grond, zoals alle huizen aan Cove Lane, en het leek wel of alle huiseigenaars de plechtige gelofte hadden afgelegd om niets uitzonderlijks te doen dat afbreuk zou kunnen doen aan de uiterlijke gelijkvormigheid van hun huis. Het charmante, het aantrekkelijke, het unieke van de huizen was juist gelegen in hun gelijkvormigheid. Voor de ramen stonden overal identieke bloembakjes, allemaal gevuld met dezelfde rode en witte plantjes, alle huizen hadden dezelfde hagen, dezelfde brievenbussen. Hoewel het een zinloze gedachte was, vroeg Donna zich af of alle andere huizen in de straat soms ook aan een verfbeurtje toe zouden zijn.

'Wat denk je?' vroeg Mel.

'Het zou het soort huis kunnen zijn dat Victor eventueel zou kopen...'

'Maar?'

'Maar?' herhaalde ze.

'Er klonk een duidelijk "maar" aan het eind van die zin.'

Ze lachte. 'Ja, daar zul je wel gelijk in hebben.' Ze zweeg even en schoof heen en weer op haar stoel; ze zaten in de auto, een paar huizen voorbij Cove Lane 1220. 'Maar,' zei ze met nadruk, 'ik kan me gewoon niet voorstellen dat Victor daar woont. Het is hier zo... stil.'

'Palm Beach is nu ook niet bepaald een wereldstad,' bracht hij haar in herinnering.

'Dat weet ik wel... maar, tja, ik weet het niet. Ik heb gewoon zo'n gevoel dat hij hier niet woont.'

Mel keek op zijn horloge. 'Het is twee uur. Over een uur, misschien over twee, komen de kinderen uit school, als ze tenminste meteen uit school thuiskomen. We kunnen wachten en we kunnen met foto's naar de buren gaan...'

'Nee. Hij heeft hier misschien wel vrienden. Die zouden hem kunnen waarschuwen. Laten we maar wachten. Als we het mis hebben, hebben we hoogstens een paar uur verspeeld.'

'Heb je zin om je benen te strekken?'

Donna leunde met haar hoofd tegen de roodfluwelen bekleding van de auto. 'Nee. Ik ben een beetje moe. Ik voel me eigenlijk niet zo geweldig. Dat zal de spanning wel zijn.'

Mel sloeg zijn arm om haar heen. 'Het zal wel weer overgaan. Maar je moet er niet te veel van verwachten.'

Donna sloot de ogen. Enkele minuten was het stil.

'Slaap je?' vroeg Mel zacht.

'Nee,' zei ze, nog altijd met haar ogen dicht. 'Ik zat eraan te denken wat ik met mijn leven ga doen als we weer thuis zijn. Ik bedoel: wat mijn carrière betreft.'

'En?' Ze voelde dat hij een kus op haar voorhoofd drukte.

280

'Nou, ik vond het werkelijk enig om onze slaapkamer opnieuw in te richten,' begon ze dromerig. 'En in die galerie had
ik meteen toen ik binnenkwam al allerlei grootse ideeën om
de boel te veranderen.' Ze deed haar ogen open en keek Mel
aan. 'Volgens mij heb ik gevoel voor dat soort dingen, maar
ik heb er gewoon nooit iets mee gedaan. Om de een of andere reden heb ik altijd gewoond in een huis dat al helemaal
ingericht was als ik erin kwam. Ik geloof dat ik dat altijd wel
gemakkelijk heb gevonden.' Ze ging rechtop zitten. 'Maar ik
begin nu tot de ontdekking te komen dat ik helemaal niet
zo van mijn gemak hou.' Mel glimlachte. 'En daarom heb ik
besloten, nu, op dit moment ongeacht wat er met mijn kinderen gebeurt, ongeacht of we met hen thuis komen of niet,
wat cursussen te gaan volgen en me te storten op de binnen-
huisarchitectuur, zodra we terug zijn in Florida. Wat vind je
daarvan?'

'Ik vind je de mooiste vrouw die ik ooit heb gezien.'

Donna lachte. Toen vertrok ze haar gezicht in een grimas.
'Wat is er?' vroeg Mel snel.

'Ik weet het niet. Toen ik lachte, kreeg ik ineens pijn in mijn
zij.'

Ze glimlachte onbehaaglijk. 'En het wil niet meer weg.'

'Waar zit het?'

'Hier.' Donna wees naar haar linkerzij, vlak boven haar taille.
'Ik zal toch geen hartaanval hebben, hè?'

'Dat vind ik zo leuk van je, Donna,' zei Mel, terwijl hij zich in
een betere positie manoeuvreerde om haar probleem te kunnen bekijken. 'Je ziet de dingen meteen groot. Wat voor pijn
is het?'

'Het is branderig. Alsof ik gestoken ben of zo.'

'Laat eens kijken.'

'Wat bedoel je?'

'Doe je trui eens omhoog.'

Donna gehoorzaamde. 'En? Zie je iets?'

'Alleen een moedervlek,' zei hij. Hij deed haar trui naar beneden en leunde weer achterover.

'Hoe bedoel je: alleen een moedervlek?'

'Gewoon een moedervlek, wat moet ik er nog meer van zeggen?'

'Ik heb daar geen moedervlek.'

'Toch heb ik die net gezien.'

'Heb je die daar ooit eerder gezien?'

Donna keek Mel recht in de ogen. 'Nee,' antwoordde hij en hij trok haar trui opnieuw omhoog en ging met zijn vingers over het ronde, donkere plekje.

'Au!' zei ze, toen hij met zijn vingers in haar zij drukte. 'Wat is het?'

'Het lijkt wel een teek!' zei hij verbaasd.

'Een teek? Hoe zou ik aan een teek moeten komen?'

'Ik heb geen idee. Maar daar lijkt het wel op.'

'En hoe krijgen we die eruit?'

'Met een gesteriliseerde naald en kokend water, of met een lucifer, maar ik heb niet de indruk dat deze auto daarmee is uitgerust.'

'Dan zal het moeten wachten.'

'We mogen niet te lang wachten. Teken kunnen gevaarlijk zijn. Je kunt flink ziek worden van zo'n klein rotbeestje. Hij graaft zich steeds dieper in je lichaam in, naarmate je langer wacht.'

'Probeer je me misselijk te maken?'

'Ik probeer je aan het verstand te brengen dat het ding er zo gauw mogelijk uit moet.'

'Hoe kom ik aan een teek?' vroeg ze en ze voelde zich hoe langer hoe ellendiger. 'Die hond! Die ellendige hond! Muffin!' zei ze vol afschuw.

Mel ging weer recht achter het stuur zitten en draaide het sleuteltje in het contact om.

'Wat doe je nu?'

'Ik ga naar een apotheek om een zalfje te halen, zodat we dat ding eruit kunnen halen...'

'Nee!'

'Donna...'

'Niet nu.'

'Je begrijpt het niet...'

'Ik weet het wel, die beesten kunnen erg gevaarlijk zijn. Dat begrijp ik *heus* wel, Mel. Maar het kan toch wel een of twee uurtjes wachten... Daar ga ik toch heus niet aan dood, Mel?'

'Je gaat er niet aan dood.'

'Toe, Mel.'

'Goed dan,' stemde hij toe, zij het met tegenzin. 'Maar je moet het me meteen zeggen, als je je beroerd gaat voelen.'

'Goed.' Ze drukte een kus op zijn wang. 'Dank je wel.'

'Ik weet niet of je me dankbaar blijft,' zei hij en hij voegde eraan toe: 'We wachten twee uur, afgesproken?'

'Tweeëneenhalf,' zei ze koppig, met een glimlach op het gezicht.

'Twee,' zei hij krachtig. 'Discussie gesloten.'

Ze wachtten twee uur en twintig minuten, totdat de bruine Ford stationcar het pad naast het huis aan Cove Lane 1220 opreed.

'Er komt iemand thuis,' zei Mel en hij stootte Donna aan om haar wakker te maken. Het laatste uur was ze steeds lustelozer en zieker geworden, maar ze weigerde weg te gaan.

'Is het Victor?'

'Dat weet ik niet.' Hij deed het portier open. 'Wil jij hier wachten?'

'Ben je gek?' Ze deed het portier aan haar kant van de auto ook open.

'Voel je je wel goed?'

'Prima.'

Donna voelde haar voet de stoep raken en ze realiseerde zich meteen hoe zwak en hoe zenuwachtig ze was. En ze wenste vurig dat ze niet zou flauwvallen, voordat ze bij het huis gekomen waren. Net op het moment dat ze het tuinpad van Cove Lane 1220 bereikten, stapten de inzittenden van de auto uit de garage en liepen naar de voordeur.

Een man. Lang, donker, hij had wel iets van Victor. Maar het was Victor niet.

Het was zomaar een man.

Met zijn twee kinderen... zomaar twee kinderen.

Donna zakte in elkaar op het pas gemaaide gras van de voortuin.

Zulke kleuren had ze nog nooit gezien, bedacht Donna. Ze bekeek ze aandachtig en vroeg zich slechts even af waar ze was en hoe ze hier terechtgekomen was. Allerlei kleuren groen, sappig groen, en vochtig-donkere kleuren bruin en zwart. Het leek wel een schilderij van Henri Rousseau, concludeerde ze. Behalve dan dat dát absoluut onmogelijk was. Hoe kon zij nu rondlopen in een schilderij van Henri Rousseau?

Ze stapte op het mos en voelde haar voet meteen wegzakken en plotseling voelde ze een kil en vreemd-vochtig aanvoelend slijm langs haar schenen omhoogkruipen, stekend als tientallen dorstige bloedzuigers. Ze trok haar been op en ontdekte tot haar afschuw dat een helderblauwe slang zich om haar enkel had gekronkeld. Ze probeerde het dier van zich af te schudden. Maar het klampte zich aan haar vast alsof zijn koningsblauwe huid met de hare vergroeid was.

Het oerwoud – ze zag nu dat ze in een oerwoud was – begon haar hoe langer hoe meer in te sluiten. De bomen strekten hun takken naar haar uit, aan de uiteinden ervan zaten plotseling zuignappen, die obsceen openen dichtgingen.

Toen ze weer naar haar voeten keek, was de blauwe slang verdwenen. De grond was helder en doorzichtig. Onder zich zag ze vissen zwemmen en vlak onder haar voeten kronkelden zich alen; allerlei planten wuifden haar uitnodigend toe, alsof ze haar vroegen ook in het water te komen. Plotseling zwom ze tot aan haar nek door die onderwaterjungle. Ze keek naar de onderste helft van haar lichaam, alsof die iets was dat aan iemand anders toebehoorde, ze zag haar blote voeten door de verstilde wereld lopen, ze zag ook het trillende, vleeskleurige dier – wat voor dier was het? Ze vroeg het zich even af en ondertussen zag ze het slangachtige lichaam met handen als van een mens op haar afkomen, haar beetpakken, zich aan haar vastklampen en haar naar beneden trekken. Steeds verder naar beneden.

Tot onder de oppervlakte. Haar hoofd verdween onder het opnieuw slijmerig geworden oppervlak; haar neusgaten vulden zich met drijfzand. Ik krijg geen lucht. Ik krijg geen lucht. Stemmen. Van verre drongen er stemmen tot haar door. Die kwamen haar redden. Maak je maar geen zorgen. Het is maar een droom.

Ze deed de ogen open.

Een grote blauwe slang, die ineengerold had liggen wachten, klaar om haar te bespringen, stortte zich van de balk boven haar hoofd boven op haar, slingerde zich om haar nek en drukte zijn glibberige lichaam steeds strakker om haar hals.

'Nee!' Ze ging rechtop zitten. Ze gilde en probeerde de slang weg te trekken.

'Donna! Donna!'

Weer deed Donna de ogen open. Ze keek in Mels gezicht. Hij pakte haar armen, waarmee ze als een razende om zich heen maaide. 'O, god,' snikte ze. 'Wat gebeurt er toch allemaal?'

Ze liet zich door Mel weer in de kussens drukken. Haar lichaam was drijfnat van het zweet. Ze lag in bed, in een vreemde, maar gerieflijke kamer. Aan het voeteneind van het bed stond een televisietoestel.

'Je bent er nu weer bovenop, maar je bent een paar uur behoorlijk ziek geweest,' zei hij.

'Een paar uur? Hoe laat is het dan?' Ze haalde een paar keer diep adem.

'Even na middernacht.' Donna keek naar de televisie. Ze herkende Johnny Carson. Een charmante, blonde, jonge vrouw stopte een grote boa constrictor in een kistje. Mel keek naar haar, terwijl zij naar de televisie keek. 'Een interessante show,' zei hij lachend. 'De Dame uit de Dierentuin. Een of ander sterretje, dat beweerde dat ze in Pat Boones zwembad gedoopt was en dat hij haar te lang onder water had gehouden, zodat ze dacht dat ze doodging in plaats van dat ze een nieuw leven begon.' Hij legde zijn hand op haar voorhoofd. 'Je hebt je ogen heel vaak opengedaan, maar je zakte steeds weer weg. De koorts begint nu te zakken.'

Plotseling bracht ze haar hand naar haar zij.

'Voorzichtig. Daar zit verband.'

'De teek?'

'Die is er allang uit.'

Ze ging met haar hand door haar vochtige haar. 'Hoelang ben ik zo geweest?'

'Bedoel je al voordat je die arme meneer Sanders de stuipen op het lijf joeg door tussen zijn begonia's flauw te vallen of daarna?'

'O, hemeltje. Vertel eens wat er gebeurd is.'

'Nou, hij was heel vriendelijk. Hij heeft een ambulance voor me gebeld, zodat ik met je naar het ziekenhuis kon.'

'Het ziekenhuis? Is dit een ziekenhuis?'

'Nee. Dit is een motel. In het ziekenhuis hebben ze alleen de teek weggehaald en je medicijnen gegeven.'

'Dus Sanders was...'

'Sanders was meneer Sanders. Punt uit. Zijn vrouw is achttien maanden geleden overleden en hij bleef achter met twee kleine meisjes.'

'*Twee* meisjes?'

'*Allemaal* meisjes, zou Janine McCloud zeggen.'

'En daarmee hebben we afgedaan met het fantastische geheugen van Kathy Garratt.'

'En met haar hond!'

'Wie heeft ons eigenlijk naar die ellendige galerie gestuurd? Dat mens in San Simeon... Die wordt vast en zeker door Victor betaald!'

Mel lachte. 'Ik kan merken dat je je alweer beter voelt.' Hij zette de televisie uit. 'Wil je soms thee of iets anders?'

Ze schudde het hoofd. 'Ik ben gewoon moe. Kan ik morgen reizen?'

'Dat denk ik wel. En ik heb zo'n idee dat ik je daarvan toch niet zal kunnen afhouden.' Hij zweeg even. 'Ik heb Marfleet gebeld. Hij zei dat hij nu misschien echt iets heeft in Carmel. Het gaat om een man met twee kinderen, die exact aan de beschrijving van Victor en de kinderen beantwoorden, en die daar een halfjaar geleden zijn komen wonen. Hij zou er vanavond heen rijden om het na te gaan. Morgen ontmoeten we hem in Carmel.'

'O, Mel...' zei Donna en ze voelde hoe haar hele lichaam begon te tintelen.

'Het is heel goed mogelijk dat ze het niet zijn, Donna...'

'Dat weet ik. Dat weet ik wel,' zei ze nog eens en ze kroop onder de dekens. Mel kroop naast haar. 'Dat weet ik wel.'

22

Zodra Donna over Highway 1 Carmel binnenkwam, voelde ze al haar zintuigen tot leven komen. Gretig snoof ze de overal aanwezige geur van de zee op. Haar ogen werden groot, toen ze naar de huizen keek. Sommige leken wel koekhuisjes, het waren meer poppenhuizen dan echte; ze luisterde intens naar het geluid van de branding en keek naar de bedrijvige rust, hoezeer dat ook met elkaar in tegenspraak leek. Het leek wel alsof iedere vezel in haar lichaam zich spande, alsof alles in staat van paraatheid werd gebracht. Hij was hier. Ze voelde het gewoon. Hier had hij haar kinderen heen gebracht.

'Rustig aan, Donna,' waarschuwde Mel.

'Ze zijn hier, Mel. Ik weet het zeker. Mijn hele lichaam zegt me dat ze hier zijn.'

'Jouw hele lichaam – hoe mooi dat ook is – heeft het al eens eerder mis gehad. Je moet niet vergeten dat dat lichaam van je de eerste aanzet heeft gegeven tot je huwelijk met Victor.'

'Ze zijn hier, Mel,' zei ze nog een keer toen ze naar het oosten reden en Ocean Avenue opdraaiden, een straat die letterlijk haaks op de oceaan stond. Donna keek naar de straatnamen die voorbijschoten – Carpenter, Guadalupe, Santa Rita, Santa Fe, Torres, Junipero – en ze raakte hoe langer hoe meer overtuigd van haar conclusie. Ze kwamen langs een groot, in Spaanse stijl opgetrokken gebouw, dat volgens het bord Carmel Plaza was en dat plaats bood aan zevenenzestig winkels. Ze reden door tot Dolores Street, waar ze linksaf sloegen.

'Waar ontmoeten we Marfleet eigenlijk?'

'In een restaurant, het Klein Pizzaparadijs.'

'Pizza op dit uur van de dag?'

'Het is lunchtijd,' bracht Mel haar in herinnering en hij keek op zijn horloge.

'Waarom heb je me zo lang laten slapen?'

'Ik wilde dat je in goede conditie zou zijn voor het gevecht,' zei hij met een knipoog.

Ze glimlachte. 'Ik weet dat ze hier zijn, Mel. Voel jij het dan niet?'

'Wat jij voelt – en ik ook wel – is een zekere vertrouwdheid. Het doet hier enigszins aan Palm Beach denken. Hier heb je alleen pijnbomen in plaats van palmen, maar het heeft... ja, hoe moet ik het noemen... datzelfde levensritme.'

Donna knikte. De enig juiste omschrijving. 'Alleen is het hier nog beter,' voegde ze eraan toe. 'En Victor was altijd op zoek naar nog beter.' Ze ontdekte plotseling het Klein Pizzaparadijs aan hun rechterhand. 'Daar is het, Mel.'

Mel zette de auto op het parkeerterrein en Donna en hij stapten uit. Mel gooide Donna de sleutels toe om ze in haar tas te stoppen. Zij moest op de sleutels passen, had hij in het vliegtuig gezegd, en hij had het blijkbaar gemeend.

'Je moet niet vergeten dat Victor het grootste gedeelte van zijn leven in Connecticut heeft gewoond.'

'Dat weet ik wel,' zei Donna en ze gaf Mel een arm, 'maar het valt niet mee terug te gaan naar sneeuw en ijs, als je verwend bent met zon en zee.'

Ze stonden op het punt om het restaurant binnen te gaan, toen Mel zich omdraaide en haar staande hield. Ze keek hem vragend aan. 'Luister eens goed, Donna,' begon Mel. 'Als hij ernaast zit, als we de kinderen hier niet vinden, dan moet je blijven bedenken dat ik van je hou en dat niet de hele wereld vergaat.'

Ze lachte. 'Nog meer?'

'Ja,' zei hij plechtig. 'Hoeveel psychiaters heb je nodig om één patiënt op de rustbank te krijgen?'

'Nou?' vroeg ze en ze vertrok haar gezicht tot een grimas.

'Eentje maar,' antwoordde hij, 'maar dan moet die patiënt ook wel willen liggen.'

Ze grinnikte nog steeds, toen de ober hen door het restaurant naar het beschutte terras leidde, waar Marfleet zat te wachten.

'We zijn ze misgelopen,' zei Marfleet zodra ze zaten. Donna kon haar oren niet geloven.

'Hè? Wat bedoelt u?'

'Ik bedoel dat ze er wel waren. Maar we zijn ze kwijtgeraakt.'

'Hoe bedoelt u dat... kwijtgeraakt?' Donna hoorde zelf hoe er een schelle klank in haar stem sloop. Nee, alsjeblieft niet. Ze had het verkeerd verstaan.

'Ik heb navraag laten doen,' legde de detective uit. 'Volgens mij heeft meneer Cressy, of meneer Whitman zoals hij zich noemde, daarvan op de een of andere manier lucht gekregen en is hij 'm gesmeerd. Hoe dan ook, hij is weg. Ik heb het huis in de gaten laten houden, maar Cressy moet er midden in de nacht tussenuit geknepen zijn.'

Donna schudde het hoofd. Ze wilde het gewoon niet tot zich laten doordringen. Nu hadden ze zo'n eind gereisd, ze waren er zo dichtbij geweest, en nu waren ze één dag te laat gekomen. Doordat ze in een motel in Morro Bay hadden moeten overnachten, omdat zij door een teek was gebeten! Nee. Dat was niet eerlijk.

'Kunt u zijn auto niet opsporen?' vroeg Mel, in de veronderstelling dat Victor een auto had.

'Dat hebben we al gedaan. Hij heeft de auto vanmorgen in alle vroegte bij het vliegveld van Los Angeles achtergelaten. Op dit moment kan hij alweer heel ergens anders zitten. Maar we blijven zoeken. Dat kan ik u beloven. We hebben hem één keer gevonden en we vinden hem nóg een keer.'

Zijn stem stierf weg. Voor het eerst die middag bekeek Donna de detective eens aandachtig. Hij was lang, maar die lengte zat zo te zien voornamelijk in zijn bovenlichaam. Hij had een bijna rechthoekige gestalte, hoekige kaken, hoekige schouders en een duidelijk zichtbare adamsappel, die boven zijn open overhemd uitkwam. Hij zag ziekelijk bleek, alsof hij zelden frisse lucht kreeg en alsof hij – wanneer dat dan wel gebeurde, daarvan zelden wist te genieten. Te midden van de stapels dossiers in zijn voor het overige spaarzaam gemeubileerde kantoor in het centrum van Los Angeles had hij meer op zijn plaats geleken. Daar had hij echt één geheel gevormd met zijn omgeving.

'Hij noemt de kinderen anders,' zei hij plotseling.

'Wat zegt u?'

'Het meisje... noemt hij Carol, geen Shannon.'

'Sharon,' verbeterde Donna hem.

'Ja, Sharon. En het jongetje noemt hij...' Hij wierp een blik in zijn notitieboekje, 'het jongetje noemt hij Tommy.'

'Weet u zeker dat zij het waren?' vroeg Mel.

De detective haalde de schouders op. 'Het klopte allemaal precies met de beschrijving. En waarom zouden ze 'm smeren, als zij niet degenen zijn die we zoeken?'

Donna knikte. 'Waar woonden ze?' vroeg ze. Haar stem klonk mat en veraf. Wat deed het ertoe waar ze gewoond hadden? Het enige dat ertoe deed, was dat ze er nu niet meer woonden. Ze waren weg. 's Nachts weggeslopen. Verdwenen. Opnieuw. Voor hoelang deze keer? Weer elf maanden? Elf jaar?

'Niet zo ver hiervandaan.' Marfleet lachte, als iemand die een pijnlijke stilte probeert te doorbreken. 'Ach, eigenlijk is hier niets ver van elkaar. Het huis stond aan Monte Verde,' zei hij en hij keek weer in zijn notitieboekje. 'Monte Verde 147.'

Donna stond op. 'Ik wil het zien,' zei ze.

'Het is leeg,' zei Marfleet. 'En het zit op slot.' Hij maakte geen aanstalten om op te staan.

Mel kwam overeind. 'Ik breng Donna er wel heen. We zullen er eens een kijkje nemen.'

'O, ga gerust uw gang,' zei de detective, terwijl zijn pizza met alles erop en eraan werd geserveerd. 'U neemt het me niet kwalijk als ik dit eerst nuttig?'

'Haast u zich vooral niet,' zei Donna en ze haatte hem om zijn gevoelloosheid, maar nog meer om de hoop die hij bij haar had gewekt en weer zo abrupt de bodem had ingeslagen.

Nee, dacht ze terwijl ze het restaurant uitliep met Mel achter zich aan. Het was niet Marfleets schuld dat ze zich zo had lopen opdraaien. Dat was helemaal alleen aan haarzelf te wijten. Net zoals ze het tijdschema in de war had gestuurd met een beetje hulp van Muffin, een grote Duitse herder. Ze gooide Mel de autosleutels toe. Ze kon dit niet lang meer volhouden. Ze waren weg. Zij had ze laten ontsnappen. Maar ze wilde om welke verknipte beweegreden dan ook, het huis zien waar haar kinderen het afgelopen halfjaar gewoond hadden. Carol en Tommy had hij hen inmiddels gedoopt, dat kwam haar zo vreemd, zo onbekend voor. Misschien zou ze, net zoals een paragnost inspiratie opdoet door bepaalde kledingstukken te bevoelen, ook een vage aanwijzing krijgen...

Ze stapte in de auto en bedacht dat het nu wel welletjes was. Van nu af aan zou ze het speurwerk aan de beroepsspeurders overlaten – u hoeft me pas te bellen, wanneer u mijn gezin veilig en wel achter tralies hebt – en zodra ze zich ervan overtuigd had dat Victor en haar kinderen echt weg waren, zou zij ook vertrekken. Terug naar Florida. Terug naar Annie. Terug naar een steeds toenemend aantal heuvels, waar ze grote keien tegenop moest duwen.

Ze besloten in Carmel te overnachten en de volgende morgen terug te gaan naar Los Angeles, wanneer ze goed uitgerust waren. Donna had de rest van de middag niets meer gezegd en slechts zwijgend en instemmend geknikt op alle voorstellen van Mel. Elke andere afloop zou beter zijn geweest. Het zou zelfs beter zijn geweest als ze het helemaal niet geweest waren. Maar dat ze zo dichtbij waren geweest en hen één dag waren misgelopen. Dat kon ze gewoon niet aanvaarden. Ze konden nu wel overal zijn, dacht ze. We zijn weer op het beginpunt. Nee, nog verder terug, want nu was Victor op zijn hoede.

Mel en zij waren een uur bij het huis aan Monte Verde geweest. Het was duidelijk onbewoond – ze hadden door alle ramen naar binnen gegluurd. Tevergeefs gewacht op buren die thuis zouden komen. Alles wees op een overhaast vertrek. De achtertuin grensde niet aan zee, maar de oceaan was heel dichtbij. Wat had Marfleet gezegd? 'Eigenlijk is niets hier ver van elkaar.' Victor had haar vanuit Carmel gebeld. Daar was ze absoluut zeker van. En nu was hij weg. Hij had haar kinderen gestolen – voor de tweede keer.

'Waar zijn we?' vroeg ze en ze keek uit het autoraampje, voor haar gevoel voor het eerst sinds uren.

'We zijn in de Carmel Valley. Het leek me wel mooi om er eens door te rijden. We kunnen hier een leuk motelletje nemen – volgens de gids is er een langs Carmel Valley Road, de Hacienda. Daar kun je een kleine barbecue vragen. Ik had gedacht wat biefstukjes te kopen, een lekkere fles wijn te halen bij de delicatessenzaak, dan terug te gaan naar het motel, wat te eten en misschien onze frustraties een beetje af te reageren.'

Ze glimlachte vermoeid. 'Dat klinkt prima. Hoe laat is het?'

Hij keek op zijn horloge. 'Bijna vier uur,' zei hij. 'We zijn er.'

Hij reed het parkeerterrein van het Hacienda Motel op. 'Wil jij in de auto blijven zitten?' Ze knikte. 'Goed. Ik zal eens kijken of ze een kamer vrij hebben.' Ze zag hem het kantoor binnengaan en enkele minuten later terugkomen. Aan zijn vinger bungelde een lange sleutel. Ze besefte plotseling dat haar hoofd die paar minuten volkomen leeg was geweest. 'Kamer 112,' wees hij. 'Daar om de hoek, we hebben een eigen terrasje en onze eigen barbecue.'

'Prima,' zei ze. Het zwakste 'prima' dat ze ooit gehoord had.

'Heb je zin om even te gaan liggen, terwijl ik de wijn en de biefstuk haal?'

Ze schudde het hoofd. 'Nee. Ik ga met je mee.'

'Mooi zo. Die wijnzaak is een paar kilometer verderop aan deze weg. En er is een supermarkt waar we de biefstuk kunnen halen.' Ze deed de sleutel van de kamer in haar tas.

'Geweldig.' Dat 'geweldig' klonk nauwelijks enthousiaster dan het 'prima' van zo-even.

'Ik hou van je,' zei Mel zacht. 'Ik ben erg trots op je.'

'Waarom? Omdat ik niet als een idioot tekeer ga?'

'Wie zegt dat je dat niet doet?'

Ze glimlachte en de tranen die ze al die tijd had verdrongen, stroomden nu als een waterval over haar wangen. 'Verdomme,' zei ze en ze begroef haar gezicht tegen Mels borst. 'Godverdomme.'

'Goed zo,' zei hij sussend. 'Je moet het niet opkroppen. Laat je maar gaan, schatje.'

Mel vond nog een plekje op de al volle parkeerplaats bij het winkelcentrum. Hij manoeuvreerde de auto erin, haalde het sleuteltje uit het contact, gaf het aan Donna en stapte uit de auto. 'Ga je mee?'

'Waarom ga jij de wijn niet halen? Dan ga ik ondertussen de biefstuk kopen,' zei ze terwijl ze naast hem kwam staan.

'Prima. Heb je geld?'

Donna keek in haar portemonnee. 'Meer dan genoeg,' antwoordde ze.

'Goed. Dan zie ik je hier straks weer.' Ze kusten elkaar teder. 'Voel je je wel goed?'

Ze knikte. 'Ja, ik voel me best.'

Ze liepen allebei een andere kant uit. Toen Donna zich nog een keer naar hem omdraaide, was hij al in Yavor's delicates-senzaak verdwenen. Ineens stelde ze zich voor dat hij er niet zou zijn als zij uit de supermarkt kwam. Verdwenen – zoals iedereen die ze toeliet in haar leven. Dood – of gewoon ver-dwenen. Nee, verzekerde ze zichzelf, en ze klopte op haar tas, dat kon niet – tenzij hij zou besluiten om naar Florida terug te lopen. Tenslotte was zij de sleutelbewaarder. Hij zou er zijn. Hij zou er altijd zijn.

De winkel was prachtig ingericht. Aan de muren waren grote wandschilderingen aangebracht, waarop vruchtbomen hun kleurige oogst rechtstreeks van de schilderingen op de knap opgestelde rekken ervóór leken te storten. En zo was deze hele zaak ingericht: een met veel zorg en liefde gecreëerde mengeling van stijl en efficiency. Er was van alles het beste. Terwijl ze doelloos door de paden liep, bedacht ze dat er erg veel talent voor nodig was om van iets dat in wezen maar een gewone supermarkt was, zoiets aantrekkelijks te maken. Zo-dat de mensen hier vanuit heel Carmel naartoe kwamen, want dat was duidelijk. Het was erg druk in de winkel, vrouwen, een verrassend groot aantal mannen en aardig wat kinderen. Donna zag het meisje voor het eerst aan het eind van haar gangpad voorbijrijden in het zitje van een boodschappenkar-retje. Het kind keek naar Donna. En zelfs op een afstand van toch een meter of vijf was het duidelijk dat er iets bijzonders met die kinderogen was.

Donna's hart begon als een razende te bonken. Het leek wel alsof ze aan de vloer vastgenageld stond. Niet doordraven, zei ze tegen zichzelf. Dit is al eerder gebeurd. Ik heb al zo vaak, bij zoveel kinderen die op Adam of Sharon leken, gedacht dat zij het waren. Ik heb er al zo vaak naast gezeten. Elke keer was de wens de vader van de gedachte – net als nu. Victor was niet meer in Carmel; hij had haar kinderen meegenomen en was 's nachts gevlucht.

'Neemt u me niet kwalijk.'

'Pardon?' vroeg Donna en ze draaide zich om naar een jonge, vriendelijke vrouw met een baby in een easy-rider tegen haar borst.

'Mag ik er even langs?' vroeg ze.

'O, natuurlijk. Sorry.' Donna's stem stierf weg. 'Ik had me niet gerealiseerd dat ik het pad blokkeerde.'

Maar misschien was het Victor helemaal niet geweest, dacht ze plotseling. Misschien was de man die gevlucht was wel iemand anders. Iemand die in dezelfde moeilijke situatie verkeerde als Victor; iemand die net zo in de penarie zat. Het deed er ook niet toe. Belangrijk was dat Marfleet er heel goed naast kon zitten! Belangrijk was het kind dat ze zojuist vlak voor haar ogen had zien langsrijden.

Plotseling kon ze haar voeten weer bewegen. Ze vloog vooruit, zodat ze bijna tegen de jonge vrouw opbotste, die ze nog maar een paar tellen daarvoor had laten passeren. 'Neemt u me niet kwalijk,' mompelde ze. Aan het eind van het pad wandelde ze langzaam, om geen aandacht te trekken, langs het volgende. Het kind in het wagentje was er niet. Was het maar een illusie geweest? Donna zette die gedachte van zich af en liep naar het volgende pad waarlangs rijen blikjes stonden.

Daar waren ze. Het kind met een pakje Saroma-pudding tegen zich aangedrukt, alsof het om haar liefste teddybeer ging, en een vrouw. Donna loerde ingespannen naar de vrouw, terwijl ze deed alsof ze de schappen bestudeerde. Donna had haar nooit eerder gezien. Ze had donker haar en een gebruinde huid, zij het niet overmatig, en Donna schatte haar op een jaar of vijfenvijftig. Ze was duidelijk te oud om de moeder van het kind te kunnen zijn. Misschien de grootmoeder. Of een huishoudster.

Donna richtte haar aandacht op het meisje. Ze had haar elf maanden niet gezien, maar elf maanden kunnen een gezicht hoogstens een beetje, nooit helemaal veranderen. Het meisje dat zat te zingen in het wagentje was hier en daar wat tengerder en meer volwassen geworden (een vreemd woord voor een kind van nog geen drie), maar de grondtrekken waren er nog allemaal: het wipneusje, het mondje dat van nature al pruilde, net zoals de mond van haar vader, het krulhaar, nu langer, maar niet minder krullerig, en de enorme, betoverende ogen die dwars door je heen keken. Donna hield de adem in toen het kind haar kant uitkeek. Het kon eenvoudig geen vergissing zijn. In de tijd dat ze het meisje niet had gezien, was ze zelfs nog meer gaan lijken op de vrouw naar wie ze vernoemd was. Mijn moeder, dacht Donna. Mijn moeder... mijn dochter.

'Hè, verdorie,' hoorde ze de vrouw tegen het kind zeggen. 'Ik heb vergeten aardappels mee te nemen.'

'Dappels?' vroeg het kind.

'Ik ben zó terug,' zei de vrouw. 'Niet bang zijn. Ik ben zó te-rug.'

Donna hield het hoofd gebogen en keek naar een stapel met een soort fruit in blik, alsof ze ieder blik afzonderlijk keurde, terwijl de vrouw langs haar het pad uitliep. Zodra ze weg was, haastte Donna zich naar het kind. Wat moet ik doen? vroeg ze zich krampachtig af. Wat moet ik doen? Moet ik haar gewoon uit die kar tillen en weghollen? Stel dat ze zich verzet? Wat moet ik doen? En mijn zoon? Waar is mijn zoon?

'Hallo,' zei ze zacht.

Het kind keek haar aan, haar ogen keken dwars door Donna heen. Het was duidelijk dat ze op haar hoede was. Zie je me? vroeg Donna in gedachten. Zie je wie ik ben? Herinner je je me nog?

Het meisje glimlachte.' Hallo.'

Ik heb je gevonden, dacht Donna ongelovig. Ik heb mijn klei-ne meisje gevonden!

'Sharon?' vroeg ze voorzichtig.

Er kwam een harde, boze trek op het kindergezichtje. 'Ik ben Sharon niet,' zei ze met een pruillip. Donna's moed zonk haar in de schoenen. 'Ik ben Pino.'

'Wat zeg je?'

'Ik ben Pino.'

Donna voelde hoe ze begon te beven. 'O. O, ik begrijp het.'

'Mag ik alsjeblieft Pino zijn?' vroeg het kind smekend, haar stemmetje klonk plotseling zacht.

'Natuurlijk mag je Pino zijn. Pino is een prachtige naam.' Ze streelde de haren van het kind. 'Je hebt prachtige krullen, Pino.'

'Nee,' jammerde het kind, dat elk moment in huilen leek uit te kunnen barsten, 'dat zijn geen krullen. Dat zijn veren!'

'Eh, veren, natuurlijk, het zijn veren.' Donna's gedachten draai-den in een kringetje rond. Ze wilde het kind niet bang maken;

ze wilde geen scène; wellicht kenden de caissières deze vrouw die op het kind paste. Misschien kwam ze hier vaak met Sharon. Als ze zou proberen het meisje uit het wagentje te grissen en Sharon zou zich verzetten, dan zouden anderen haar misschien tegenhouden. Haar vasthouden omdat ze in hun ogen als een waanzinnige tekeerging, terwijl die andere vrouw dan met haar kind kon ontkomen. Dat mocht ze niet laten gebeuren. Ze kon haar beter aanspreken, wanneer ze de winkel eenmaal uit was. En ze hoopte dat Mel er dan ook zou zijn. Dan konden ze haar dwingen hun te zeggen waar Adam was. Dan kon Donna allebei haar kinderen opeisen.

Donna hoorde voetstappen en deed meteen een stap terug naar de stapel ananas in blik, die ze zogenaamd stond te bekijken. Uit haar ooghoeken zag Donna dat de vrouw een zak met twee kilo aardappels bij haar boodschappen zette.

'Je vader zou in alle staten zijn als we de aardappels weer vergaten,' zei de vrouw en ze bekeek de inhoud van haar karretje. 'Volgens mij hebben we nu alles.' Ze haalde een briefje uit haar tas en las het rijtje artikelen door dat ze daarop had geschreven.

Een lijstje, dacht Donna enigszins verwonderd, een lijstje.

'Goed, dat is alles. We gaan je broer halen en dan naar huis.'

'Ik wil een ijsje.'

'Na het eten.'

'Een roze ijsje.'

'Na het eten.'

Donna liep enkele passen achter de vrouw aan naar de voorkant van de winkel. De vrouw moest in de rij staan. Donna, die helemaal niets gekocht had, liep vast naar de uitgang en bleef daar wachten. Daarvandaan kon ze de delicatessenzaak zien. Zou Mel daar nog zijn? Of was hij alweer teruggegaan naar de auto? O, Mel, je moet er zijn. Ze keek nog eens naar de vrouw. Die stond als derde in de rij, maar het zag ernaar uit dat er nog een kassa open zou gaan. Daarom durfde Donna niet naar buiten te lopen om Mel te zoeken. Ze kon het zich niet permitteren haar kind opnieuw kwijt te raken. Mijn god, dacht ze, ik heb haar gevonden. Ik heb mijn kleine meisje gevonden! Het is voorbij. De nachtmerrie is voorbij. Niet helemaal, dacht ze. Nachtmerries zijn pas voorbij als je wakker wordt. En zij zou pas weer helemaal wakker zijn, als ze haar beide kinderen weer onder haar beschermende vleugels had en in het vliegtuig zat – terug naar Florida, weg uit Californië.

De andere kassa ging open en de vrouw ging er meteen bij staan. Vlug zette ze haar boodschappen op de lopende band. Donna keek heen en weer, van de vrouw naar het raam. Waar was Mel? Waar bleef hij toch zo lang?

Ze keek naar de doolhof van auto's en na enkele ogenblikken ontdekte ze de witte Buick die ze in Los Angeles gehuurd hadden. Mel was er niet. Ze keek opnieuw naar de delicatessenzaak. Niets. Weer naar de vrouw. De caissière was nog steeds bezig de artikelen aan te slaan. Schiet op. Mel. Je moet me helpen!

Maar stel nu eens dat Mel er niet was, dacht ze plotseling verschrikt. Stel nu eens dat Mel niet op tijd uit die delicatessenzaak kwam. Die winkel scheen allerlei zeldzame en exotische wijnen te hebben. Het was heel goed mogelijk dat hij helemaal was weggedroomd tussen alle heerlijkheden. Hij wist gewoon niet dat hij zich moest haasten. Victor en de kinderen waren die ochtend vroeg immers ontvlucht naar het vliegveld van Los Angeles!

Maar wie er ook gevlucht was, Victor niet. Carol en Tommy, wie dat ook mochten zijn, waren niet haar kinderen, dat was zeker. Haar kinderen waren hier in Carmel. Een van hen was in deze supermarkt. Vlak voor haar. En ze zou haar niet meer uit het oog verliezen. Ongeacht wat er gebeurde. Ongeacht of Mel haar te hulp kwam of niet. Wanneer de nood aan de man kwam, zou ze alleen de strijd met deze vrouw aanbinden, zou ze om de politie gillen. Ze zou deze onbekende dame niet meer laten ontkomen, ook al zou ze in haar eentje de gebundelde krachten van alle winkelende en werkende mensen in dit winkelcentrum te lijf moeten.

De winkelbediende laadde alle boodschappen in grote zakken. Uiteindelijk had hij er vier vol.

'Kan iemand me helpen de spullen naar de auto te brengen?' vroeg de vrouw.

Ondanks haar kersverse vastberadenheid begon Donna nu toch weer bang te worden. Ze was er niet op voorbereid geweest dat er een derde bij de eerste confrontatie aanwezig zou zijn. Opnieuw keek ze naar het raam. Mel was nergens te zien.

De vrouw liep langs haar heen, het handje van het meisje stevig in de hare. Toen ze de deur uitliepen, draaide het kind zich plotseling naar Donna om en keek zwijgend naar haar op.

'Kom, niet treuzelen,' zei de vrouw. Ze trok het kind aan haar arm mee. De winkelbediende liep vlak achter haar aan met een karretje waarop de zojuist ingepakte boodschappen stonden. Donna keek nog een keer om zich heen en liep toen achter de jongen aan. Het leek wel een kleine optocht. Iedereen liep hopeloos uit de pas, maar ze gingen dapper door.

De vrouw liep niet hard. Door het kind kon ze duidelijk niet zo kordaat doorstappen als volgens Donna anders haar gewoonte moest zijn. Toch was de vrouw heel lief voor het kind. Ze was niet zo maar een oppas; je kon zien dat ze om het kind gaf. Daar was Donna haar tenminste dankbaar voor.

De auto stond niet in dezelfde rij en ten minste zes rijen verder dan waar Mel de witte Buick geparkeerd had. Donna keek vanaf een veilige afstand toe hoe de winkelbediende de vier zakken met boodschappen in de kofferbak van de beige-met-groene Plymouth Volare deed, kenteken NKN 673. Ze registreerde het nummer in haar hoofd – NKN, NKN – Nikita Kroetsjov Neukt, zei ze tegen zichzelf om een sleutelwoord te hebben.

Sleutels! Bewaarder van de sleutels! Zij had de sleutels van de auto.

De vrouw gaf de bediende een fooi; hij hield vervolgens de deur van de auto voor haar open, terwijl zij Sharon in haar kinderzitje op de achterbank vastgespte. O god, dacht Donna, ze gaan zo weg! Ze liep weg toen de jongen de deur daarna voor de vrouw openhield en ze zag dat ze zich achter het stuur manoeuvreerde voordat ze het portier dichtsloeg. Grote genade, ze gingen weg! Bleef ze hier gewoon staan, terwijl ze haar ontsnapten?

Donna keek in paniek naar de delicatessenzaak om te zien of Mel er al aankwam. Maar hij was in geen velden of wegen te bekennen. Godverdomme! De vrouw startte de auto.

Nee, dacht Donna. Plotseling greep ze de sleutels uit haar tas. Ze zou hen niet weg laten rijden. Ze zou hen niet laten ontsnappen. Ze begon tussen de auto's door te hollen met haar ogen nog altijd op de groen-met-beige Plymouth gericht. Ze vond de juiste rij, vond de auto, wierp een laatste, wanhopige blik om zich heen, op zoek naar Mel, maar stak toen de sleutel in het slot, deed het portier open en sprong in de auto.

Het kostte de vrouw moeite weg te komen van de parkeerplaats. Donna voelde dat ze over haar hele lichaam trilde, alsof ze ineens een invasie van duizenden teken te verwerken kreeg. Ze voelde zich tegelijkertijd misselijk en in juichstemming. Ze kon niet ophouden met beven.

Het was alsof alles diezelfde middag en niet bijna vier jaar geleden gebeurd was. Die avond van het feestje. Toen ze zouden uitgaan. Het ene woord lokte het andere uit. De ene nachtmerrie volgde op de andere. Het was allemaal zo ingewikkeld met elkaar verweven, ieder draadje in het patroon was niet van een ander te scheiden. Je gezicht kan zo boven een jurkje uit de uitverkoop Donna pas toch verdomme op je reed bijna tegen die vuilnisemmer waar ga je heen Donna je bent al drie afslagen te ver hoe hard rij je eigenlijk pas op je reed bijna door bij dat stopbord probeer je soms ons te vermoorden je reed door dat rode licht je bent door rood licht gereden stap uit Donna ik rij ik weet niet wat jij doet maar ik ga naar dat feestje en ik ben van plan me te amuseren en wat moet er met Adam gebeuren wil je die ook in tweeën delen ik zet je te kakken snuit je neus Donna hou je bek Donna hou nu eens één keer je bek zijn lichaam bonkend op het hare haar lichaam binnendringend haar van haar verstand berovend ik ben dood ik zal niet langer tegen je vechten.

Ze keek toe hoe de groen-met-beige Volare zijn laatste manoeuvre naar open terrein voltooide, in de juiste positie draaide en voorzichtig het parkeerterrein afreed.

Het leek wel alsof Victor haar met een groteske, honende grijns vanaf de voorruit aankeek. Iedere seconde die verstreek bracht haar kind verder van haar weg. De auto was bijna bij de uitgang. Ik ben niet dood, hoorde Donna een stem diep binnen in zich zeggen. Ze voelde aan het verband in haar zij. Ik ben *nog* niet dood en je hebt me lang genoeg beheerst! Victor keek alsof hij verbaasd was. 'Ga weg, Victor Cressy!' schreeuwde ze. Ze stak het sleuteltje in het contact en zette de auto in de achteruit. Ze trapte het gaspedaal in, manoeuvreerde de auto handig en vlug weg uit zijn tijdelijke standplaats en zette de Buick in de vooruit. Toen de auto achter de beige met groene Volare stopte, zag ze in haar achteruitkijkspiegel Mel staan, zijn armen vol met ongetwijfeld kwaliteitswijnen en met een verbijsterde, stomverbaasde uitdrukking op het gezicht. Ik zal het later wel uitleggen, dacht ze. Haar blik gleed terug naar de auto vlak voor haar. Nu heb ik geen tijd meer om op je te wachten.

Even later draaide ze de Buick naar het westen, Carmel Valley Road op, terug naar Highway 1, waarbij ze tussen haar en de auto voor haar een afstand van enkele meters bewaarde.

23

De vrouw reed in noordelijke richting over Highway 1, met Donna vlak achter haar. Ze keek verschillende malen in haar achteruitkijkspiegeltje. Elke keer boog Donna het hoofd en hield de adem in. Realiseerde ze zich dat ze gevolgd werd? Herkende ze Donna van de supermarkt? Had Victor haar haar foto laten zien? Haar gezegd dat ze voorzichtig moest zijn, wanneer ze ooit dacht de vrouw van die foto te zien?

Donna keek in haar achteruitkijkspiegel. Hoewel ze net boven de maximumsnelheid zat, deed een chroomkleurige sportwagen zijn uiterste best haar te passeren, eerst links, toen rechts. Na enkele ogenblikken kat en muis gespeeld te hebben, tikte Donna met haar vinger op haar voorhoofd en tot haar verbazing zag ze dat hij meteen snelheid minderde. Ze ontspande zich, maar merkte algauw dat hij alleen snelheid had teruggenomen om zich voor te bereiden op een tweede aanval. Hij was nu vastbesloten haar te passeren, ook al zou dat betekenen dat hij dwars door haar heen moest. Verdomme, zei ze bij zichzelf, toen hij haar plotseling met brullende motor rechts inhaalde en zijn sportwagentje tussen Donna en haar kind manoeuvreerde. Toen nam hij gas terug. Opzettelijk. Om haar te pesten. Zijn snelheid liep terug tot een slakkengangetje.

Donna vloekte, eerst in stilte, toen hardop. Ze wilde toeteren, maar ze was bang de aandacht van de Plymouth te trekken. Ze kon de auto nog altijd zien – en zolang ze hem nog kon zien, was er niets aan de hand. Het leek echter wel alsof de Plymouth steeds harder ging rijden, terwijl het tempo van de sportwagen voortdurend lager kwam te liggen. 'Schiet op. klootzak!' schreeuwde Donna, dol van angst.

Alsof hij haar gehoord had, begon de chauffeur van de sportwagen plotseling harder te rijden. Hij trapte het gaspedaal diep in en zette de auto in de vierde versnelling. Hij haalde zonder moeite de Volare in, in zijn kielzog een enorme stofwolk en het bekende gebaar van de geheven middelvinger.

'Hufter!' mopperde Donna en ze ging dichter achter de auto met haar dochtertje erin te rijden.

Plotseling sloeg de vrouw linksaf en Donna volgde de wagen over de inmiddels vertrouwde Ocean Avenue. De vrouw reed vervolgens via Ocean Avenue naar Casanova Avenue, waar ze opnieuw linksaf ging en pas na vijf zijstraten afsloeg. Donna volgde op ruime afstand. Ze zag dat de vrouw het tuinpad van een groot, maar pretentieloos huis opreed.

Woonden ze hier?

De vrouw toeterde, eerst één keer, toen nog eens, minder geduldig. Donna besloot dat ze hier niet woonden. Ze herinnerde zich dat de vrouw gezegd had 'We gaan je broer halen en dan haar huis'. Er kwam geen reactie op het getoeter. Sharon zat veilig in haar kinderzitje, dus de vrouw stapte uit de auto en liep naar de voordeur. Op dat moment ging de deur van het huis open en een heleboel kinderen stroomden naar buiten, rollebollend over elkaar. Het waren allemaal jongetjes, allemaal ongeveer even lang, de één misschien wat robuuster dan de rest. Ze lachten en stoeiden en rolden over elkaar heen, terwijl de vrouw zich vastberaden tussen het gewoel begaf en er een van de vechtende jongetjes uit viste.

Donna spande haar ogen in om zijn gezicht te kunnen onderscheiden, maar de afstand was te groot. Ze zag hoe hij zich losrukte en als een dolleman een paar rondjes om de auto holde in een poging om althans nog een of twee van de jongetjes, die nu allemaal weggingen, in de auto te krijgen. Uiteindelijk duwde de vrouw hem naast zijn zusje op de achterbank. Ze deed haar eigen portier open, zwaaide bij wijze van afscheid naar de vrouw die een paar tellen tevoren in de deuropening was verschenen. En Donna stelde zich voor wat ze tegen elkaar zeiden: 'Dag, mevrouw Smith. Fijn dat Adam na school bij u kon spelen. Bedankt.' 'Graag gedaan, mevrouw Jones. Als u hem nog eens een keer kwijt moet, laat u het me maar weten.'

Nee, dank u, mevrouw Smith, dacht Donna. Nee, dank u, mevrouw Jones. Er komt niet 'nog eens een keer.' Niet 'nog eens een keer.'

De vrouw reed achteruit het tuinpad af, de straat op. Donna volgde haar weer op veilige afstand. Allebei haar kinderen zaten nu in de auto. Misschien scheidde maar een meter of acht hen. Acht meter staal, chroom en beton. Hoelang zou het nog duren voordat ze hen weer bij zich had? Ze probeerde tot de avond vooruit te denken. Over een paar uur zou dit allemaal voorbij zijn. Alle verdriet, alle angst, al het verlangen zouden tot het verleden behoren. Alles zou opgelost zijn – hoe die oplossing er ook uit mocht zien.

De vrouw reed verder over Casanova Avenue tot ze bij Thirteenth Avenue gekomen was. Daar sloeg ze rechtsaf, in de richting van de zee. Ze passeerde twee zijstraten, de derde sloeg ze in, de San Antonio, waar de achtertuinen van de huizen rechtstreeks uitkeken over Carmel Bay. Het was een adembenemend gezicht: op slechts een steenworp afstand strekte het strand zich uit in het zwakker wordende zonlicht. De vrouw reed nog een klein eindje door en draaide toen het tuinpad in van een van de aan zee gelegen huizen. Donna reed een paar huizen verder en parkeerde de auto toen. Ze stapte vlug uit, deed zachtjes het portier dicht, zonder de auto af te sluiten en ging toen zo staan dat ze de vrouw met haar kinderen kon gadeslaan zonder zelf gezien te worden. De vrouw deed het smeedijzeren hek open en de kinderen holden stoeiend de tuin in. 'Jullie kunnen in de achtertuin gaan spelen tot we moeten eten,' riep de vrouw hen na. Ze deed de kofferbak van de auto open en tilde er een van de grote bruine zakken uit.

Het eten, dacht Donna en ze besefte dat het al over vijven moest zijn. Victor kon ieder moment thuiskomen. Zo te zien was hij er nu niet. Donna keek naar een paar passerende auto's, dacht even aan Mel die ze in Carmel Valley had laten zitten, en richtte haar aandacht toen weer op de vrouw die inmiddels de tweede zak boodschappen uit de kofferbak tilde.

Schiet op, verdomme, wilde ze wel schreeuwen. We hebben niet de hele dag de tijd!

Maar de vrouw had niet zoveel haast. Een voor een laadde ze haar zakken met boodschappen uit en droeg ze door het hek naar het zachtbruin geschilderde houten huis met de witte luiken.

Toen de laatste zak uit de auto was gehaald en de vrouw in huis was verdwenen, holde Donna naar het huis toe. Ze was bijna bij het hek, toen de voordeur openging en de vrouw weer verscheen. Donna holde vlug naar de dichtstbijzijnde struik en buiten adem verborg ze zich daarachter. O, zie me alsjeblieft niet, bad ze. Niet nu. Nog niet.

De vrouw liep terug naar de auto en deed haar portier open. Ze drukte op de afstandsbediening op een van de zonneschermpjes van de auto, wat ze blijkbaar deed om de garagedeur open te maken. Toen reed ze de auto de garage binnen. Enkele ogenblikken later kwam ze weer naar buiten en liep via het hek de tuin van het huis weer in. Donna had het gevoel dat ze eindeloos achter die struik had gezeten, toen ze uiteindelijk opstond. Op dat moment kwam de garagedeur met een klap naar beneden, alsof de vrouw binnen al die tijd al had geweten dat Donna er was en haar handelingen precies op die van Donna afstemde, zodat die echt op de toppen van haar zenuwen leefde. Donna stond stil. Haar hart bonsde. Een vrouwelijke Columbo had Mel haar genoemd. Nee, dacht ze terwijl ze de slordige detective voor zich zag, nee. Ze haalde absoluut het niveau van Columbo niet. Ze was meer een onhandige held uit *Sesamstraat*. Die gedachte verdreef haar angst onmiddellijk. Haar eigen kleine Pino wachtte op haar in de achtertuin. Ze had nu geen tijd om bang te zijn.

Ze liep langzaam en voorzichtig naar het hek van de voortuin. Stel je voor dat Victor nu kwam aanrijden. Stel je voor dat hij ineens achter haar stond. Ze hoorde voetstappen. O, god, nee, dacht ze, en ze voelde dat hij achter haar kwam aanlopen. Met een ruk draaide ze zich om. Een jongeman liep langs haar heen zonder acht op haar te slaan. Misschien was ze er niet echt, dacht ze. Misschien was dit allemaal een droom. Net als die slangen. Nu ja, als het dan toch maar een droom is, zei ze tegen zichzelf, terwijl ze zich omdraaide naar het hek en dat heel voorzichtig openmaakte, dan kan ik die net zo goed helemaal uitdromen. Het hek ging gemakkelijk en geluidloos open. Eenmaal in de gezellige voortuin deed ze het hek achter zich dicht, waarna ze even stilstond om te luisteren naar de geluiden vanuit de achtertuin waar haar twee kinderen speelden.

Het huis had een grote, glazen erker aan de voorkant. Donna staarde er langdurig naar, terwijl ze probeerde zich exact voor te stellen wat ze zou doen. Ze zou zachtjes langs de zijkant van het huis sluipen, de achtertuin in. Daar zou ze haar kinderen zien, vertellen wie ze was en dan met hen naar de auto rennen. Donna gluurde door de ramen van de erker. Wist ze maar waar de vrouw was. Hoogstwaarschijnlijk was ze haar boodschappen aan het uitpakken en het eten aan het klaarmaken. Dat betekende dat ze in de keuken moest zijn, en de keuken lag zeer waarschijnlijk aan de achterkant van het huis en keek dan uit op de achtertuin. Verdomme, dacht Donna. Kan dan niemand me helpen? Je hebt alleen jezelf, hoorde ze plotseling een stem zeggen. Haar eigen stem. Een stem die ze de laatste maanden steeds vaker hoorde. Steeds sterker. Elke keer krachtiger. Vooruit, Donna, zei die stem. Donna deed twee schuchtere stappen naar de zijkant van het huis. En meteen struikelde ze over een grote, gele strandbal, die ze op de een of andere manier over het hoofd had gezien. Ze krabbelde snel overeind en gooide de bal weg. Ze zag dat die vlak voor het trapje naar de voordeur terechtkwam.

Ze stond op een vrij breed betonnen pad dat naar de achterkant van het huis leidde. Langzaam en met één oog op de zijmuur gericht, attent op mogelijke onverwachte ramen, liep Donna over het pad naar de achtertuin. De zee brulde bij wijze van aanmoediging; Donna voelde zich opgewonden en licht in het hoofd. Ze kwam bij het eerste raam en gluurde naar binnen, naar een keurige, traditioneel ingerichte woonkamer. Er slingerden een paar stukjes speelgoed, maar het leek wel alsof die daar opzettelijk en met keurig gelijke tussenruimten waren neergelegd. Zelfs deze wanorde had iets heel georganiseerds. Donna liep verder langs de muur. Via de volgende ramen keek ze in een slaapkamer, waarschijnlijk die van de huishoudster. Het vertrek leek te klein om Victors slaapkamer te zijn en was niet fleurig genoeg voor een kinderslaapkamer. Vlak daarnaast lagen de ramen van de keuken. Donna's maag begon te draaien. De vrouw zou haar vast en zeker zien. Donna drukte zich plat tegen de buitenmuur aan.

De vrouw stond aan de andere kant van de keuken, ze was nog altijd bezig met het uitpakken en wegzetten van de boodschappen. Het was een groot, vierkant vertrek, helemaal wit en slechts hier en daar door wat geel en groen geaccentueerd.

Aan twee kanten waren ramen, de derde kant leidde naar de rest van het huis en de vierde, de meest westelijke kant gaf toegang tot een soort ontbijthoekje annex tuinkamer, die op zijn beurt weer uitzicht bood op een terras, de achtertuin en de zee. Als de vrouw in de keuken bezig bleef en niet in de tuinkamer kwam, dan gaf Donna zichzelf een redelijke kans om zonder de aandacht van de vrouw te trekken bij haar kinderen te komen.

Enkele seconden bleef Donna doodstil tegen de zijkant van het huis staan. Toen rechtte ze instinctmatig haar rug en zei tegen zichzelf: Ik heb niet dat hele eind gereisd om hier met lege handen vandaan te gaan! Ze liep voorzichtig naar de hoek van het huis en vandaar kon ze haar kinderen zien spelen.

Ze speelden met een bal – een kleine, vrolijke, veelkleurige plastic bal, die ze naar elkaar overgooiden. Of liever gezegd: Adam gooide en Sharon holde heen en weer.

'Nee!' riep de kleine jongen naar zijn zusje. 'Niet zo, ik zeg toch dat je je handen op moet houden... Niet zo!'

Donna keek ingespannen naar het jongetje. Hij was erg groot voor zijn leeftijd, tenger en knap om te zien. Echt een klein mannetje. Onmiskenbaar haar zoon. Adam, zei ze geluidloos. Lieverd.

'Luister je nou?' vroeg hij ongeduldig. 'Ik blijf het niet uitleggen.' Hij holde naar zijn zusje en greep haar handen. 'Zo. En hou ze nu zo.' Hij keek op en stond ineens stil.

Hij had haar gezien. Hij stond naar haar te staren. Zonder zich te bewegen.

Het meisje draaide zich langzaam naar Donna om.

En zo stonden ze elkaar alledrie aan te staren.

'Hallo,' zei Sharon.

'Pappie heeft gezegd dat we niet met vreemde mensen mogen praten,' vermaande Adam. Donna voelde de tranen in haar ogen springen. Verdomme, ze wilde niet huilen. Adam keek op zijn hoede naar de achterdeur.

'Ik ben geen vreemde,' fluisterde Donna.

'Wat zegt u?' vroeg hij. 'Ik kan u niet verstaan.'

Donna begon iets harder te praten. 'Weet je niet wie ik ben?' vroeg ze. Hij was toch groot genoeg. Ze was er zeker van dat hij zich haar moest herinneren, al was het maar vaag.

'Wie bent u?' vroeg hij en instinctief sloeg hij beschermend een arm om de schouders van zijn zusje.

Donna slikte krampachtig. Ze ging op haar hurken zitten, zodat ze net zo klein was als de kinderen. 'Ik ben jullie moeder,' zei ze. 'Ik ben jullie mammie.'

Sharons ogen werden groot van nieuwsgierigheid. In Adams ogen stond angst te lezen. Hij deed enkele stappen achteruit. Sharon bleef koppig staan waar ze stond.

'Jij bent onze mammie niet!' zei Adam uitdagend. 'Onze mammie heeft ons in de steek gelaten. Die wilde ons niet meer!'

Donna keek in de verschrikte ogen van de jongen. Hoe kon Victor je dat zeggen? vroeg ze in stilte. Hoe kon iemand zo gemeen zijn? Hoe kon iemand zoveel haat koesteren?

'Dat is niet waar. Ik heb jullie nooit in de steek gelaten. Ik heb steeds naar jullie verlangd. Sinds jullie pappie jullie bij mij heeft weggehaald, ben ik steeds naar jullie op zoek geweest.'

'U liegt!' schreeuwde de kleine jongen. Donna keek meteen naar het raam, maar de vrouw was nog steeds druk bezig. Ze was het voortdurende gegil van haar beschermelingetjes ongetwijfeld gewend.

'Je weet heel goed dat ik niet lieg, Adam,' zei Donna zacht. 'Je bent oud genoeg om je mij nog te kunnen herinneren. Je kunt me niet helemaal vergeten zijn. Je weet best dat ik je mammie ben!'

'Je bent mijn mammie niet!' Hij begon te huilen.

'O, lieverdje, toe nou, ik wil je niet aan het huilen maken. Ik wil je alleen maar in mijn armen nemen. Ik wil je knuffelen. Je mee naar huis nemen. Naar Florida.'

'Dit is mijn huis. Jij bent mijn mammie niet!'

'Ik ben je mammie *wel*. Ik zou er alles voor over hebben om jou terug te krijgen.'

Adam zei niets. Hij staarde naar Donna door zijn tranen heen, die inmiddels in stromen over zijn wangen liepen. Plotseling merkte Donna, dat Sharon niet langer stilstond. Ze liep langzaam, maar zeer vastberaden in Donna's richting. Donna hield haar ogen op beide kinderen gericht, terwijl Sharon steeds dichter bij haar kwam, haar grote ogen keken recht in die van Donna.

Ze bleef vlak voor Donna staan, die nog altijd op haar hurken zat. Langzaam hief Sharon haar rechterarmpje op en voorzichtig strekte ze haar handje naar Donna uit en streelde ze Donna's wang. 'Mammie?' vroeg ze zachtjes.

Donna sloeg meteen haar armen om haar heen en omhelsde het meisje met een intensiteit die ze nooit eerder ervaren had. 'O, lieverdje,' huilde ze. 'Lieverdje van me, lieverdje!' Ze bedekte Sharons wangen met kussen. 'God, wat hou ik veel van je. Ik hou zoveel van je.'

'Ze is onze mammie niet!' riep Adam en er klonk nu duidelijk hysterie in zijn stem door. 'Onze mammie wilde ons niet. Die wilde ons niet!'

Donna hoorde voor het huis een portier in het slot vallen. Grote genade, Victor! Ze hees Sharon onder een arm, holde naar Adam en legde haar hand tegen zijn mond, juist toen hij het op een schreeuwen wilde zetten. Hij schopte haar, beet in haar hand, probeerde haar hand van zijn mond te trekken. Ze hoorde de voordeur in het slot vallen. Victor was binnen.

Haar enige hoop was nu om naar de voorkant van het huis te rennen, terwijl Victor naar de achterkant liep.

Ze had zich nooit gerealiseerd dat ze zo sterk was. Maar Donna slingerde de tegenspartelende jongen onder haar andere arm en begon te rennen.

'Pappie!' schreeuwde hij. 'Mevrouw Wilson!'

Mevrouw Wilson hoorde haar naam roepen, hoorde ook de wanhoop in die kreet, en keek naar buiten, in de richting van het geluid. Ze zag Donna wegrennen, een kind onder iedere arm; en op datzelfde moment kwam Victor de keuken binnen. Hij keek naar het raam. En het was alsof één moment alles werd stilgezet – alsof er een film werd stilgezet en een beeld daaruit plotseling sterk vergroot werd. In een fractie van de seconde die daarop volgde keken Victor en Donna elkaar recht in de ogen. Ooit hadden die twee tinten blauw zo mooi met elkaar geharmonieerd, nu was het alsof ze vloekten, leken hun ogen diepe poelen vol ongeneeslijke haat.

Donna holde het pad langs de zijkant van het huis af. Ze wist dat Victor dezelfde weg volgde, maar dan binnenshuis. Adam schopte als een bezetene tegen haar benen; Sharon bood geen verzet. Ze zag het hek, nog maar een paar meter voor haar, ze hoorde Victor de voordeur openduwen, hoorde zijn snelle voetstappen, zag hoe zijn armen naar haar grepen, toen ze langs hem rende. Ze voelde zijn handen langs haar schouders strijken, hoe zijn vingers zich spanden om haar bij haar blouse te grijpen, maar toen verslapte zijn greep omdat hij onderuitging. De gele strandbal schoot onder hem vandaan en hij lag in het gras. Donna kwam bij het hek en duwde het open op het moment dat Victor zich van de schrik hersteld had en overeind krabbelde.

Zodra ze op straat waren, begon Adam luidkeels te schreeuwen. Maar als er al iemand aandacht aan besteedde, dan had Donna het te druk om zich daarvan iets aan te trekken; als er voorbijgangers met hun auto zouden stoppen, dan zouden ze toch achter Victors auto moeten gaan staan. Niemand hield haar nog tegen. Haar enige gedachte was om bij de auto te komen. Ze had nog een paar seconden. Ze hoorde het hek dichtvallen; ze wist dat Victor vlak achter haar was.

De auto leek wel verder weg te staan dan ze zich herinnerde. Ze begon moe te worden, haar lichaam begon pijn te doen. Nee, nog niet, zei ze tegen zichzelf, terwijl ze haar zoon wat beter in de greep nam. Ze bereikte de auto, deed het portier open, gooide de kinderen erin – eerst haar dochter, toen haar zoon – sprong er toen zelf in en smeet het portier dicht. Net toen Victor naar de hendel greep, vergrendelde ze het portier van binnenuit.

Weer keken ze elkaar in de ogen. Hun ogen schoten vuur. Toen wendde Donna haar blik af. Ze had genoeg haat gezien in zijn ogen. Ze startte de auto en voelde Victor met zijn vuisten tegen het raampje beuken, terwijl Adam met zijn vuistjes tegen haar gezicht stompte.

'Adam, toe, lieverdje...'

'Je bent mijn mammie niet. Je bent mijn mammie niet!'

Victor ging vlak voor Donna's auto staan in de veronderstelling dat ze niet op hem zou durven inrijden.

Drijf me niet tot het uiterste, zei Donna in gedachten. De motor liep, de auto stond klaar om weg te rijden. Donna staarde recht voor zich uit in Victors gezicht. Ze zag de vastberaden uitdrukking op zijn gezicht, kende de koppigheid waarmee ze te maken had. Hij was in staat hier voor de ogen van zijn kinderen te sterven in plaats van één stap opzij te doen. Voorzichtig, bedachtzaam en zonder dat hij het merkte, keek ze razendsnel in haar achteruitkijkspiegeltje. Er stond niemand achter haar. Ze keek opnieuw naar Victor, werkte zich los uit Adams handjes en hield haar rechterarm beschermend voor de kleintjes naast zich. Toen zette ze de auto in de achteruit, trapte het gaspedaal diep in en reed met grote snelheid achteruit in de richting van Thirteenth Avenue.

Ze gunde zich slechts heel even de tijd om zichzelf te feliciteren, want ze wist dat Victor zich uiterst snel zou herstellen. Tegen de tijd dat ze kon afremmen en van richting kon veranderen – ze nam de westelijke route naar de brede, schilderachtige kustweg – was Victor al in zijn eigen bruine auto gesprongen die het midden hield tussen een sedan en een wat sportiever model – en reed er nog maar één auto achter haar. Als een gek stuurde ze over de bochtige kustweg, de zijstraten schoten met toenemende snelheid voorbij – Tenth, Ninth, Eighth, Seventh Avenue. Ze zag een bord waarop Pebble Beach en de beroemde strandroute van 30 kilometer natuurschoon stond aangegeven. Niet nu, dacht ze. Ze had geen tijd voor 30 kilometer natuurschoon, hoe spectaculair dat misschien ook was. Plotseling kwam Ocean Avenue in zicht. Die bekende naam gaf haar opeens weer het nodige vertrouwen. Ze sloeg abrupt rechtsaf en reed oostwaarts naar de snelweg. En dan? vroeg ze zich paniekerig af.

De blauwe auto tussen de hare en die van Victor was allang geleden zijn eigen weg gegaan en Victor verkleinde de afstand tussen hem en Donna in snel tempo. Ze trapte het gaspedaal dieper in. Victor deed hetzelfde. En ondertussen bleef Donna worstelen met haar zoon. Zijn woedende, angstige gegil was bijna een soort surrogaat-radio, de a-capella-uitingen van de nieuwste trend in punk-rock. Ze trapte het gaspedaal nog dieper in en bij de volgende hoek sloeg ze nogmaals snel en onverwacht af. Achter zich hoorde ze het gegier van banden, ze wist dat Victor haar nog steeds vlak op de hielen zat. In een flits zag ze de verschrikte gezichten van enkele voetgangers. Ze zag hen achteruitdeinzen of verstijven van schrik als ze er aankwam, of zich zo snel mogelijk uit de voeten maken.

Het lawaai in de auto begon oorverdovend te worden. Donna's hart bonsde. Waar zit de politie hier? vroeg ze zich voortdurend af. Is er dan niemand die een eind komt maken aan deze waanzin? Ze zag zichzelf tot in eeuwigheid rondrijden in een gehuurde, witte Buick, haar zoon met zijn vuistjes op haar hoofd stompend, haar dochter helemaal opgaand in het snel voorbijschietende landschap, opgejaagd in een eindeloze doolhof van straatjes in het schilderachtige Carmel. Als dat de hel kon zijn, dan wás dat duizend maal erger dan de rest van de eeuwigheid te moeten afwassen, besloot ze.

Deze zotte gedachte kalmeerde haar. Ik zal het wel rooien, zei Donna tegen zichzelf, en ze herkende de schijnbare waanzin in die gedachte, sporen van hoe ze vroeger geweest was; de stukjes van de puzzel die het beeld van Donna Cressy voor het eerst sinds jaren helemaal compleet maakten.

'Het komt allemaal goed, jongens,' zei ze hardop. 'We zullen het wel rooien. Alles komt in orde.'

Plotseling hoorde ze een klap, ze voelde de auto plotseling vooruitschieten. En nog een keer. Donna keek in paniek achterom. 'Jezus christus,' vloekte ze, toen ze zag dat Victor weer dichterbij kwam voor een derde, opzettelijke botsing van de neus van zijn auto tegen de achterkant van de hare.

'Ben je gek geworden?' schreeuwde ze. 'Je kinderen zitten hier in!'

Victor ramde zijn auto opnieuw tegen de achterkant van de Buick. Door de schok schoten de kinderen naar voren, tegen Donna's arm, die ze onmiddellijk had uitgestoken om hen tegen te houden. Als er nog zo'n klap zou volgen, kon ze hen misschien niet meer tegenhouden en zouden ze door de ruit kunnen vliegen. Zowel Adam als Sharon begon te huilen. Adam hield voor het eerst op zijn moeder te molesteren en keek achterom naar zijn vader.

Donna riep luidkeels en in paniek: 'Kunnen jullie de riemen vastmaken, jongens?'

Sharon huilde. 'Ik ben bang,' jammerde ze.

'Dat weet ik, liever'. Maar weet je hoe je je riem moet vastmaken?'

'Ik weet het niet,' snikte het kind.

Donna keek naar haar dochter en mat in gedachten de afstand tussen haar en het kind. Ze kon met geen mogelijkheid over Adam heen leunen, het kind veilig vastmaken en ondertussen ook nog de auto besturen. Haar enige hoop was haar zoon. Ze keek naar de verstarde uitdrukking op zijn gezichtje. Hij zat op zijn knieën en staarde totaal ontredderd uit het achterraam naar het gezicht van zijn vader. 'Adam,' zei ze zacht en zo bezwerend mogelijk. 'Kun jij ons alsjeblieft helpen, liverd? Wil je de veiligheidsriem van je zusje vastmaken en die van jezelf ook? Wil je dat doen?'

Ze zag Adams ogen groot worden van ontzetting; Victor stond op het punt de auto opnieuw te rammen. Donna trapte het gaspedaal weer dieper in, slaagde erin tijdelijk buiten zijn bereik te komen en keek weer naar haar zoon.

'Nee, pappie, nee!' begon hij te gillen. 'Hou op! Hou op!'

'Adam, alsjeblieft,' gilde Donna over zijn geschreeuw heen. 'Ga zitten. Help ons. Alsjeblieft. Je moet ons helpen!'

Plotseling draaide de jongen zich om, hij strekte zijn arm uit en maakte de veiligheidsriem van zijn zusje vast en toen die van hemzelf. Donna slikte krampachtig, ze voelde zweet op haar voorhoofd en onder haar oksels, vlug sloeg ze weer een hoek om. Waar was ze? Ze had alle gevoel voor richting verloren – en ze reed maar door. De kinderen jammerden angstig en ze zag dat ze elkaar stevig bij de hand hielden.

Na nog enkele paniekerige bochten merkte ze dat ze terug was op Highway 1, ook al kwam niets haar bekend voor. Waar was de politie? Ze had het gerechtelijk bevel in haar tas. Hield nu maar iemand haar aan. Hou ons alsjeblieft aan, huilde ze, hangend over het stuur. Hou ons aan, voordat hij ons vermoordt. Ze voelde opnieuw een dreun; deze keer kwam die echter niet van achteren maar van opzij. Victors snelheid nam toe, hij haalde haar in en ramde de zijkant van zijn auto tegen de hare.

'O, god!'

Adam werd hoe langer hoe hysterischer. 'Hou op, pappie!' gilde hij. 'Hou alsjeblieft op, pappie!'

Donna klampte zich aan het stuur vast alsof ze ermee vergroeid was. Wat was er met Victor aan de hand? Hoe kon hij zijn eigen kinderen dit aandoen? Hoe kon hij hun dit aandoen? Ze keek uit haar zijraampje naar Victors auto, zag zijn gezicht en besefte dat hij zich op dit moment van niets anders bewust was dan van zijn haat jegens haar.

'Pappie, hou op!' gilde Adam weer, toen Victor de zijkant van de witte Buick opnieuw ramde.

Donna verloor enkele tellen de macht over het stuur en even ging de auto scheef, half in de berm, voordat ze erin slaagde hem weer op de snelweg te krijgen. De kinderen reageerden hysterisch.

'Hou op!' schreeuwde Adam en hij begon nu ook te snikken, net als zijn zusje.

'Hou alsjeblieft op! Mammie! Mammie! Hou alsjeblieft op!'

Donna reageerde onmiddellijk op dat woord. Ze keek naar de betraande gezichtjes van haar kinderen.

'O, god, lievelingen toch!' riep ze. 'Wat doe ik jullie aan!'

Ze nam zo snel mogelijk gas terug en stuurde de auto naar de kant van de weg. Daar bracht ze de auto tot stilstand en nam haar kinderen stevig in de armen. Binnen enkele seconden had Victor hen ingehaald en de auto een klein eindje verder langs de weg gezet. Nu kwam hij woedend naar hun auto toerennen, waar ze met zijn drietjes dicht tegen elkaar aan zaten te huilen.

24

Donna's gezicht was helemaal rauw en gekneusd, het zat vol bloederige krassen van de nagels van haar zoon en was rood gestompt door zijn stevige vuistjes; haar benen waren stijf en zaten onder de kleine, bruine plekken, waar haar zoon zijn welgemikte trappen had uitgedeeld; haar armen deden pijn; ze kon haar vingers amper verroeren, haar maag zat in de knoop zoals nooit tevoren en ze had een schorre keel van het schreeuwen.

'Is alles goed met je?' vroeg hij haar.

Donna keek Mel aan. 'Ik heb me nog nooit zo goed gevoeld,' zei ze glimlachend.

Mel stond op van zijn stoel tegen de muur en liep naar de plek waar Donna zat, midden in het grote vertrek. 'Ik kan wel vertellen, dame,' begon hij, 'voor iemand die in geen vier jaar meer heeft gereden, doe je het prima. Misschien haal je het wel tot Indianapolis – vooropgesteld natuurlijk dat ze je je rijbewijs niet afnemen.'

'Denk je dat ze dat zullen doen?'

'Tja, dan zullen ze dat toch eerst moeten zien te vinden, lijkt me.'

Donna ging met haar hand door haar haar. 'Wat een chaos! Ik kan het gewoon niet geloven! Maar wie zou er nu aan zijn rijbewijs gedacht hebben? Ik heb al zo lang niet meer gereden dat ik de moeite niet heb genomen om het te verlengen.'

'Precies.'

Ze legde haar hand op haar voorhoofd en keek op naar Mel. 'Denk je dat ze me op de bon slingeren?'

Mel schudde het hoofd. 'Waarvoor? Omdat je zonder rijbewijs reed? Of omdat je in een gestolen auto reed? Of omdat je 120 kilometer per uur reed, waar je maar 40 mag? Of omdat je iedereen de stuipen op het lijf hebt gejaagd? Roekeloos hebt gereden? Waarom zouden ze je voor zoiets onnozels op de bon slingeren?' Hij knielde naast haar en glimlachte.

'Dank je wel.'

'En dan heb ik het nog niet eens over die ontvoering...'

'Ik heb mijn gerechtelijke bevel laten zien!'

'Volgens mij hadden ze meer belangstelling voor de papieren die je niet kon laten zien.'

'Ach, het huurcontract van de auto stond niet op mijn naam, dat geeft toch niet?'

'Vertel ze dat maar eens, meisje.'

'O, Mel.'

'Ik hou van je.'

Voor het eerst sinds Mel het grote vertrek in het politiebureau was binnengelaten door twee breedgeschouderde politieagenten, omhelsden ze elkaar.

'Ik was zo bang dat je er niet zou zijn,' zei ze, tegen hem aangeleund. 'Ik dacht: Ze laten me één keer bellen en dan is hij er niet.'

'Waar had ik anders heen moeten gaan?'

'Ik had de sleutel van de kamer!'

'Zij hadden er nog een.'

'Was je verbaasd, toen ik zomaar wegreed?'

'"Verbaasd" is een boeiende omschrijving voor hoe ik me voelde.'

Ze glimlachte. 'Heb je hen alles uitgelegd?'

'Ik heb het geprobeerd.'

'Ik ook. Denk je dat ze het begrepen hebben?'

'Ze hebben het wel *geprobeerd*.'

Ze keek hem scherp aan. 'Heb je de kinderen gezien?'

'Ik heb even om een hoekje gekeken. Zo te zien mankeerden ze niets. Ze waren moe. De huishoudster, ene mevrouw Wilson, is bij hen.'

'En Victor?'

'Die heb ik niet gezien.'

Donna liep rusteloos het vertrek op en neer. 'Ik wilde dat ze me kwamen vertellen wat er allemaal gebeurt.' Ze zweeg en dacht weer aan wat er nog maar twee uur geleden allemaal gepasseerd was. 'Ineens waren ze er, zomaar uit het niets. Het ene moment was ik alleen met Victor; het volgende was volgens mij het hele politiekorps van Carmel er.' Ze liep weer naar Mel. 'En nu zijn ze allemaal weer verdwenen. Hoe laat is het?'

'Bijna acht uur.'

'Dan zit ik hier al een uur. De kinderen hadden allang in bed moeten liggen.'

Mel woelde haar haren door de war. 'Je bent fantastisch!' zei hij trots. Donna glimlachte.

De deur ging open en de kamer stond ineens vol politie, in totaal vier agenten, twee in uniform en twee in burger.

'Neemt u me niet kwalijk dat het allemaal zo lang geduurd heeft,' zei de man die de leiding had. Hij ging achter het bureau zitten, kennelijk zijn vaste plek. 'Het is alleen een ongelukkig tijdstip om dingen te controleren, vooral door het tijdsverschil tussen hier en Florida. Zo laat werken er niet veel mensen meer...' Hij zweeg even. 'Alles klopt,' zei hij ten slotte. 'U kunt uw kinderen gaan halen. En hen meenemen naar huis.'

Donna barstte in snikken uit; Mel sloeg meteen zijn arm om haar heen en knuffelde haar, in stille feestvreugde. 'U klaagt me niet aan?' vroeg ze, terwijl ze haar tranen droogde.

'Zodat iedere krant in het land me als beroepsfanaat afschildert? Mevrouw,' vervolgde hij op ontwapenende toon, 'als ik zou proberen een aanklacht tegen u in te dienen, dan zou ik degene zijn die in de bak belandde. En dan heb ik het nog niet eens over mijn vrouw, die me waarschijnlijk zou vermoorden in mijn slaap. Ga uw kinderen halen en ga naar huis. Kijk een gegeven paard... nou ja, laat maar.'

Donna en Mel liepen naar de deur. Donna stond stil. 'En Victor?' vroeg ze schuchter.

'Hem kunnen we aanklagen,' zei de man.

'Mag ik hem spreken?' vroeg Donna en ze was zelf verbaasd over haar vraag.

'Als u dat wilt.'

Donna knikte. Een van de geüniformeerde agenten leidde haar het vertrek uit, de gang door. Mel gebaarde woordeloos dat hij zou blijven wachten. De agent liep met Donna een eindje de gang door naar het volgende vertrek.

Dit was veel kleiner dan de kamer waar Donna gezeten had. Victor stond bij het raam in de achtermuur de straat in te kijken. Hij draaide zich onmiddellijk om toen de deur openging. Donna zag dat hij gehuild had.

'Kom je van je triomf genieten?' vroeg hij.

Donna boog het hoofd. Wat had ze verwacht met dit gesprek te bereiken? Waar was ze op uit geweest? Zijn verzekering dat hij haar met rust zou laten? Haar en de kinderen niet achterna zou komen? Het was zinloos hem dat te vragen. Haar komst was zinloos. Ze draaide zich om, om de kamer te verlaten.

'Donna...'

Ze stond stil en keek naar hem om. Zijn stem klonk onuitsprekelijk bedroefd.

'Wil je tegen de kinderen zeggen... wil je hen zeggen dat het me vreselijk spijt dat ik hen zo bang heb gemaakt?' Ze knikte. 'Want ik hou van mijn kinderen.'

Donna herinnerde zich een eerdere gelegenheid in hun leven, toen hij hetzelfde had gezegd. Toen ze sprak, klonk haar stem kalm en beheerst. 'Het lijkt me dat je moet beslissen wat belangrijker voor je is – je liefde voor je kinderen of je haat jegens mij.' Ze zweeg. 'Ik neem hen nu mee naar huis.'

Victor boog het hoofd. Donna draaide zich om en verliet de kamer.

De twee kinderen lagen ineengerold tegen de plooien van de jurk van mevrouw Wilson; ze vochten tegen de slaap toen Donna en Mel binnenkwamen. Adam ging meteen rechtop zitten en nestelde zich in de arm van de huishoudster.

'Als u dat wilt, kan ik hun spullen pakken en de koffer vanavond naar uw motel komen brengen,' zei de vrouw kalm.

'Dat lijkt me erg fijn, dank u wel,' zei Donna. 'We vertrekken morgenochtend vroeg.'

Ze fluisterden allemaal, alsof ze bang waren de plotselinge rust te verstoren.

Donna liep naar haar half slapende dochtertje. Het kind werd even wakker, ze glimlachte toen ze haar moeder herkende, haar handje streelde haar moeders wang. Toen legde ze haar hoofd tegen Donna's schouder, deed ze haar oogjes dicht en viel onmiddellijk in slaap.

Donna keek neer op haar zoon. 'Adam?' Hij hing achterover, nog altijd dicht tegen mevrouw Wilson aan. Donna liep naar Mel en hevelde het slapende meisje van haar schouder over naar de zijne. Toen liep ze naar Adam terug en knielde ze bij hem.

'Er was eens...' begon ze, niet helemaal zeker van wat ze ging zeggen, 'er waren eens een klein jongetje dat Roger heette en een klein meisje dat Bethanny heette, en ze gingen naar de dierentuin om naar de giraffen te kijken. En ze namen pinda's mee. Maar er hing een bordje en op dat bordje stond...' Ze zweeg, haar keel werd dichtgesnoerd.

Adam staarde naar haar met ingehouden adem en grote ogen. 'Op het bordje stond "Verboden te voederen",' zei hij zacht en toen zweeg hij.

'O, Adam, ik hou zoveel van je. Ga je alsjeblieft met me mee naar huis?'

Plotseling lag hij in haar armen, zijn armpjes strak om haar hals. Hij snikte nu openlijk.

'O, lieverd. Mijn mooie, kleine ventje. Wat hou ik veel van je!'

Langzaam en voorzichtig stond ze op. Adam sloeg zijn benen om haar middel en klampte zich aan haar vast – zo stevig als hij maar kon. Eerst dacht ze dat hij zomaar wat geluidjes maakte, maar toen werd het duidelijker wat hij zei. Maar één woord zei hij. En dat steeds weer. Mammie.

Donna en Mel liepen met de beide kinderen in hun armen naar de deur. Donna keek Mel aan en glimlachte door haar tranen heen. 'We gaan naar huis,' zei ze.

Ook zo genoten van dit boek?

Lees dan ook de nieuwste psychologische thriller van
Joy Fielding:

Fatale schoonheid

Een tintelende thriller over een schilderachtig stadje in Florida – dat in de ban raakt van een moordenaar die de jacht heeft geopend op tienermeisjes.

Met de bon die hieronder wordt aangeboden, kunt u deze thriller nu tijdelijk voor een gereduceerde prijs aanschaffen.